新潮文庫

ダーク・レディ

上巻

リチャード・ノース・パタースン
東江一紀訳

ジョージ・ブッシュとロン・カウフマンに

ダーク・レディ 上巻

主要登場人物〔上〕

ステラ・マーズ………………検察局殺人課課長
アーサー・ブライト…………郡検事。ステラの上司
ジャック・ノヴァク…………麻薬犯罪専門の弁護士。ステラの元恋人
トマス・クラジェク…………スティールトン市長
ピーター・ホール……………ホール・デベロップメント社社長
トミー・フィールディング…　　〃　　　　　　　　役員
チャールズ・スローン………首席検事補
マイケル・デル・コルソ……捜査官。スローンの部下
ナサニエル・ダンス…………刑事部長
ジョニー・カラン……………麻薬課の警官
ケイト・ミチェリ……………検屍官
ティナ・ウェルチ……………娼婦
ミッシー・アレン……………フリーのモデル
アーミン・マーズ……………ステラの父親
ソール・ラヴィン……………老弁護士
ヴィンセント・モロ…………麻薬組織のボス

PART ONE

ARTHUR BRIGHT

第一部

アーサー・ブライト

I

ジャック・ノヴァクが惨殺《ざんさつ》されたことを知る少し前、郡検事補のステラ・マーズは、生まれ育った街スティールトンの湖岸地域を眺め下ろしていた。あとから思えば、そのときはまだ、無垢《むく》の歳月を過ごしていたのだった。

三十八歳の女が、みずからを無垢と称するのはむずかしい。角部屋にあたるオフィスからの眺めも、心を軽くしてはくれなかった。暗鬱《あんうつ》な青が午後の日差しを覆《おお》い隠した、いかにもスティールトンの冬らしい空模様。灰色によどんだオノンダガ川が街をふたつに分断し、一本の鋼橋の下でエリー湖に合流している。川の浸食がつくり出した谷間の広がりに樹木はなく、引き込み線と屋根付きの貨車、精錬所、クレーン、化学プラントが散在して、にらみをきかせるように、製鋼所の煙突が何本かそびえ立つ。黒々と地にうずくまる巨大な製鋼所の一群は、かつてスティールトンという街の命運を担《にな》っていた。

子ども時代を振り返るとき、ステラは、製鋼所が吐き出す煤煙《ばいえん》の悪臭と、干してあった制服の白いブラウスについたしみのことを思い出す。夜間のロースクールに通学していたころを振り返るときには、川が爆発した晩の記憶がよみがえった。化学廃棄物と製油派生物が混ざり合ったとたん自然発火し、暗闇《くらやみ》のなか、炎が五階建てビルほどの高さにまで燃え上がったのだ。このふたつの事象、つまり製鋼所の隆盛と川の爆発とのあいだに、ひとつの街とその衰退にまつわる物語があった。

天の定めで、ステラもその物語の登場人物のひとりとなった。数ある製鋼所が急速な発展を遂げたのは、南北戦争後に初期の移民が押し寄せて、労働力が増大したおかげだった。ドイツ、イングランド、ウェールズ、アイルランドなどからやってきた人々は、一八七〇年代の初めには一日十四時間、週に六日間働いていた。当時の週給は十一ドル五十セントに過ぎず、一八七四年、くすぶり続けていた労働者たちの憤懣《ふんまん》が燃焼点に達して、ストライキが決行され、怒れる労働者たちは週に二十五セントの上乗せを要求した。経営者連の元締めアマサ・ホールは、製鋼所の操業を停止して、ストライキを行なった労働者たちに告げた。操業を再開したあかつきには、週に五十セントの減給をのんだ者にだけ仕事を与える、と。くだんの労働者たちがこれを拒否すると、ホールは自前の船に乗り込んで、世界を巡る航海に出た。

当時ポーランド領だったバルト海沿岸の港湾都市グダンスクに錨《いかり》を降ろしたホールは、〝王侯並み〟の週給七ドル二十五セントと、アメリカへの渡航費無料を謳《うた》い文句に、若い労働者を大々的に募集する。その結果、ポーランド人が大挙してアメリカに渡り、ストライキ破りの戦力となった。貧しく、骨身を惜しまずに働くローマカトリック教徒たちの大半が、読み書きのできない人々であり、ステラの曾祖父《そうそふ》にあたるキャロル・マージェフスキーも、そのなかのひとりだった。アマサ・ホールは、このポーランド人たちの労働力を後ろ盾に効率よく人件費を削り、最終的には地元の同業者たちを一掃して、次々と製鋼所を吸収し、一帯の鉄鋼産業をほぼ手中に収める。しかし、これらの製鋼所も、世界の大きな流れには抗しきれず、徐々に勢いを失って、ついには廃業の憂《う》き目《め》を見た。ステラの父アーミン・マーズも、そのあおりを受けて失業し、苦しい生活を強いられることになった。

オノンダガ川から燃え上がった炎が、暗い夜空をきらめくオレンジとブルーに染めた映像を思い浮かべると、ステラの頭に、もうひとつの記憶がよみがえる。東地区《イーストサイド》で起こった暴動だ。ヨーロッパ系の移民たち――初期の大規模な移民と、のちに加わったイタリア人、ロシア人、ポーランド人、スロヴァキア人、そしてオーストリア・ハンガリー帝国出身の人々――がスティールトンの西地区《ウエストサイド》に居を構えた一方で、この街の産業に誘われてアメリカ南部から押し寄せてきた移住者たち、つまりかつて奴隷《どれい》だった人々の末裔《まつえい》は、オノンダガ川の東側に住み着いた。とはいえ、この新参者たちが、雇用主や先住の白人労働者たちから快く迎えられたわけではない。ステラの記憶では、昔自分が住んでいた〝ワルシャワ〟あたりに入り込んでくる黒人たちは、例外なく疑いと蔑《さげす》みの視線を浴びていた。六〇年代に入ると、東地区で鬱積した黒人たちの感情が爆発して暴動へと発展し、放火と、警官隊を向こうに回した銃撃戦が三日間続いて、それまでの疑いと蔑みが、恐れと憎しみへと転化していったのだ。最後に移り住んできた少数の非白人——プエルトリコ人、キューバ人、韓国人、ハイチ人、中国人、ベトナム人——たちは、貧しい東地区のみに安住の場所を見出《みいだ》した。いきおい、オノンダガ川をはさんだ東西の対立は深まり、スティールトンでは、人種に関する政策的な配慮が、汚染された空気を吸うのと同じくらい当たり前のことになった。

この東西の分裂も、やはりステラの心に影を落としていた。ステラはこの六年間、敗訴したことがない。ただ、一件だけ評決不能となった事件があった。高校生を妊娠させたある教師が、殺人容疑で裁判を受けた際、ステラのとりわけきびしい反対尋問を浴びて、のちに自死を遂げたのだ。これがもとで、ステラはひとりの判事補から異名を進呈され、刑事弁護士たちのあいだでも、広く〝黒婦人《ダーク・レディ》〟と呼ばれることになる。しかし、この弁護士たちも、最近になってようやく、ステラが長年胸にかかえてきた野望に気がついた。それは、エリー郡初の女性検事に選出されることだった。

道のりは険しくとも、けっして不可能な目標ではない。ステラは、西地区が誇る前途有望な若き女性だった。大学とロースクールでは勉学に励んで優等学位を取り、敬虔《けいけん》なカトリック教徒であり続け、同世代の多くの人間とちがって、スティールトンとその街がかかえる問題に背を向けたことがなく、勤め先の検察局ではすでに殺人課の課長を務めるまでになっていた。自惚《うぬぼ》れず、常に自己を冷静に見つめるタイプで、多くの政治家が生来備えている愛想のよさや自己宣伝の能力はないものの、頭脳明晰《めいせき》で、実直で、心底から検察当局を、そしてスティールトンの街をもっとよくしたいと願っていた。容貌《ようぼう》にも恵まれ、しかし目立ちすぎることはない。豊かな茶色の髪、色白の肌、ふっくらした顔、中央にくぼみのある顎《あご》。どこか異国ふうの、ユーラシア大陸の血を髣髴《ほうふつ》とさせる茶色の瞳《ひとみ》は、本人もひそかにいちばんの美点だと思っている。きびしい運動と気を抜かないダイエットによって懸命に維持してきたしなやかな体形には、家庭と学校で叩《たた》き込《こ》まれた自己鍛錬の一面が表われていた。夫も子どももいないせいで、仕事一辺倒の検察官という印象は払拭《ふっしょく》しがたく、また実際に深まりゆく孤独感を胸にかかえてはいたが、記憶と理性が残っていたころの父アーミン・マーズのように、ステラを身のほど知らずと呼んだり面と向かって非難したりする人間はいなかった。

しかし、ステラにとって最大の問題は、女性だということではない。それは、この街を分断する川のありようと同じくらい明らかだ。最大の問題は、ステラが少数民族系の白人であり、黒人が住む東地区に支持基盤を持っていないことだった。そこで、ステラの思考と視線は、市の最大の期待を担い、同時に最大の問題をはらんだ眼前の風景へと移っていく。新しい球場の骨組みとなる鉄鋼の構造物。クラジェク市長は、その球場をスティールトン二〇〇〇と名づけていた。

この地で何かが改善されるのは、これが初めてというわけではない。製鋼所の衰退のおかげもあるとはいえ、湖と川は浄化され、大気の汚染率も減少していた。昔はみすぼらしかったダウンタウン、かつて売春婦と辻《つじ》強盗の縄張りだった場所にも、今では商店や劇場やレストランが立ち並んで、少しずつ近郊の住人や若年層の客を引き寄せている。ガラスに覆われた新築の高層ビルも何棟か建ち、公害と縁のない産業を街につなぎとめる役割を果たしていた。手つかずのまま残っている湖岸沿いの遊歩道は、街の中心部では唯一《ゆいいつ》緑の広がる場所で、その両端に市役所と郡庁舎が建っている。雄大な建築がもてはやされた時代、地方自治体が矜持《きょうじ》を保っていた時代、つまり世紀の変わり目に建てられた、古典装飾様式の傑作だ。とはいえ、ステラにとっても、大勢の市民にとっても、目下建設中のこの球場こそが、首長の座をめぐる争いの象徴だった。

スティールトン・ブルーズ球団の歴史は、一九〇一年にまでさかのぼる。マーズ家の人々は、ステラの曾祖父に始まり、四世代にわたってこのチームの試合を観戦してきた。いや、五世代か、とステラは考え直した。妹のケイティとその夫が、子どもたちを球場に連れていき始めているとすれば……。ブルーズはこの街の一部だった。ラジオの実況中継、酒場での論争、ほかにほとんど接点のなさそうな父と息子の会話。長年にわたって目を覆うような不成績が続いた――ブルーズが最後にワールド・シリーズの舞台を踏んだのは、一九三〇年代のことだ――ために、一球団の戦いぶりがここまで忠実に本拠地の景気をなぞるものかと、一種ゆがんだ感銘すら呼び起こしたほどだ。

しかし、今はそれも問題のひとつだった。入場者が減って、ホームゲームでの収入が落ち込み、なのに、甘やかされてきたスター選手たちは、ともすれば年俸の大幅なアップを要求する。ブルーズの現オーナーであり、非情なる鉄鋼王アマスの曾孫《ひまご》にあたるピーター・ホールは、シリコンヴァレーの企業グループから球団売却を持ちかけられたことがあり、それが決まれば、ブルーズは本拠地をカリフォルニアに移すところだった。

しかし、ホールは、チームを捨てた冷酷なオーナーという汚名を着ることをよしとせず、同様に、ステラと同郷の野心あふれる若き市長トマス・クラジェクも、スティールトンの魂をコンピュータ・チップ成金の一団に売り飛ばす〝堕《お》ちた政治家〟にはなるまいと肚《はら》を固めたのだ。

その結果が、毎週毎週、ステラの眼前に展開されている。かつてそれは、紙に描かれた完成予想図にすぎなかった。クラジェクとホールが、苦戦を強いられた特別選挙の際、スティールトン二〇〇〇の構想を打ち出して、二億七千五百万ドルの地方債を発行するべく利用した青写真だ。それが今や、のっぺりとした灰色のエリー湖を背景に、骨組みとして立ち上がっていた。所定の位置に立てられた鋼鉄の柱と、その周囲に順を追って打設されるコンクリートの軀体《くたい》が、しだいに球場の形を帯びてくる。永遠不変の幾何学構造が、むき出しの大地に根を下ろしていた。その上方には、前史時代の動物の骨格を思わせるクレーンが立ち並び、わきには建設業者と下請け業者のトレーラーが列をなして、きょうは日曜日で人けがないが、徐々に数を増やしてきている。この球場は近年にない最高水準の競技場に、第二のカムデン・ヤーズかジェイコブズ・フィールドになるはずだ。二〇〇〇年にブルーズがここへ出陣すれば、スティールトンはふたたび息を吹き返すだろう。クラジェク市長はそう請け合っていたし、ステラもそう信じたかった。

そして、そのことがステラにとって最大の問題なのだった。

クラジェクは、この十一月の市長選挙で再選をめざしている。しかし、その前に、民主党内での激しい予備選挙に臨まなくてはならなかった。激戦必至の大きな要因として、対立候補アーサー・ブライトの肌の色があり、また、ブライトの中心的な論点がある。その論点とは、スティールトン二〇〇〇を指して、よりよい学校、よりよい住宅、安全な街づくりなどの差し迫った課題に振り向けるべき公金を、華美な目的に転用する恥ずべき計画だと糾弾するものだった。ブライトは、エリー郡の郡検事となった初のアフリカ系アメリカ人であり、ステラを殺人課の課長に任命した人物でもある。ステラはブライトに恩義を感じていたし、それ以上に、敬愛の情を抱いていた。そして、政界におけるステラの将来も、ブライトその人にかかっている。つまり、ブライトがクラジェクに勝たなければ検事の席が空かないし、ブライトがみずからの支持基盤である東地区であと押しをしてくれなければ、ステラが選挙に勝つことはできない。いずれの戦いも、ブライトが有権者を説き伏せ、クラジェクとその〝フィールド・オブ・ドリームス〟に改めてきびしい目を向けさせることができるか否《いな》かで、大きく様相が変わってくるだろう。

ここまで考えてから、ようやくステラは、スティールトン二〇〇〇の進捗《しんちょく》状況を鬱々たる沈思の種にするのをやめて、自分の机に戻った。

いつもながらの乱雑ぶりが目に入る。冷めて苦くなったコーヒーが残ったカップ。ジム用のスポーツバッグ。殺人事件に関する現況報告書。警察署の書類。それでもひとつだけ、きちんとわかるように置かれた書類があった。かなり微妙な問題を扱ったものなので、その件についてはブライトとじかに話し合っていた。三日前に死亡したトミー・フィールディングに関する警察の報告書だ。

フィールディングを個人的に知っていたわけではないが、わずかな知識から推しても、その死は腑《ふ》に落ちるものではなかった。自宅の寝室で家政婦に発見されたフィールディングの死体は裸のままで、かたわらにティナ・ウェルチという名の黒人娼婦《しょうふ》の死体があった。キッチンの流しには、ライター、スプーン、綿球、白い粉末が付着したグラシン紙の袋など、ヘロインを加熱して溶かすのに使う簡素な道具一式が残されていた。警察の鑑識はこれらの道具から指紋を発見できず、また、ウェルチの現場までの足取りを示す痕跡《こんせき》も、まったく見当たらなかった。近隣の住民に初回の訊《き》き込《こ》みを行なった結果、フィールディングをよく知る人間はひとりもいないことがわかった。とはいえ、故人がヘロインや娼婦の世話になるような人物だと見ていた者も、ひとりもいなかった。警察によれば、フィールディングの元妻であり、ただひとりの子どもの母親である女性は、ショックのあまりまともに話ができなかったらしい。故人の生前の暮らしぶりも、この悪《あ》しき死にざまにそぐわなかった。フィールディングはピーター・ホールの右腕として、ホール・デベロップメント社の役員を務め、スティールトン二〇〇〇では、プロジェクトの総監督を務めていた。あの日、ステラが〈スティールトン・プレス〉紙の見出し――『球場建設担当の幹部役員、死体で発見さる』――に目を落としたところで、アーサー・ブライトがオフィスに入ってきたのだった。

この件はステラが直接担当しなくてはならない、とブライトが告げた。すでに、市警のナサニエル・ダンス刑事部長に連絡を入れ、この件についてはステラに細大漏らさず情報が伝わるよう手配してあるという。捜査は正攻法で行なわれる。つまり徹底的に、公正に、法執行官としての職務意識にのっとって。現時点では、トミー・フィールディングが麻薬の過剰摂取で不慮の死を遂げたという公算が大きい。しかし、死因がなんであれ、スティールトン二〇〇〇の中心人物が不審な最期《さいご》を迎えたという事実を無視するわけにはいかない……。やがて、ステラの予期したとおり、ふたりの話題は、政治に関するものへと移っていった。

「まあ、この事件は」ブライトが棘《とげ》を含んだ声で言う。「人種和睦《わぼく》の心温まる美談だね。〝オノンダガを越えて手をつなごう〟。白人エリートに麻薬の打ちかたを手ほどきする黒人娼婦、というわけだ。ワルシャワで、これがどう受け止められると思うかね？」

答える必要はなかった。ブライトは、ステラに負けず劣らずよく知っている。ステラの親の世代のほとんどが、そしてステラ自身の世代の多くが、偏見の泥沼にどっぷりと浸《つ》かっていることを。トミー・フィールディングの死は、黒人全体に対する不信感をあおるばかりだということを……。アーサー・ブライトが検察活動のかなりの部分を麻薬との容赦なき闘いに捧《ささ》げ、より堅固な法規制、よりきびしい罰則、より高度な教育、より優れた治療施設を求めてきたことも、忘れ去られてしまうだろう。その理念や実績は、ワルシャワ界隈《かいわい》に深く根ざした恐怖に丸ごと飲み込まれてしまうだろう。ブライトが市長の座に就こうものなら、スティールトンは永久に〝黒い連中〟の支配下に置かれるという恐怖に……。言いよどんだ末、ステラは答えた。「ワルシャワで票を獲得することは可能ですよ、アーサー。住民の目を、肌の色より大切なものに向けさせることができれば」

ブライトがうんざりした声を出した。「住民の目に映るのは、黒い肌をしたひとりの男だ。道ですれ違っただけで危害を加えてきそうな……」せわしないしぐさで、坐《すわ》ったまま身を乗り出す。「選挙演説のときには、女装したほうがいいかもしれんな。白人の有権者は、世話焼き役の黒人女性に安心感を覚えるものだ。賄《まかな》い婦、乳母、女中頭……少なくとも、ティナ・ウェルチより年上で、太っていなくてはだめだろうが。『風と共に去りぬ』のマミーみたいに」

「衣装を見立てて差し上げてもいいですよ。でも、まずは食べることから始めたほうがよさそうですね」声に真剣味を込めて、「もう何度も、こういう状況は切り抜けてきたじゃありませんか。どうしてそう、必要以上に卑下するんです？」

ブライトが顔をしかめて、タイル張りの床をにらんだ。贅肉《ぜいにく》のないほっそりした体と、皺《しわ》の目立たない顔のせいで、五十歳という実年齢よりかなり若く見え、メタルフレームの眼鏡が、風貌《ふうぼう》を学者っぽくしている。ステラは、この上司が最盛期のマルコムXばりに激しいスピーチで聴衆を熱狂させるのを見たことがあった。しかし、内面にある種の脆《もろ》さをかかえているように思える。目に見えない傷口のような……。そして、その傷はけっして癒《い》えることがないものだろうという気がした。

だしぬけに、ブライトが言う。「支持率だよ。わたし自身の。東地区では九十パーセントだが、西地区では十六パーセントに満たない。頭打ちだ」顔を上げてステラに目を向け、「きみのほうの選挙運動は、どうなんだ？ ずいぶんお上品にやっているようじゃないか。きみをよく知らない人間の目には、淑女のふるまいと映りそうだ。それでも、ポーランド系住民のところにはときどき顔を出して、ピロシキを食べたり、スピーチをしたりしているらしいね」

ステラは相手の話の矛先に気づき、笑みで予防線を張った。「わたしは淑女ですよ。治安を司《つかさど》る職務に立候補したがっている淑女です。いっそジョン・ウェインにあやかって、公爵《デューク》を名乗ろうかと思っています」

ブライトが失笑を洩《も》らす。舌に転がすように「マーズ公爵」と言ったあと、「女公爵様は、死刑制度についてどう考えておられるのかな？」

「今でも反対です」ステラはきっぱりと答えた。純然たるカトリックの教義、なかでも生命の意義に関する旧弊な考えかたを表に出すのが不利なことは承知していた。胎児であろうと、たとえ殺人犯であろうと、生命は侵すべからざるもの、という考えかただ。「しかし、それはこの州の法律に定められた制度です。だから、わたしは、その法律を公正かつ慎重に適用しなければなりません――死刑の是非について追及されたときは、こう切り抜けることにしています」

「出馬すれば、必ずきかれることだ。チャールズ・スローンは抜かりなく、その用意をしているだろうな。きみの地元、ワルシャワで票を獲得するために」

ブライトは、針にかかった魚をもてあそぶように、こちらの出かたをうかがっている。餌《えさ》はチャールズ・スローンという名前だった。首席検事補のスローンは、最古参の補佐役で、ブライトの政治基盤を継承しようともくろむ経験豊かな黒人法務官だ。しかし、ステラにしてもスローンにしても、上司に言質《げんち》を迫るにはまだ時期が早すぎた。そして、ひと足先に自分の選挙を控えているブライトは、その事実を利用して、ふたりをどっちつかずの状態に置いている。それを知るステラは、口をつぐんだままでいた。

「それできみは、女性であるという事実をどう武器にするつもりだね？　東地区で、誰がきみに票を入れてくれる？」

ひとつ目の質問のほうが答えやすかったが、それはまたいらだたしい質問でもあった。

「殺人課で働き始めてから、わたしは二十四人の殺人犯を終身刑に服させ、三人を死刑囚監房に送り込んできました。わたしの信仰も、わたしが女であることも、その行動を押しとどめたりはしませんでした。宗教と性別によってわたしが動くとすれば、自分が賛同できる運動、例えばカトリックの慈善事業、非行少女《ビッグ・シスターズ》の指導機関などに携わるときや、家庭で虐待《ぎゃくたい》を受けたり放置されたりした子どもたちを、道を踏みはずしたり殺されたり捨てられたりする前に救うときでしょう」話す速度をゆるめて、「東地区の女性たちは、それがどういうことかを知っています。すでに大勢の女性たちが、他人の子どもを育て、善意を尽くすという経験をしてきているからです。選挙運動が終わるころまでには、わたしが頼りになる人間であることがわかってもらえるでしょう」

ブライトがけげんな顔を向ける。少し間をおいてから、「誰から助言を受けた？」

「ディック・フィーニーです」腕利《うでき》きの政治コンサルタントの名を出した。「非公式に。まだあの人を雇うほどの余裕はありません。でも、ほかにも相談できる友人がいます。知り合いからほかの人を紹介してもらうこともできます。わたしがこの街で生まれ育ったということを、忘れないでください」

ブライトが黙り込んだ。むきになったステラの口調が、かえってブライトの無言のメッセージ、つまりステラが素人《しろうと》だという事実を際立《きわだ》たせてしまったらしい。「チャールズ・スローンにも人脈はある。それに、少なくともきみより十年は先輩だ。何百という教会関係の催し、募金分配団体《ユナイテッド・ウェイ》の晩餐会、警官相手の演説。あとは追い風を待つだけ、というわけだよ」声を和らげて、「何が問題なのか、きみにはわかっている。わたしが当選したとしても、きみの正念場は特別選挙だ。民主党の地区委員二千人が一堂に会して、投票で暫定《ざんてい》検事を選ぶ。チャールズ・スローンは、黒人たちはもちろん、リトアニア人委員に至るまで、その全員と知り合いなのだ」

ステラは静かなまなざしを返した。「おっしゃるとおり、何が問題なのか、わたしにはわかっています」

ややためらったあと、ブライトが小さく口もとをゆるめた。言葉によるチェスを指しているうちに、手の内をさらすしかないと悟ったらしい。なにしろ、市長選のほうが先に行なわれるのだ。あきらめたように、「そして、わたしの問題についても、わかっているはずだ。チャールズは、わたしが公人として生きてきたうえで、最も古くからの、最も義理堅い友人なのだよ。それに、わたしの支持層の中核をなす黒人有権者たちも、義理堅いのはもちろんだが、アフリカ系アメリカ人が検事を務めること自体を重大にとらえている。チャールズを袖《そで》にして白人の候補者をあと押ししたとなれば、わたしが以前ほど〝黒くなくなった〟となじる人間も出てくるだろう」

やっぱり、とステラは胸の中でつぶやいた。「オノンダガを越えるときには、誰もが危ない橋を渡るということですね」

ブライトの視線は、自分のカフスボタンに注がれている。歯切れの悪い声で、「誰かがその橋を渡らなくてはならん。さもなければ、この街は今のままで、何も変わらんだろう。これまでわたしがやってきたことも、むだになってしまう」

さりげなく舌戦を交わしている最中なのに、ステラは、反動で同情の波が押し寄せるのを感じた。「わかっています」

しばらく沈黙が続いたあと、ブライトがステラの顔をのぞき込んだ。「きみの助けが必要だ」

「わたしに何ができるんでしょう？」

「クラジェクの支持層を切り崩してほしい。ワルシャワで、そして西地区全体で。きみの友人たちに語りかけてほしい」ふたたび声を和らげて、「わたしもきみも、勝つために互いを必要としている」

突然、自分はそこまでの素人ではないという反発心が頭をもたげた。「そして、あなたが勝てたときは……？」

「何も確約はできんよ。だが、きみが選挙戦を乗り切るための、もっといいアイデアを提供する用意はある。きみが勝てるように」

それ以上の申し出を期待できないことはわかっていた。この機会を逃せば、半開きのドアが鼻先で閉じられてしまうだろう。

「わたしは球場建設に反対ではありません。あなたとは、そこで意見が分かれます」

ブライトがじっと見つめる。「反対してもらう必要はない。わたしに必要なのは、きみの友人、きみの地元の人々に、ブライトは信用できる人間だと伝えてもらうことだ」

たっぷり気を持たせたうえで、ステラは数カ月のあいだ温めてきた返答を口にした。

「もちろん、お引き受けします」笑みを浮かべて、「頼まれるのを待っていたんです」

真意がはっきりと伝わったらしく、ブライトが笑い声をあげた。「スタッフに話しておこう。すぐそちらに連絡が行くはずだ」

ステラはうなずいた。「わかりました」

立ち上がったブライトが、ふと動きを止めた。視線が机の上の新聞に注がれている。

「球場が絡《から》むからこそ、トミー・フィールディングの件はきみに任せるのがいちばんだと判断した。わたしは、スティールトン二〇〇〇に難癖をつける人間だと思われている。きみがその印象を多少なりとも和らげてくれるだろう」

そう言い残すと、福祉センターで講演をするために出ていった。ステラはもう一度、新聞の見出しを見つめた。

そして今、日曜日、ステラはフィールディングの死に関する警察の報告書を読み返していた。

物盗《ものと》りの形跡はなく、また、初回の調査では、ふたりが暴行を受けたようすもなかった。フィールディングはウェルチが到着する前に夕食を終えていて、残ったハムサンドイッチとビールをそのままにしておいたらしい。ウェルチの服は椅子《いす》の上に畳んで置いてあり、寝室の明かりは小さくしてあった。フィールディングのベッドわきにあるナイトテーブルの抽斗《ひきだし》からは、ソフトコアのポルノ雑誌〈黒い女神たち《ブラック・ビューティーズ》〉が見つかっている。

フィールディングの死体解剖は、資産家の両親の要請により、いったん延期されたうえで行なわれた。豪華客船で東南アジアを旅行中だった両親は、そのさなかに息子の死を知らされた。ステラは数時間前に、このふたりに会っていた。折り目正しく、穏やかな口調の父親。小柄な母親のほうは、育ちのよさを感じさせる外見のうちに激しい気性を秘めていて、その猛烈なまでの母性は、死を前にしても薄らぐことがなかった。息子は殺されたのだと、母親は言い張った。小さいころから、規律を守る子どもでした。道徳心あふれる子どもが、道徳心あふれる大人になりました。麻薬を忌《い》み嫌う大人に……。解剖という名の解体作業におびえる両親に、ステラは同情をかき立てられ、ためらいながらも、翌日の検屍《けんし》に立ち会う約束を交わした。

もちろん、ティナ・ウェルチの遺体はただちに解剖された。検屍報告書はまだステラの手もとに届いていないが、検屍官のケイト・ミチェリから連絡があった際、その時点での結論は聞いていた。ウェルチは麻薬の常用者で、死因は重度の過剰摂取だという。それで殺人の可能性が排除できるわけではないが、注射器を使ってふたりの人間を殺害するのは、かなりの手間を要する行為だ。

気が進まないまま、犯行現場の写真をつぶさに眺めてみる。

哀れみを持たないカメラがとらえた、哀れみを誘う情景。裸のふたりがベッドに横たわっていた。フィールディングの目は閉じられ、ウェルチはカメラをにらみ返している。見た目に釣り合いが取れていないせいか、ステラの心に偏見の名残があるせいか、ともに死の世界にあっても、このふたりがつがいの男女だとは思えなかった。ふと、ステラの頭に皮肉な考えが浮かんだ。これが互いに背を向けて眠っている自分の両親の写真だったとしたら、そんなふうには感じなかったかも……。

至近距離から撮影された写真も何枚かあった。ウェルチは、運転免許証から判明した二十三歳という年齢より、かなり老《ふ》けて見える。両目の下に疲労を示す隈《くま》があり、痩《や》せた体にはまともな筋肉がついていない。皮膚は骨の周りから張りを失い始めているように見えた。麻薬と栄養不良のなせるわざだ。

二十三歳、と声に出さずにつぶやいてから、ステラはフィールディングを近くからとらえた写真を検分し始めた。三十四歳という実年齢よりも若く見える。後ろに撫《な》でつけた黒い髪に、整った顔立ち、見るからに頑健そうな筋肉質の体。屋外で余暇を過ごすその姿が、ステラの頭に浮かぶ。動きやすいスラックス。初夏の日差しのもと、首の周りにゆったりと巻いたパステルカラーのセーター。つまり自分には、人種ではなく階級の違いに関する偏見があるのだ、とステラはみずから認めた。フィールディングは、いかにもピーター・ホールの友人にふさわしい人間に見えた。

ともかく、このふたりをロミオとジュリエットに見立てる者はいないだろう。そもそもジュリエットは娼婦ではないし、〝黒い女神たち〟に熱を上げるロミオも想像しにくい。ステラは、しかし、あまりに多くの物事を目にしてきたので、何を見てもそう驚かないという自信があった。よく知っているつもりでも、いかにわれわれが他人の生活について知らないかということを、もうずいぶん前に学んでいたのだ。

電話が鳴った。

日曜日のオフィスに響き渡る呼び出し音に、心臓が跳ね上がる。受話器から、ナサニエル・ダンス刑事部長の野太い声が聞こえた。ステラは虚を突かれた。日曜日ということもあったし、ダンスがじきじきに連絡業務のたぐいをこなすことはめったにない。

「殺人があった。たいへんな事件だ」

落ち着いた声の裏に、奈落《ならく》の底を垣間見《かいまみ》たこと、そしてその内容を説明しかねている気配が感じ取れた。ステラは無意識に口にした。「悪い報《しら》せは続けて届く……」

「ジャック・ノヴァクが殺された」

しばらく口が利《き》けなかった。しかし、信じられないという思いと、相手の言葉を打ち消したいという気持ちの一方で、ステラの職業意識は、なぜこの電話がかかってきたかを理解した。

「アーサーは知っているの？」

「まだだ。選挙運動に出かけた。あんたの地元での討論会に向かっているところらしい。なんとかつかまえようとしているんだが……この連絡は、下の人間に任せるわけにはいかないからな」声を落として、「本人に伝わる前に報道陣にかぎつけられて、アーサーが不意を襲われるのは避けたい。きょうの会場が会場だけに、なおさらだ」

別段意外な言葉ではなかった。ダンスは本来、政治とは無縁の立場にある。しかし、現実には、政治的な機微に敏《さと》くなければ、一警察官が——黒人であれ白人であれ——これだけの出世を遂げることはできない。ダンスはブライトのために時間を稼ぐつもりでいる。その裏には、明らかに、ブライトをスティールトン初の黒人市長にしたいという意図がある。ダンス自身は、スティールトン初の黒人市警本部長に収まりたいのだろう。動機はともかく、すでにダンスも、ステラが今悟ったことをいちはやく悟っていたらしい――ほとんどの殺人は犠牲者の家族にしか累《るい》を及ぼさないが、何年かに一度は、関わった検事の身を滅ぼしかねない事件が起こる。今回は、そうなる可能性があった。ステイールトンを代表する麻薬犯罪専門の弁護士が殺されたのだ。アーサー・ブライトにとって、法廷では敵対する立場にあったとしても、同窓生であり、古くからの友人であり、白人の中では最有力の支持者だった人物が。

「誰が殺したの？」抑揚を欠いた声で、ステラはきいた。

「わからない。匿名《とくめい》の通報を受けた殺人課の警官が、ノヴァクの部屋に赴いた。その連中が機転を利かせて、わたしを呼び出したというわけだ」

ステラは目を閉じた。ようやく声を絞り出す。「そして、わたしも今、呼び出されているのね」

ダンスがしばらく黙り込んだ。「現場はかなりひどい状態だぞ」

同情の響きが聞き取れたのは、気のせいだろうか。しかし、ナサニエル・ダンスは数多くの秘密を知っている。たぶん、ステラの秘密も。

「十五分で行くわ」それだけ伝えて、電話を切った。

感情に身を委《ゆだ》ねている場合ではない、と自分に言い聞かせる。そんな時間はなかったし、いったん涙を流してしまったら、止められなくなりそうだった。コートに袖を通し、オフィスをあとにした。そのとき初めて、ジャック・ノヴァクの家までの道順を教わる必要がないこと、ダンスも口にしなかったことに気がついた。

2

ステラと知り合ったころから、ジャック・ノヴァクはリンカーン・パークに住まいを構えていた。

ワルシャワと同じく、労働者階級の人々が住む場所として拓《ひら》かれた地区で、オノンダガ川西岸の高台と境を接している。近づくにつれ視界に入ってくる製鋼所、何キロにもわたって立ち並ぶ溶鉱炉と煙突は、今なお、質素な二階建ての家並みを圧する存在感を保っていた。地区の中心を占め、地名の由来となった公園もまた、産業の派生物だった。最初に住みついたアングロサクソン系の労働者たちは、日曜の礼拝をすませたあと、午後になるとそこに集い、一八六〇年代初めには、奴隷《どれい》解放の大義のため、四街区にまたがる木陰の芝生で予行演習を重ねたうえで、南部の戦場へ赴いた。東欧系の移民が流入してきた痕跡《こんせき》も、景観の中にまだ残されている。ポーランド式の尖塔《せんとう》を戴《いただ》く聖ヨハネ・カンティウス大聖堂。玉葱《たまねぎ》型の美しい丸屋根を金色に輝かせるロシア正教会の教会堂は、受難のロシア皇帝ニコライ二世の寄進によって建設されたものだ。ステラの育った界隈《かいわい》がかたくなに労働者階級の気風を守っているのに対して、このリンカーン・パークは、芸術的な雰囲気と多様な民族文化、放縦さと先端性、簡素な商店とこぎれいなレストランが、あやうい釣り合いを保ちながら同居する一郭として発展してきた。鮮明な輪郭を持たない、その移ろいやすい土地柄は、きらめく断片を寄せ集めた万華鏡《まんげきょう》のように、けっして全体像を結ばないジャック・ノヴァクその人を思わせる。

ノヴァクが住んでいる――ステラはまだ過去形を使うことができなかった――のは、かつてのブルーカラー層が残したもうひとつの遺物であるリンカーン・パーク浴場だった。品のいい渋色の煉瓦《れんが》に前面を飾られたその建物は、製鋼所の工員たちの疲れを癒《いや》す公共浴場として一九二〇年代に建てられたものだが、改造されて、今では、天井の高い、間仕切り自由の、六戸の瀟洒《しょうしゃ》な居住空間から成るホワイトカラー向けの高級集合住宅になっている。各部屋からは、公園が一望のもとに見渡せた。少なくとも、ステラの記憶にあるとおりなら。

ステラは一ブロック手前で車を停めた。外気に触れて、気持ちを引き締める必要があったからだ。熱に浮かされたように、頭が混乱している。これから目にしようとしている光景のせいばかりではなかった。もうひとつ、はるか昔に感じた混乱が胸によみがえってくる。ある火曜日の夜遅く、ジャック・ノヴァクの部屋を出て、車を走らせていたときのことだ。ほんの十分で着く場所が――ワルシャワが、そして両親のいる家が――

突然、別世界のように思えた。数時間前にジャックがほのめかしたとおり、その道のりはあまりに遠いものとなっていた。

ステラは二十三歳だった。


自分にとって初めての男に軽く体を預け、胸と胸を触れ合わせたまま、ステラは横たわっていた。愛し合ったあとの余韻で、もつれた髪が湿っている。やがて、はにかんだまなざしをふたたび相手の顔に向けた。

男は年上で、三十八歳。こめかみのあたりに、白いものが混じり始めている。しかしその瞳《ひとみ》は、いつものとおり、油断なく、不自然なほどに輝き、こちらの考えを見通せるとでも言いたげな青い光を放っていた。鼻はわずかに丸みを帯び、顔の輪郭もどちらかといえば円形に近いが、その柔和な外見を、長い下顎《したあご》ときちんと刈り込んだ口髭《くちひげ》が打ち消し、そこへ鋭い目つきと茶色い豊かな乱髪が加わって、タタール人の騎手さながらに敏捷《びんしょう》な雰囲気を漂わせる。運動のための運動を蔑《さげす》んではいるが、高い代謝能力と、常に新たな見聞を求める活力のおかげで、若々しく精悍《せいかん》な肉体が保てるらしい。大きな口の端に浮かんだかすかな笑みが、ステラの目に留まった。

「門が閉まる時間かい？　それとも、仮釈放が無期限取り消しになった？」

やんわりとした口調だったが、言外の含み――ふたりの関係がステラの父親の黙認なしには成り立たないこと——がステラの胸を突いた。「もう遅いわ。あしたはあなたの事務所で働かなくちゃいけないし、来週の月曜の夜は、初めての中間試験なの」

ジャックの笑顔が不機嫌な表情に変わる。「では、しばらく会わないことにしよう」

これは脅しなのだろうか？ ステラの心に疑問が湧《わ》いた。ジャック・ノヴァクは、無聊《ぶりょう》を慰めるすべならほかにいくらでもあると言っているのだろうか？ ふたたび相手の顔色をうかがうと、ジャックが小さく声を洩《も》らした。「哀れなステラ」

ステラは目を閉じて、ジャックの高価なステレオから流れてくるレッド・ツェッペリンの曲に耳を傾けた。「家を出るのは、それほど簡単なことじゃないわ。ロースクールへ通うのさえ、ようやく許してもらえたのよ」

張り詰めた声は、言葉にできない訴えの表われだった。ジャックもまた、ワルシャワで育った人間だ。ステラの暮らしている環境を、誰よりもよく理解しているはずなのに。「きみはもう、子どもを産むべき年齢だからね。教区民のために教会でタイプでも打つのが、まっとうな娘のやること。職を失った父親がウォトカ片手に愚痴をこぼし、不公平きわまりない人生を呪《のろ》って、かよわい女性にやつ当たりするのを見るたび、そんな男とは結婚すまいと、かなわぬ希望を胸に抱き……」息を継いで、口調を和らげる。「ぼくもあそこにいたんだよ、ステラ。きみがまだあそこにいるのは、やりきれない話だ」

ステラは相手をじっと見据えた。ジャックの言葉には、底知れない怒りが潜んでいる。

みずからの過去に対する徹底的な拒絶が、さらには恐怖までが聞き取れた。「それはわたしの人生じゃない」ステラは強い調子で言った。「自分の人生は自分で作るつもりよ。今までもずっと――」

「きみの人生か」ジャックがさえぎる。「ぼくはきみの人生をすべて知っている。きみが口に出さないことまでね。マットレスの下に隠したお金。いい子でいなさい――ミサに行きなさい、学校でいい成績を取りなさいという戒め。それに付随した歯止めの掟《おきて》。『でも、いい成績を取りすぎると、枠をはみ出して、自分の居場所を忘れてしまいますよ』揶揄《やゆ》と敵意が混じり合った耳ざわりな声。「そう、それに、聖母マリア信仰会。果てしなき処女崇拝のおかげで、かよわきポーランドの娘たちは、結婚するまで両膝《りょうひざ》をくっつけたまま過ごさなくてはならない。

それが大原則だ。セックスは禁止。それを口にすることも禁止。そうだろう？」言葉をとぎらせたジャックの視線が、ステラの裸体に注がれる。「両親の家を離れるということは、きみがぼくと寝ているのを認めるということだ。それは、あの〝ワルシャワ・イスラム国〟では、絶対にあってはならないことなんだ」

ステラは息を呑《の》み、肌と肌が触れ合わないよう、体をずらした。自分の人生はそれほど単純なものではない。子ども時代も、生まれ育った場所も、ジャックが言うよりはるかに豊かなものだった。家族についての指摘は、痛いほどに核心をついているが……。

「事情は変わってきてるわ。それに、わたしの人生はずっと、あなたが頭に描く以上のものだった。今だってそう」声に辛辣《しんらつ》な響きが混じり始める。「夜はロースクールに通ってるし、昼間はその学費をまかなうためにあなたのところで働いてる。家賃を稼ぐような時間はないわ」

「だとすると、ぼくと会う時間もない」

「そうね」情味のない口調に、ステラは自分で驚いた。「あなたがそんなふうに、ひとりよがりになるのなら」

言ったとたん、後悔した。目標追求の意志は固くとも、ステラには論争に勝つ才能はない。少なくとも、ジャックにはかなわない。ところが、ジャックの顔つきが和らいだように見えた。「経済的なことが問題なら、ぼくが家賃を払ってもいい」

屈辱に赤らんだ顔を、ステラは横に向けた。急に周囲のものが目に入ってくる。真っ白な壁、質素でモダンな調度、ふたりの寝姿を映す大きな鏡。ここは自分の居場所ではないという思いが、胸を締めつけた。声を落として、「あなたの補助員を務めて、あなたといっしょに過ごしてるだけでは、不足だというの？　あなたの秘書は、わたしがロースクールで居眠りばかりしてると思ってるわ。もしかしたら、あなたはわたしを囲ってるつもりかもしれない。わたしは、そのことに気づきたくないだけかもしれない」

ジャックが真意の量りがたい複雑な表情を向ける。「きみを雇ったときには、きみと寝ることになるとは思っていなかった」

「どうかしら」なぜ、わたしの仕事ぶりを評価していると言ってくれないのか……？　さらに声を抑えて、「あなたの側の理由はどうあれ、わたしの人生には、あなた以外の人間も登場するのよ。両親だけじゃない。ケイティも」

「きみの妹か」

「ええ。わたしが家を出たら、あの子ひとりで両親の相手をしなくちゃいけなくなる」

「イスラム女性のように、ベールをかぶって？　大いに同情すべきところだろうがね」

同情どころか、ジャックの態度からは、〝華麗なる〟ギャツビー並みの決意が感じ取れた。おのれの出自を思い起こさせる女性の来しかたを、消してしまいたいという強い願望……。

「あなたに同情なんて期待する気はないわ。でも、少しは理解してくれてもいいんじゃないかしら」

じっとステラを見つめたあと、ジャックがそっと顔に触れてきた。「すまなかった。きみは二十三だ。ぼくにも二十三のときがあった。ぼくは、自分の過去の戦いをそっくり一からなぞっているのさ。きみを代わりの戦士に仕立てて。ずるいやりかただ」

身構えていたのに、ステラは突然、慈《いつく》しみに似た感情に襲われ、ジャックの怜悧《れいり》な弁論術が思いやりや温厚さに転化しうるような希望を胸に抱かされた。物心ついて以来、ステラはいつも漠とした孤独感、疎外感をかかえていて、二十三の若さで、それが一生続くことを恐れ、そうならないようにと祈っていたのだった。流したくもない涙が瞳にあふれてきた。

額に、ジャックの唇が触れる。「ぼくはきみの味方だよ、ステラ。いつでもね」どうしていいかわからないまま、ステラはジャックの肩に顔を預けた。いつになく、ジャックはゆったりと構えている。今だけは、時間も自分の敵ではないというように。

「ここにいてくれないか」小さな声で沈黙を破り、「あと一時間だけ」

その願いに添うためか、それとも、寂しさと不信感の重みから逃れる必要に駆られてか、ステラはふたたび情欲が頭をもたげるのを感じた。口に出して答えるかわりに、唇を相手の胸に近づけ、その中央のわずかな茂みに軽く触れさせる。ジャックがベッド脇《わき》の抽斗《ひきだし》をあけるのを、目ではなく耳で感じ取った。

もう一度、ステラは目を閉じた。

ふたたび目を開いたとき、もうひとつの口論の種が視界に入った。二週間前、当惑のあまり言葉を失ったステラが、無言で首を振って、どうにか退けたものだった。

ジャックの手に握られたガーターベルトと黒いストッキング。

口の中が乾くのがわかる。湧き起こる問いを抑えつけることはできなかった。これを身に着けた女性が、ほかにもいるのだろうか……?

「ふたりのために。お願いだ」

何も言わずにそれを受け取り、身を起こした。

そして、ベッドの足もとに立つ。身に着けるところを、ジャックが無言で見守っていた。ステラはなんとか自分を奮い立たせて、相手の顔をのぞき込んだ。

「ぼくはきみの味方だよ」低い声が響く。「ひと晩にひとつずつ、きみがこれまで経験していないことを、ふたりですべてやろう。やればやっただけ、家族から遠ざかることができる。ほんとうのきみになることが」

返事はしなかった。レッド・ツェッペリンが『天国への階段』を奏でている。情欲がしぼみ、麻酔をかけられたように感覚が遠のいた。鏡の中の、ベッドに向かう自分の姿が、誰か別の人間のように思える。

「きれいだよ」ジャック・ノヴァクがささやいた。ステラは、相手も鏡の中を見つめていることに気づいた。


すでに警察の車が数台、ジャックの住まいの前に駐《と》まっていて、制服警官がひとり、部屋の戸口で見張りに就いていた。ステラは身分証を差し出した。「ステラ・マーズ。検察局殺人課課長です」

警官がうなずき、身分証を返してよこす。ステラはもうひと呼吸置いて、中に入った。

ジャック・ノヴァクの身に何が起こったにせよ、それがリビングルームでの出来事ではなかったことがわかり、束の間《つかのま》の安堵《あんど》を覚えた。

鑑識課の職員がふたり、一方がウィスキーらしき液体の残ったグラスのほうへ上体をかがめ、もう一方は白い粉末の線がついた皿に目を凝らしている。予想したとおり、部屋の内装は変わっていた。移り気なジャックらしい。布張りの椅子《いす》の色も、油彩画の色調も、以前より派手になっている。ジャクソン・ポロックふうの、しぶきを飛ばしたような絵が、洞窟《どうくつ》を思わせる部屋の中でひときわ目立つ。鑑識のひとりが顔を上げてこちらを見た。そして別の人間の声が静寂を破ったとき、ジャックの所在を確かめる必要がなくなった。

胃がよじれるのを感じながら、重い足取りを寝室に向ける。

「死体はそのままでいい」ダンスの声だ。「もう本人も気にしないだろう」そして、寝室の鏡の中に、ジャック・ノヴァクの姿が見えた。

3

自分がはっと息を呑《の》む音が聞こえて、それから心臓が早鐘を打ち、ふいにひどい吐き気が込み上げた。目の前の凄惨《せいさん》な光景が一幅の活人画になる——こちらを凝視するダンスと殺人課の刑事。同じく無言でジャックの死体を撮影する鑑識課のカメラマン。それぞれの姿が鏡に映っている。耳に入ってくるのは、ビデオカメラの機械音だけだ。

ステラは戸口に立って気を鎮《しず》めながら、今目にしているものになんとか理由付けをしようと努めた。

ジャック・ノヴァクは、クロゼットの戸に吊《つ》るされていた。足先がカーペットの数センチ上に垂れているのは、首に巻かれた革のベルトのせいだ。死体の重みでぴんと張ったベルトが、戸板の上辺をまたいで、裏側にある金属のフックに固定されている。だが、その効果のほどを示しているのは、ジャックの顔だった。衝撃で飛び出した眼球の血管が破れて、赤く細かい点が無数に散っていた。よじれて開いた口から突き出た舌先。中年のたるみが表われた生白い胴体より下の部分は、ガーターベルトとストッキングに覆《おお》われている。ひと組の黒いハイヒールが、足もとにできた暗紅色の池に浸《つ》かっていた。ステラは固く目を閉じた。

睾丸《こうがん》が切り取られていた。乾いた血のついたキッチン・ナイフが敷物の上に転がっている。

ステラはただ、片手で戸枠をつかみ、じっと立っていることしかできなかった。ふたたび目をあけてみると、ジャックの死骸とのあいだにナサニエル・ダンスが立っていた。見上げるほどの背丈に、巌《いわお》を思わせる造作。鑿《のみ》で刻んだような粗い凹凸の中から、黄褐色の瞳《ひとみ》が見下ろしている。表情を欠いたその顔つきに接すると、いつもかすかな気味の悪さを覚える。巨体に備わった膂力《りょりょく》とひめやかな知の力が、いっそう大きく感じられるのだ。それでも今は、そこに慈《いつく》しみめいたものが読み取れた。「痛みはまったく感じなかったはずだ。もう死んでいたからな」

野太い声が優しさに近い響きを帯びた。ステラは力なくきいた。「なぜわかるの?」

「血液よ」背後に検屍《けんし》官のケイト・ミチェリが立っていた。「血液は、物理学の法則に従って飛散する。被害者が生きていたとすると、動脈の拍動があったはず。つまり、血液は切れ目のない弧を描いて飛び、拍動が弱まるにつれて、被害者の足もとに近づいていく。この場合は、重力の作用を受けた排液現象よ。死因は窒息。賭《か》けてもいいわ」

専門家に状況を説明する専門家という役割を、完璧《かんぺき》にこなしている。目の前の惨事を冷静に見つめることができるのは、経験のなせるわざだろう。ダンスから受ける印象はまた違っていた。今の精神状態から来る錯覚かもしれない。本来なら全能ぶりの確かな証《あか》しであるはずのダンスの冷徹さが、ステラの困惑した目には、思考の向きをぼやけさせる煙幕のように映るのだ。しかし、にわかにある確信が芽生えた。ステラにとってジャックがどんな存在だったのかを、ダンスは知っている……。

黒いストッキング。

何年もの歳月を隔てて、ステラは今ふたたび、この鏡に映る自分の姿を目にしていた。やがて、気力を振り絞り、その歳月の終わりかたへと意識を向ける。

ジャックは贅沢《ぜいたく》で放埒《ほうらつ》な暮らしを送ってきた。その報いでゆるんだ体は、今、誂《あつら》えのイタリア製スーツに覆われてはいない。死体の両手が背中で縛られているのが目に留まった。キリストよろしく両の爪先《つまさき》が床を指し、そのそばに金属製の低いスツールが転がっている。

見覚えがあった。クロゼットのいちばん上の棚に手をのばすときに使っていたものだ。ジャックはその棚に鞄《かばん》を載せていた。ふたりが最後の週末を過ごしたときも、このスツールに乗って、旅行鞄を下ろした。しかし、今回は、そのスツールを使って、ジャック本人が、あるいはほかの誰かが、クロゼットの戸からジャックを吊るしたのだ。スツールは足場の役割を果たしたあと、瞬時にどかされたのだろう。

ステラは感情を排した声で言った。「動機は何かしら？」

「痴情のもつれってやつさ」ジョン・バーバ刑事の声だった。部屋を横切ってきて、ダンスのわきに立つ。ふたりとも巨漢だが、赤毛でごつい体つきのバーバには、労働者ふうのところがあり、態度はぞんざいで投げやりだった。「さかりのついた男と男が、拳《こぶし》を突っ込んで楽しむ世界だよ」

誰も反応しなかった。ステラの視線はバーバを通り越して、ジャック・ノヴァクの開かれた口のあたりをとらえた。記憶とわずかに異なる部分に気づいて、はっとした。ジャックの口髭《くちひげ》が黒く染められている。そのせいでほかの部分がいっそう痛々しく見えた。教えて、という問いが口から出かけた。教えて。どうしてこんなことに……？

ほかの顔ぶれが部屋の中を動き回る音が、少しずつ意識に流れ込んできた。鑑識チーム全員が証拠集めにかかっている。塵《ちり》や埃《ほこり》。よそから持ち込まれた繊維。指紋。押し込みの痕跡《こんせき》。浴室の排水溝のふたまであけて、丹念に、手順どおりに、この場所を分解していく。何ひとつ見落としのないよう、ダンスが念を押したのだろう。

ステラはダンスに顔を向けた。ダンスがバーバの意見を黙殺して、問いかけのまなざしをミチェリに投げた。

鉤鼻《かぎばな》の女性検屍官は五十代前半で、髪をつややかな黒に染めている。スペインの異端審問官を思わせる、深くくぼんだ眼窩《がんか》に、こけた頬。外見はともかく、この業務にはまさしく適任で、信頼に足る人物であることは、すでにステラも知っていた。ミチェリが口を開く。「まだ始めたばかりだけれど、頭に浮かんだことを話しましょう」

すばやくステラの肘《ひじ》に手をかけて促し、ダンスとバーバのわきを通り過ぎて、ノヴァクの一メートルほど手前で立ち止まる。ミチェリにとっては、この異様な眺めも、処理すべき課題でしかないらしい。抑揚をつけない話しぶりは、猫の死体を切り刻む解剖学の教授のようだ。ステラは、ストッキングに包まれたノヴァクの脚——ジャックの顔や、記憶の中の情景以外なら、なんでもよかった——に注意を向けて、頭に入れるべき知識と留意すべき事実に意識を集中しようと努めた。肌がうっすらと汗ばむのがわかる。

「概観したところ、自体愛の行為と見受けられる」ミチェリが話し始めた。「射精の快感を高めるための、自己窒息。ただ、当然のように、自体愛の愛好者も、人それぞれのやりかたを持っている。

自己窒息は、妻や恋人にも内緒で、ひとりで行なわれることが多い。そして、その場合、誤って首を吊ってしまう危険性がある。だから、自体愛の熱心な愛好者は、総じて自己管理能力が高く、生き延びるすべに通じている。

彼らは、死ぬためにそういう行為に及ぶわけではない。目的は、より強烈なオーガズムを得ること。それなら、全体重をかけたくはない。意識を保ったまま、死の数歩手前から引き返してこなくてはならないから。

本件は、まず、その基準からはずれている。見てのとおり」ふいに一条の陽光が、部屋に射し込む。光が鏡に反射し、ノヴァクの無残な屍《しかばね》を金色に照らし出すと、ミチェリが目をしばたたいた。しばし間をあけてから、「普通なら、スツールを使うことはない。ひとりのときには、危険度が高すぎるから。ちょっとした手違いで、絞首刑《こうしゅけい》になりかねない。爪先立ちで、じゅうぶん用は足りるはず」

ステラはノヴァクの足から視線を外し、首に巻かれたベルトと、顔に浮いた赤い斑点を見つめた。最期《さいご》の瞬間を思い浮かべて、えぐられるような痛みを胸に感じた。

「次に、ベルトが使われている点」ミチェリが続ける。「常習者なら、革紐《かわひも》を利用するでしょうね。ポルノショップでも、通信販売でも、インターネット経由でも買える。それから、両手の状態」慎重に血だまりを避けながら、両手をジャックの腰にあてて、死体の向きを変え、尻《しり》の割れ目あたりで縛られた両手をステラに見せた。「手首に関してはふたつの選択しかない。誰かに縛られたか、自分で縛ったか。ひとりで行なう場合は、当然自分で縛り、万一に備えてほどけるようにしておく。

本件は、そうではない。てのひらが白くなるほどきつく縛られている。故人には相方がいたということね」

その説教めいた口調に反感をかき立てられたおかげで、吐き気が収まった。ダンスの視線をふたたび感じる。ステラは細い声できいた。「肛門《こうもん》への挿入は？」

ミチェリが手を離した。鏡が作り出す光と影のあわいで、死体が身をよじる。赤い斑紋の浮いたジャックの瞳が、驚愕《きょうがく》の色を浮かべたままステラを見つめた。「外から見たかぎり、それらしき痕《あと》はない。精液も見当たらない。それに、血液の飛沫《ひまつ》のパターンからして、自分で睾丸を切り落としたあと、ここに上がって自殺を遂げたのでもない」

気がつくと、ダンスがそばに来ていた。落ち着いた控えめな口調で、「首の周りに詰め物をしていないな。この手の趣味を持つ連中の大半が、月曜になれば職場に顔を出す。ロープの痕をネックレス代わりにしたくはないだろう。たちまち評判が立ってしまう」

さりげない語り口ながら、ダンスの観察はもっと人間的なものを含んでいた。一般とは異なる嗜好《しこう》が、現実の世界ではどういう意味を持つのか。「クロゼットのてっぺんには、こすれた跡はない。ベルトにも……」

「決定的な事実とは言えないけれど」ミチェリがさえぎった。「首には要注意ね」手をのばして、親指と人差し指をジャックの顎《あご》の下に入れて持ち上げ、喉《のど》もとをあらわにしながら、「自体愛者たちは、首ではなく、顎の下にロープをかける。誤って首を吊った場合、ロープがすべって、ふた筋の痕が残ることになる」深くくぼんだその瞳がわずかにすぼまると、横から見た鼻筋がいっそう鋭く感じられる。「本件では、ベルトの当たっている場所に、ひと筋あるだけ」

抑え込んだ吐き気が突然ぶり返し、ステラは身震いして顔をそむけた。しかし、鏡のある部屋は万華鏡《まんげきょう》と化していて、かつての恋人が首を吊った姿があらゆる角度から繰り返し目に入ってくる。「要するに」バーバがミチェリに言った。「われらがジャックにはその気がなかった、とおっしゃるんですかい？」

ここで初めて、ステラは漠然と感じていたことの確証を得た。麻薬専門の大物弁護士のおぞましい最期は、スティールトンの警官たちにとって欣快《きんかい》な出来事なのだ。法廷での敵を蔑《さげす》む気持ちが、奢侈《しゃし》な生活に対するブルーカラーの妬《ねた》みで増幅されている。「今見るかぎりでは、そうね」と、ミチェリ。「でも、恋は異なものというから」

ステラは腕を組んで床の敷物を見つめながら、吐き気と、ひるむまいとする固い決意のあいだで揺れていた。ジャックの死の映像が何度となく脳裏に浮かぶ。垂れ流された排泄物《はいせつぶつ》。よじれ、跳ね上がり、やがて痙攣《けいれん》する体。苦悶《くもん》の色を永久にとどめた瞳……。ステラは唾《つば》を飲み下して、懸命にわななきを抑えた。

ダンスの声で現実に引き戻される。「選択肢はふたつだけだな」

事務的で透明なその口調が、命綱に思えた。「ひとつだけでしょう」と応じる。「誰かが殺したのよ」

ダンスの黄褐色のまなざしが、ステラの惑いを際立《きわだ》てるようだった。依然として静かな声で、「それ以前のことを言ったんだ」

ステラはまた視線を落とし、目もとに軽く手を触れた。「リビングルームに行こう」

ダンスが言った。

鏡に背を向けて、ステラはその場を離れた。

暖炉の前にカウチが置いてあった。ぎこちなく腰を下ろし、ガラス製のコーヒーテーブルに目を凝らす。コカインらしき粉末の筋が何本か。二個のカクテルグラスにうっすらと残っている琥珀色《こはくいろ》の液体は、ジャックの好みが変わっていないとすれば、シングルモルトのスコッチだろう。ジャックは最後の時間を、どういう種類の人間とともに過ごしたのか。そして、どういう種類の病的逸脱が麻薬とアルコールの力を借りて、寝室に死の無限反射像をこしらえたのか……。

ダンスとミチェリは、それぞれカウチの両側にある肘掛け椅子《いす》に坐《すわ》っていた。ダンスの目は、入口のドアを調べるバーバに向けられている。「押し入った形跡はないな」バーバが言った。「訪ねてきた人間を、ノヴァクが部屋に入れたんだ。さもなきゃ、そいつが鍵《かぎ》を持ってたか」

ステラはダンスを促した。「それで、ふたつの可能性というのは？」

こちらを向いたダンスが、「ノヴァクには、こういうことをいっしょにやるお仲間がいた。だが、今回は、その男、もしくは女が、スツールを蹴り飛ばした……」

ミチェリが低く笑う。「何かのはずみでね」

「あるいは、誰かがノヴァクを処刑した」と、ダンス。

ステラは深く息を吸った。「犯人はまず、被害者をスツールに立たせなくてはならない」ミチェリに顔を向けて、「打撲傷か何か、争った形跡は？」

「初回の検査では、なかった。絞殺《こうさつ》されたようにも見えない」ミチェリがダンスのほうを一瞥《いちべつ》する。「複数の犯行だと思う？」

「その公算は大きい。これが処刑だとしたら、犯人はまずノヴァクにあの格好をさせてから、まだ生きているうちに吊るしたはずだ。ひとりでやるのは簡単じゃない。たとえ男でも」いったん口をつぐみ、ミチェリにきいた。「ノヴァクは生きていたと考えていいだろうか？」

「その時点では、そうね」

「しかし、睾丸を切り取られる前には死んでいた？」

ミチェリがかすかに口もとをゆるめた。「尋ねるまでもないでしょう。自分で睾丸を切り取るのは、自己憎悪《ぞうお》か性的錯乱による行為よ。でも、あれは……」と、寝室のほうを見やって、「他者の激情を感じさせる。だとすると、ホモセクシャルの情事との結びつきが強い」

ダンスがちらっとステラを見た。一瞬、気詰まりな思いを味わわせたあとで、ミチェリに言う。「つまりは、痴情絡《がら》みということか。ヤクが切れかけたころに、癇癪《かんしゃく》持ちの〝彼氏〟が、どうしてジャックはこんなに冷たいのかと泣きわめいて……」

ミチェリがうなずいた。「うっとうしい恋人ね。その彼氏が匿名《とくめい》の通報者かもしれない。まあ、電話をかけてきた人間は、性別がわからないように声を変えていたでしょうけど」ひと息ついてから、付け加える。「あるいは、犯人が単にメッセージを送ろうとしただけかもしれない」

ステラはどうにか声を絞り出した。「これがもし処刑だとしたら、ほかのさまざまな要素は、なんのため？」

「処刑らしく見せないためかしら」両手を組んだ姿勢で、ミチェリが考えを巡らせる。「わからない。殺人というのは、それ自体、過度に装飾的な行為だから」

ステラは思考を停止させまいと、自分を奮い立たせた。「ハイヒールのサイズは？」

「男でもじゅうぶん履けそうな大きさね。ストッキングもサイズが合っている」

ダンスの沈黙が、気にかかった。すぼめたその目は、コーヒーテーブルの上の白い粉末にじっと注がれている。やがて口を開き、「腐っていくやつがいるんだ。麻薬事件を扱う弁護士のなかにはな。依頼人たちと変わらないぐらい、汚れてしまう」

そこに含まれた警告を、ステラは感じ取った。アーサー・ブライトに向けられた、そしてたぶん、ステラに向けられた警告だ。この事件が自分たちの行く末にどういう影を落とすのか。「ナット」寝室からバーバが呼んだ。「ちょっと、これを見てくれ」

刑事部長がのっそりと腰を上げ、問いかけのまなざしを投げる。ステラは一瞬ためらってから、機械的な動作で立ち上がった。ふたりそろって、まだ続いている悪夢の中へ戻っていく。かつてジャック・ノヴァクの寝室だった場所へ。かつてステラが、自分の家族や慣れ親しんだ生活から身を遠ざけて、ようやく眠りについた場所へ。そのころのステラは、ここを自分の隠れ家と考えていたのだ。

ことさら慎重ぶった手つきで、バーバが人差し指にぶら下げた手錠を示した。「登山道具一式が見つかるのも、時間の問題だな。バスルームには、亜硝酸アミルがどっさりあった。おかま向けの薬局を開業できそうな量だ」

ステラはバーバを通り越して、ジャック・ノヴァクの抽斗《ひきだし》に視線を移した。下の抽斗が大きく開いている。上の抽斗は、ほんの少し引き出されているだけだ。「上のほうの抽斗は、確かめた？」バーバにきいた。

バーバが手錠を置いて、上の抽斗を探り始める。しかし、ステラの問いに指図の含みはなかった。ジャックの几帳面《きちょうめん》さを思い出しただけだ。抽斗を開きっぱなしにするはずがない。「何か見つけたか？」ダンスが尋ねた。

あなたは、何か見つけたの？　ステラはそうききたかった。「誰かがあそこを探ったんじゃないかと思って……わたしたちが到着する前に」

ダンスの表情に変化はない。「ノヴァクがこんな状態だからといって、深読みしすぎないほうがいい」

しばらく、ステラは黙り込んだ。小さい声で、「でも、あなただって、計画的な犯行だと見ているんでしょう?」

ダンスがじっと見つめる。「あくまで推測だ。確かな裏づけはない」

ふいに音楽が鳴り響き、ステラは息をのんだ。やがて、曲名がわかって、鳥肌が立つ。『天国への階段』の、初めの数小節。

バーバがジャックのステレオの電源を入れたのだ。ステラから目を離さずに、ダンスが言った。「死体が発見されたとき、この曲がかかっていたらしい」

忘れがたいその音が、一瞬、時を越えて耳に届き、恋人の肌の感触がよみがえった。

ふたたび目を向けてみたが、ジャック・ノヴァクはやはり命の脱け殻となって、そこに吊《つ》るされていた。

「早くアーサーに連絡を取らないと」ステラは言った。

4

十分後、ステラの車はワルシャワに入った。無意識のうちに、遠い昔のあの夜と同じオノンダガ川の谷間《たにあい》の道をたどってきた。まだ製鋼所に橙色《だいだいいろ》の明かりがともっていた時代に、ステラは、ジャック・ノヴァクが住む広々とした部屋から、わが家と呼べる唯一《ゆいいつ》の場所に向かっていたのだ。

今夜はまだ日が暮れ残り、製鋼所の煤煙《ばいえん》にも似た宵闇《よいやみ》が、ワルシャワに、そしてステラの心に、しずしずと降りかかりつつある。しかし、高さ六十メートルの聖スタニスワフ教会の尖塔《せんとう》は、今も変わらず、祈禱《きとう》を命ずる双子の導師のごとくそびえ立ち、低い家並みや敷石道を見下ろしていた。この町を離れて十五年を経た今も、ワルシャワに足を踏み入れると、わが家に帰ってきた感じがする。

その感覚が心と体を包み込み、ステラは、幼いころの風景の中へと立ち戻っていった。建て込んだ小さな家々と、狭苦しい通り。教会が肉食を解禁してからだいぶ経つというのに、毎週金曜日になると、酒場やレストランから漂ってくるフライド・フィッシュの匂《にお》い。手押しの芝刈り機でちっぽけな庭を丹念に手入れする父親たち。オレンジ色の手押し車でやってくるポップコーン売り。蒸し暑い夏の夜に、あちこちの家の小さな張り出し玄関から聞こえる話し声。聖スタニスワフ公民館で催されるにぎにぎしい結婚披露宴――ポルカを演奏する楽隊、ビール、詰め物をしたキャベツ、食べきれないほどの料理。日曜学校の窓に書かれた〝四旬節〟〝祈禱〟〝大斎〟〝喜捨〟の文字。そして、常に教会がそこにあった。

初めて教会に入ったのがいつだったかは覚えていない。しかし、頭にはっきりと焼きついているのは、子どもらしい畏怖《いふ》の念だった。新ゴシック様式の巨大な煉瓦《れんが》建造物に宿った神の意志。聖なる場所の薄暗い広大さ。足を踏み入れたとき、にわかに漂う冷気。ステンドグラスや手の込んだ彫像に施された豊かな彩色。周りの子どもたちや大人たちと同様、ステラも持ち合わせていた信心深さ。しかつめらしい服装に表われた敬意……。しかし、その謙虚な姿勢には、自負の気持ちも含まれていた。四世代前、初代のポーランド人たちは、ピーター・ホールの曾祖父《そうそふ》から支払われる七ドル二十五セントの週給でつつましく暮らしながら、何もないところから聖スタニスワフ教会を打ち建てたのだ。製鋼所がアマサ・ホールの誇りであったのと同じように、ポーランド人たちは、生活は苦しくとも、この教会を自分たち自身のもの、自分たちの存在を後世に伝えるよすがとして運営してきた。今でもステラは、この町に住む人々との絆《きずな》を、かつてこの教会を訪れた幾世代もの人々とのつながりを感じることができた。

しかし、こうして今ふたたび敬慕の情をかき立てるこの地の、二千人にのぼる教区民の中に、ホワイトカラーを名乗れる者はほとんどいない。彼らは依然として労働者だった。高齢の、低所得の、あるいは、アーミン・マーズのように、製鋼所から見放された労働者。ステラとこの町の住民のあいだには、大きな格差が生じてしまった。ステラはけっしてそれを望んだわけではないが、将来を胸に描ける年齢に達したときから、自分の将来のためにがむしゃらに闘ってきた。十九歳で妊娠して、無神経な夫の言いなりになる道を歩むつもりはなかった。母と同じ人生を選ぶつもりはなかった。

それゆえに、ジャック・ノヴァクと出会うずっと前から、アーミン・マーズといがみ合うようになっていた。

その対立構造を、父が理解していたとは思えない。父は、理詰めの考えかたをきらう単純素朴な人間だった。だから、自分の苦々しい感情の深みへ自分で下りていくことはしなかったし、ステラに向けた激しい怒りも、父の頭の中では、娘の強情さに対する当然の反応に過ぎなかった。しかし、ステラにとって生き延びるための闘いであったものが、アーミンには、心臓に打ち込まれるとどめの杭《くい》となった。父が権力を振るえる場所は、もう自分の家の中しか残っていなかったのだ。

アーサー・ブライトがクラジェク市長と討論を繰り広げている聖スタニスワフ公民館

は、ここから三ブロック先だった。しかし、ワルシャワの内外を問わず、選挙戦は白熱していて、今夜は狭い通りが車であふれている。すでに悲嘆と追憶を重く背負い込んだステラは、両親の家の前に車を駐《と》めた。

といっても、その質素な二階建ての家屋は、もう両親のものではない。この前実家に足を踏み入れたのは、父の介護費用を支払うために、妹の猛反対を退けて家を売却したときだった。父は怒らなかった。自分の知らない物ばかりで埋め尽くされた家に、恐怖を感じ始めていたからだ。

今や、ジャックの部屋から戻って、互いを傷つけ合ったあの最後の夜のことを覚えているのは、ステラだけになってしまった。ステラだけが、ひとつひとつの情景を──大事な用向きをかかえた今もそうしているように──胸によみがえらせることができる。あの夜、ステラは自分で買ったおんぼろのホンダを家の前に駐めた。それから、ポーチへの階段をこっそりとのぼった。ポーチの床板が小さくきしんだ。ドアをあけるときにも音がして、祈りの言葉が口から出かかった。真っ暗なリビングルームにすべり込むとき、恋人の潤《うるお》いを体内にとどめた二十三歳の娘が願っていたのは、父がぐっすり眠っていることだった。そのとき、椅子《いす》に坐《すわ》った父が、そばにある電灯をつけた。

薄明かりの中、父のいかつい顔がやつれて見える。血管の浮いた獅子鼻《ししばな》、げっそりとこけた頬、飲酒癖による染《し》み、白くなりかけた髪、後退した額。肌には深く皺《しわ》が刻まれ、あたかも機能不全の位置を示す立体地図のようだ。しかし、その黒い瞳《ひとみ》は怒りに燃えていた。

身震いを抑えることができなかった。父への恐怖は、ステラが最初に身につけた本能だった。「どこにいた？」父がきく。

質問ではなく、恫喝《どうかつ》だった。アーミン・マーズは当地の生まれだが、その低い声には、見知らぬ場所、見知らぬ時代のしわがれた響きと、生得の権利としての支配者意識が込められている。うそをつけば父を挑発することになり、自分を裏切ることにもなるだろう。それはもうわかっていた。「ジャックのところよ」ステラはあっさりと答えた。

沈黙が訪れた。暗い階段の上では、母が聞き耳を立てているはずだ。気が弱すぎて仲裁に入れず、夫に従順すぎて娘を援護することも、理解することさえもできずに……。これから三つ歳下のケイティも聞いているだろう。よい娘の役回りを嬉々として受け入れ、これからも、姉の強情さが自分の盾となってくれることを願いながら……。やがて、アーミン・マーズがぼそりと言った。「おまえは淫売《いんばい》だ」

ステラは顔が赤らむのを感じた。罪悪感が背筋をわななかせる。「違うわ」

父が椅子から腰を浮かせた。厚い腹部の肉がTシャツを引き伸ばし、体のたるみがあらわになる。「あいつの前で股《また》を開かなかったと言うつもりか？」

「いいえ。お金はもらわなかったと言ってるのよ」

アーミン・マーズの唇が小刻みに震えた。驚くほど機敏な動作で立ち上がり、目に憤《ふん》怒《ぬ》をたぎらせて近づいてくる。

ステラはじっと立ち尽くした。片手を振り上げた父が、呼吸の乱れが聞き取れるほどの距離まで来ても、目をそらさなかった。

頬に平手が炸裂《さくれつ》する。ステラはよろめき、あとずさった。涙で目が曇り、唇に血の味がする。

アーミン・マーズが凍りついたように立っていた。瞳に激情と困惑の色が浮かんでいる。その目は、自分を屈服させそうな強大な力に対して、憤《いきどお》りと恐れを抱く馬を思わせた。息づかいが荒い。

「おまえは淫売だ」ふたたび口にしたその言葉に、今度は頑強な自己正当化の響きが混じっていた。「あいつのところで働いて、あいつから給料をもらってる。弁護士になるために、体を売ってるようなもんだ」

こめかみが痛みにうずいた。薄暗い部屋に囚人のように閉じ込められた状況の中で、一瞬、現実感が失せ、不思議の念にとらわれる。なぜ、聖スタニスワフという壮麗な建造物を創り出したのと同じ民が、これほどわびしい暮らしを送っているのか……。しかし、ステラが淫売呼ばわりされる理由も、そこにあるのだ。

「わたしが働くのは」声を震わせながら言った。「父さんが働かないからよ。それに、わたしが今もここに住んでるのは、いつか父さんみたいな暮らしから抜け出すためよ」

積年の怒りのマグマが、父の顔を覆《おお》った。封印しておいた恥が暴かれ、投げつけたはずの侮辱が、娘の蔑《さげす》みの言葉によって自分に跳ね返ってきたのだ。その目に浮かんだ重い苦悶《くもん》の表情が、頬への一撃より痛く、ステラの胸を刺した。自分が何をしでかしたのか、怖すぎて考えられなかった。

強い力で両手首をつかまれて、ステラは身をすくませた。父の顔が間近に迫り、ウォトカの薬草めいた匂いが漂う。「ロースクールを卒業できるなどと思うな。淫売は弁護士にはなれん。はらまされるのが落ちだ」

いきなり、あと戻りの道が絶たれた。父の支配を逃れようと、策を巡らすことに多大な時間を浪費してきたが、たった今、娘の挫《ざ》折《せつ》を願う心ない父の言葉を聞かされたのだ。

「淫売は身の守りかたを知ってるわ。わたしは、ジャックの子を生むことで父さんに恥をかかせたりはしない。自分が成功することで、父さんに恥をかかせてやる」

部屋の空気が毒を帯びた。父の両手は二挺《ちょう》の万力のようで、その顔はみずからの無能を知らされたくやしさに歪《ゆが》んでいる。長女はなぜか弁舌の才を授かり、自分にはそれが欠けているという天の酷な配剤に気づかされたのだ。ふたたび娘に平手を見舞ったその動作は、どこか弱々しく、失意の表明と見えなくもなかった。

後ろへよろけたとき、ステラは自分の首の関節が鳴るのを聞いた。頭を垂れ、口もとの血をぬぐいながら、気を失うまいと努める。「一発目ね」うつろな声が出た。「一生で最後の二発ということにさせてもらうわ」

その意味を呑《の》み込《こ》んだ父が、目を剝《む》いた。

「今夜はジャックのところに戻る。それから、自分の住む場所を探して……」

「あいつの情婦になるというのか」

「あの人の情婦？」声を荒らげて、「あなたの娘でいるよりましでしょう？」

父がたじろぎ、あとずさった。ステラは胸が悪くなるのを感じた。この人は、わたしを動物園に、ブルーズの試合に連れていってくれた。バスケットボールの選手になったわたしを、黙って誇らしげに見守っていた。息子が欲しくてたまらなかったのに、授かったのは娘ふたりで、長女とは意思の疎通さえ図れない。だからこそ、ステラは今まで、恐怖感や慣習のしがらみから、そしてまとわりつくような敬意から逃げ出したいという欲求を、押し隠してきたのだ。製鋼所が閉鎖され、父の苦々しい夜が始まるまで、どうにかそれでやってきた。けれど、製鋼所は閉鎖され、ジャック・ノヴァクが現われた。

「おまえはおれの娘じゃない」うわずった声。「おまえがここを出ていけば、ケイティだけがおれの娘だ」

望ましくない運命の中に妹を置き去りにしていくことは、ステラの本意ではなかった。

しかし、今はもう、この溝がけっして埋まらないものであるという痛々しい確信が、罪の意識をはるかに凌駕《りようが》していた。自分がいなくなれば、隙間《すきま》だらけの寄せ木細工にすぎないこの家族はばらばらに壊れてしまうだろう。ステラは、無力な母が二階で泣き崩れる姿を胸に描いた。そして、自分の決断のせいで妹を満たすことになる不安の大きさを……。やがて、その悲嘆と不安が自分自身のものであることに気づいた。

涙が頬を流れ落ちる。どうにか声を絞り出した。「わたしがあなたの娘だったことなんか、一度もない」

父が答えを返す前に、それ以上のことが起こる前に、ステラは背中を向けた。あのときアーミン・マーズの目に光っていたものが涙だったのかどうか、十数年経った今でもわからない。

けれど、今でも自分はあの父の娘だった。ともに暮らした日々を、父がもう思い出せないとしても……。そして、父の血を引く娘として、この地に生を受けた子どもとして、広大な大聖堂に入り、ジャック・ノヴァクの魂の救済を、父という名の殻から抜け出した父の魂の救済を、祈りたかった。時間があるなら、神の導きを請いたかった。

しかし、時間はなかった。宵の帷《とばり》が下りるなか、ステラは、ジャック・ノヴァク殺害の報をアーサー・ブライトに伝えるため、公民館へと急いだ。

5

そっと集会室に身をすべり込ませながら、ステラは思った。ジャック・ノヴァクの死が報道陣に知られるまで、ブライトにはどれぐらいの時間が残されているだろうか。

立ち止まって室内を見回した。十代のころと少しも変わっていない。飾りけのない、広くて明るい部屋だ。茶色く塗られた木の床は、スクール・ダンスや結婚祝賀会など、長年にわたる幾多の催し物のせいで擦り減っていた。今夜はその床が四百脚の折り畳み椅子《いす》で埋まり、多くを近隣の住民が占めている。何台ものテレビカメラ、何本ものケーブル、何人ものカメラマン。一角に陣取った記者たち。警備を受け持つ警官たち。正面にはふたりの候補者と、司会進行役を務める〈スティールトン・プレス〉紙の銀髪の古参記者。会場の空気は熱を帯び、緊張感でぴんと張り詰めていた。クラジェクが好意的な聴衆に向かって語りかける一方で、敵地へ乗り込んだ形のアーサー・ブライトは額に汗を光らせている。

ステラには、ブライトの気持ちが手に取るようにわかった。あの夜、家を出て以来、父が住んでいるあいだは一度も帰らなかったが、ときどき母のヘレンがこっそりステラを訪ねてきた。誰に聞かされずとも、父はそのことを承知していた。そして、夕食の席で、表向きは妻と次女に向かって、実際にはステラに伝わることを当て込んで、批判の言葉を口にした。ステラは幼いころから、ユダヤ人は金に汚く、黒人は怠け者で下品でふしだらな人種だと父に吹き込まれて育った。だから、その批判を母から伝え聞いても驚かなかった。父にとって、ブライトの下で働く娘は、最下層まで堕《お》ちた淫売《いんばい》であり、どれほどの業績をあげようとその不名誉はぬぐえない。母の口ぶりは、ステラをたしなめるものだった。わざわざ壁を築くようなまねをして、父に認めてもらうチャンスを逃している、と。しかし、どうやってもアーミン・マーズが娘の成功を認めるはずがないことを、ステラははっきりと知っていた。

そして今、壁に背をもたせかけて、ステラは聴衆を見渡した。

父と同じように、硬く無愛想な表情をした男たち。亡《な》き母の親友ワンダ・ルトスラウスキーが、黒縁の眼鏡越しにブライトをじっと見つめているのが目に留まった。ワンダの娘ふたりは、幼いころのステラとケイティの遊び友だちであり、ステラの記憶にあるワンダは優しさあふれる母親だった。ステラの母が働きに出るようになってからは、近所の女たちといっしょに親代わりを買って出て、よく姉妹の面倒を見てくれたものだ。今では、しかし年老いて、暮らしが逼迫《ひっぱく》しているらしく、隣りにいる夫のスタンリーと同様、顔つきが暗く険しい。夫妻の横には、少数ながら散在している黒人のうち、ふたりが坐《すわ》っていた。スタンリーはそのふたりを避けるように、ワンダのほうへ身を寄せている。いつになれば、こんな光景を見ないですむ日が来るのだろう？　やるせない問いを胸によぎらせたあと、ステラはクラジェク市長に視線を移した。

同年輩のクラジェクは、ワルシャワの誇りであり、ステラの同窓でもあるが、この男に好感を持ったことは一度もない。十代のころでさえ、トム・クラジェクが折々に取る行動は、本来の目的に沿ったものではなく、頭に描いた野心という名の地図をなぞったものに見えた。その到達点がどこにあるのか、本人だけが知っていた。そして当時から、力強く機知に富んだ、そつのない話術を身につけていた。そのまなざしは、今も変わらず、ステラの目には、俊敏で怜悧《れいり》で不透明なものに見えた。

ステラはおそらく、底の浅い人物と評していた男がとんとん拍子でここまで昇り詰めたことに、嫉妬《しっと》を感じているのだろう。それはたぶん、年配の女たちの心をくすぐる少年くささに、まったく魅力を感じないからでもある。すらりと痩《や》せた体。張りのある精悍《せいかん》な顔立ち。いかにも趣味のいいダブルのスーツに身を固めた姿——ジャック・ノヴァクもダブルのスーツをうまく着こなしていたことを思い返して、ステラは胸を突かれた——は、必死に客の受けをよくしようとしているセールスマンを連想させる。その内面に蛇のごとく狡猾《こうかつ》な人間がひそんでいることを、ステラは今も確信していた。それでも、頭が切れて冷静沈着、企画力も行動力も並ぶ者がいないという点は認めざるをえない。

そして、もうひとつ。トム・クラジェクは運に恵まれている。

最初の幸運は、二十二歳のときに訪れた。毎年恒例のポーランド系住民による記念パレードのさなかに、地元選出の市会議員が心臓発作で倒れたのだ。これを受けて、当時まだ州立スティールトン大学の学生だったクラジェクが急遽《きゅうきょ》出馬し、当選を果たした。力不足の前任者とは違って、商業の振興にも努める用意があると訴え、ワルシャワ住民の支持を取りつけた結果だった。クラジェクとその後援者たちは、十二年間──市会議員の三期分──待った末、三十四歳にして市長選挙に打って出た。

対立候補はジョージ・ウォーカー。市議会議長を務める老練の黒人政治家だった。ときに傲慢《ごうまん》と見られ、数回の離婚で履歴に傷がついたものの、指導者としての力量には定評がある。街頭の説教師並みの弁舌に加え、クラジェクにはまねのできないやりかたで、市とその利益集団の動きを把握していた。これでもしウォーカーが白人だったら、クラジェクの倍の票を得て圧勝しただろう。しかし、投票日の一週間前の世論調査では、六パーセントの差でウォーカーがリードしているにすぎなかった。

その二日後、〈スティールトン・プレス〉を手に取ったステラは、ジョージ・ウォーカーの政治生命が終わったことを知った。

ある内報を得た麻薬課の警官がふたり、ウォーカーが住む高級アパートメントを強制捜査したところ、五キロものコカインが発見されたのだ。ウォーカーは、自分は麻薬に手を出したことはなく、これは罠《わな》であると主張した。私生活に何かと風評の多い人物だけに、その発言を信じる者はほとんどいなかった。東地区では麻薬が最大の社会問題と見られていたので、ウォーカー支持者の多くが棄権を決め込み、結果的にクラジェクが勝利を収めた。五カ月後、この事件は、捜索令状がなかったという理由で不起訴とされた。しかし、ウォーカー側が得た慰めはそれだけだった。この失脚劇を機に、ワルシャワの住民は、黒人、麻薬、そして少数民族系の政治家に、いっそうきびしい目を向けるようになった。アーサー・ブライトが背負う荷も重みを増したわけだ。

けれど、ジャック・ノヴァク殺害によって生じる重荷は、それ以上のものになるだろう。ふたりめの黒人市長候補が、友人であり支持者でもある人間の最期《さいご》、それも麻薬事件を扱う弁護士の変死との関わりを取りざたされたりすれば、いかに不当な難癖だとはいえ、致命傷になりかねない。それに加えて、すでにクラジェクが課してきたスティールトン二〇〇〇という大きな重荷もあった。再選に向けて、現職市長が旗印に掲げた大プロジェクトだ。トム・クラジェクがピーター・ホールと手を組んで、この廃《すた》れた街を新たなる再生の時代へと船出させた。もしかすると、アマサ・ホールがポーランド人たちをスティールトンへ連れてきて以来、最も偉大な時代になるかもしれない——ステラの胸に、突然、そういう皮肉な思いが湧《わ》き起こった。

腕時計に目を落とし、六時をわずかに回ったことを確認してから、ステラはクラジェクに注意を戻した。

クラジェクはいつものように、マイクを片手に持ち、もったいぶった足取りで壇上を歩き回っている。聴衆をひととおり見渡したところで、頃合いとばかりに立ち止まった。「スティールトン二〇〇〇は」よく通る声で言う。「福祉計画ではありません。それは過去との決別であり、採算を取りつつ、新たな雇用と新たな歳入を創出する事業であり、われわれの街の新たな未来なのです。それは、治安のよい地域に麻薬やその他の社会的な害毒を撒《ま》き散《ち》らす更生施設でもありません。それは、われわれを民族ごとの集団へと分断し、対抗意識をいっそう拡大しかねない少数民族優遇措置でもなく……」

スティールトンはとっくの昔に分断されてしまっているでしょう――ステラは胸の内で言い返した。しかし、聴衆の多くが、賛同の面持《おもも》ちで壇上を見上げている。スタン・ルトスラウスキーもうなずいていた。記者団の反応もかなりいいようだ。ステラはすばやくブライトを一瞥《いちべつ》した。自制に長《た》けた人物にしてはめずらしく、顔をしかめている。クラジェクは実に効果的に、スティールトンに住む白人の多くが心に蓄積してきた恐怖と不満に触れ、その感情の中のある部分を正当化してみせた。さらに抜け目がないのは、遠まわしな言葉を使って人種的な偏見に訴えかけたことだ。その仕上げをするかのように、クラジェクがアーサー・ブライトのほうを向いた。

「アーサー・ブライトが公約に掲げるのが、そういう優遇策だとすると、氏は、どうやってわが街を運営していくというのでしょう？　検事の地位にありながら、麻薬という社会問題を解決できない人物を、なぜ首長の座に押し上げなくてはならないのでしょう？　どうして市役所を、優遇された集団、優遇されたお仲間のための禁漁区にしなくてはならないのでしょう？」

ごく薄いオブラートにくるまれたこの非難を、ブライトは反芻《はんすう》するようにじっと聴いている。クラジェクの論旨は、ブライトには市長の資格がない、ブライトを担《かつ》ぎ出した黒人たちは、政界を通じてこの街を牛耳ろうとしている、というものだ。ワルシャワをはじめとする各地区で、ブライトがステラを必要とする理由はそこにあった。ステラなら、本人にはできないやりかたでブライトの意図を代弁することができる。ところが、ほかにも頭を悩ませなくてはならない問題が、ここへ来て次々発生した。フィールディングの事件、ノヴァク殺害……。時間を気にしながら、ステラは歩き回りたい気持ちを抑え込んだ。

「アーサー・ブライトは」クラジェクがふたたび聴衆のほうを向く。「理想家を標榜《ひょうぼう》しています。しかし、その実、会計係のごとく、スティールトン二〇〇〇のあら探しに熱を入れているようです。みずからの展望を持たないからでしょう。それは、氏が代表しているはずの人たちの利益にも関わることです」

〝黒人〟とはっきり言えばいいのに、とステラは胸中で野次を飛ばした。しかし、聴衆の大半が、身を乗り出して聞き入っている。

「少数民族の真の味方は、アーサー・ブライトではありません。スティールトン二〇〇〇なのです」ふたたび壇上を行き来しながら、早口にまくし立てた。

「このプロジェクトは、すべての人種に、すべての地域の人々に、利益をもたらします。スティールトンの印象を、炎上する川から、輝ける未来を持つ街へと変えます。スティールトンの財源を、スティールトンで働く人々のもとにとどめます。それは、地元の建設業者が造り、地元の商人が物を売り、地元のチームがプレイする、最新式の球場によって実現されるのです」

突然、クラジェクが、この討論会を実況中継しているテレビカメラに向かって話しだす。「ここで、この街に住むすべてのかたがたに、よく聞いていただきたいことがあります。それは、スティールトン二〇〇〇が、有色人種の皆さん、それも今の世代だけでなく、次世代にも恩恵をもたらすプロジェクトだということです」

話す速度が落ち、ステラは、テレビの画面に映るクラジェクの顔を、そしてことさらに誠実めかした語り口を、ありありと思い描くことができた。

「プロジェクトを管理する共同事業体には、少数民族系の建設業者が参加します。スティールトン二〇〇〇に関する全契約の三十パーセントを、少数民族系の業者が請け負います。スティールトン二〇〇〇の建設業務に携わる人間の三十パーセントが、少数民族系の労働者です。われわれは、われわれの未来を、ともに建設しようとしています。なんぴとたりとも、これを阻止することはできません」

みごとな演説だった。黒人の視聴者がメモを取る姿が頭に浮かび、ワルシャワに住む白人たちが、ひとり言をつぶやくのが聞こえる気がした――あいつらは、このほかに何が欲しいというんだ？　これ以上何を望むというんだ？

その想像を裏づけるように、うなずく聴衆の数が多くなった。「皆さんにご紹介したい人物がいます」クラジェクが語りかける。「わたしは、この人物の支持を受けていることをたいへん誇りに思っております。ピーター・ホール、起立してもらえますか」

クラジェクが左を向くのと同時に、最前列から立ち上がるホールの姿が目に入った。ステラにとって、ピーターの曾祖父《そうそふ》アマサは、市の美術館に展示された名入りの油彩画だった。禿《は》げ上がった額と口髭《くちひげ》、道徳を重んずるカルビン派らしい厳格な顔つきには、自分があまたの製鋼所を統《す》べるのは天与の権利であるという確固たる自信が感じられた。しかし、四世代にわたる裕福な暮らしと上品な妻たちの遺伝子が、子孫たちの容貌《ようぼう》から傲岸《ごうがん》さの影を少しずつ取り去っていったようだ。贅肉《ぜいにく》のない体に、砂色の髪。四十代前半の若々しいピーター・ホールの立ち姿には、その人となりがそのまま表われていた。名門の寄宿学校を経てプリンストン大学を卒業、実業界での出世と、セーリングに費やす長い週末を保証された人物。生まれながらにして特権と優美な顔立ちに恵まれ、整った造作と青い瞳《ひとみ》は、品よく年齢を重ねた映画俳優を思わせる。アマサと違って、好感度の高い名士だった。

拍手が収まったところで、クラジェクが言った。「ピーター・ホールが身をもって、事業の高潔さを保証します。ホール・デベロップメント社は、建築工事における費用節減分を、すべて市と分かち合おうと申し出てくれているのです。ピーター・ホールは、協定価格以下で工事を終えるでしょう。そして、球場が完成したあかつきには、わが市が球場の持ち主となります。われわれは、伝統あるわがチームを新しいわが家へ迎えるわけです」ふたたび言葉を切って、口もとに笑みをよぎらせる。「しかし、ほかにも新しいお知らせがあります。わたしはピーターから、それを皆さんにお話しするよう頼まれたのですが……」

そのときステラは、ホールの隣りに黒人がひとりいるのに気づいた。髪には白いものが混じり、上半身には昔より贅肉がついているものの、それが誰かはひと目でわかった。スティールトン・ブルーズから殿堂入りを果たした三選手のうちのひとりだ。俊敏で、いつでも動けそうな身構えは、昔のままだった。かつてステラの目の前で、バットの音が響くと同時に走りだし、片手を伸ばして、矢のようなライナーを捕球したときの……。

「来月から」クラジェクが続ける。「ブルーズの所有者名簿に、スティールトンの第一級市民のひとりが名を連ねます。彼のわが街に対する誇りを上回るのは、われわれの彼に対する誇りだけでしょう。ブルーズ史上最高の名中堅手、ラリー・ロックウェル」

やられた、とステラは声に出さずにつぶやいた。

ラリー・ロックウェルが立ち上がる。今夜最大の喝采《かっさい》が湧き起こるなか、聴衆の多くが立ち上がった。

ピーター・ホールとクラジェクが大成功を収めたことを、ステラは瞬時に悟った。黒人たちにとってラリー・ロックウェルは、東地区、つまり同郷から身を起こした英雄だ。白人たちにとっては、マイケル・ジョーダンに先駆けて、肌の色を超越した喜びを与えてくれた人物だった。往年の名中堅手は、背筋をぴんと伸ばして立っている。

対照的に、アーサー・ブライトは息を乱しているように見えた。明らかに、予想外の展開だったらしい。今、折り畳み椅子《いす》に坐ったその目に映っているのは、スティールトンの過去から紡《つむ》ぎ出された三本の糸——製鋼王の末裔《まつえい》、ポーランド系の市長、移住してきた黒人の息子――が、撚《よ》り合わさって未来を引き寄せようとしている光景だった。ステラは、意に反して心が動かされるのを感じた。この街への期待感がかき立てるおなじみの情動だ。

喝采がやむのを待って、クラジェクが口を開く。「われわれは、ともに、この球場を造っていきます。そして、われわれ全員がスティールトンを、かつてロナルド・レーガンが胸に描いたアメリカの姿、つまり『丘の上の輝ける街』にするのです……」

群集が立ち上がって声援を送るなか、クラジェクはゆっくりと席に着いた。

アーサー・ブライトはじっと動かなかった。これほどの能力を持ち、市に対してこれほどの貢献をしてきた人物が、いきなり分の悪い戦いを強いられている。ステラは深い同情を覚えた。ブライトは善良な人間で、その点に関して、クラジェクは足もとにも及ばない。しかし、政治の世界では、善良さなどなんの武器にもならないのだ。

「ブライト検事？」司会者が促し、アーサーが立ち上がった。

6

ステラはすばやく腕時計に目を走らせた。

六時十五分。まもなく警察は犯行現場を封鎖して、ノヴァクの遺体を保管所《モルグ》へ移送するだろう。そしてすぐに――まだマスコミが警察無線を傍受していないとすれば――ノヴァク殺害に関する発表を行なうはずだ。それが何を意味するか、ステラとダンスのあいだで話し合うまでもなかった。市警本部長のフランク・ノーランは、クラジェクの力添えで、ダンスのひそかな目標であるその地位に就いたのだ。マスコミへの対応について、ノーランはそれとなくクラジェク市長の指示を仰ぐだろうし、ダンスとしても、あからさまにブライトの利を図るわけにはいかない。

ステラにも、今は手助けするすべがなかった。討論会が終わるまで、ブライトは公衆の目にさらされている。今できるのは、黙って見守ることだけだ。そのあとで、ブライトを連れ出さなくてはならない。どこかの記者から、なぜブライトの友人であり支持者でもあるジャック・ノヴァクが、ガーターベルトを着け、睾丸《こうがん》を切り取られ、コーヒーテーブルにコカインを残したまま殺される羽目になったのか、理由を問われる前に。

ステラはふたたび目を閉じた。

死と政治の不穏な渦を逃れて、聖スタニスワフ教会のひんやりとした静けさに浸り、祈りで心を満たせたら、どんなにありがたいか……。その思いの延長で、ステラは目を開くと、リーザン・ブライトの姿を探した。

リーザンは、最前列の、ピーター・ホールの反対側に坐《すわ》っていた。しかし、ステラと同様、いたたまれないようすがありありとうかがえる。ほっそりした体つきに、きちんと整えた髪と真摯《しんし》な物腰を併せ持ち、教職を退いてからは、子どもたちと夫と教会に身を捧《ささ》げてきた女性だ。政治に関わるにはあまりに内気で、夫が目標に向かって邁進《まいしん》する行動的な生活を送っているのに比べ、狭い経験の枠内で生きているように見える。ブライトがマイクを手にして敵陣と向かい合うと、リーザンは憂《うれ》わしげに顔をこわばらせた。

次の瞬間、ブライトが微笑《ほほえ》んだ。

「わたしは、有罪です」両手を挙げて、おどけた降伏のしぐさを示す。

「そうです。わたしは、少数民族の優遇制度を施行したいと思っています。なぜなら、すべての市民に機会が与えられるべきであることを、そして、ともに生きていくためには、ともに相手を知らなくてはならないことを、知っているからです。

そうです。わたしは、麻薬常用者のための更生施設を増やしたいと思っています。なぜなら、この地から麻薬の売人を一掃しても——もちろん、そのための努力は続けますが——なお、若者たちを麻薬の害から救ったとは言い切れないからです。

そうです。わたしは、生活保護受給者が職に就けるよう、手助けをしたいと思っています。これは東地区に限った問題ではありません。なぜなら、職を失なった人々の大半は、身を粉にして尽くしてきた企業から見捨てられた白人たちだからです」鋭い一瞥《いちべつ》をすばやくクラジェクに投げて、「トムはそのことを知っています。皆さんも、それを目にしてきました。ほかでもないこの地で、製鋼所が日に日に衰えていくところを」

諸々《もろもろ》の懸念《けねん》に胸をふさがれながらも、ステラは、気分がわずかに上向くのを感じた。過去と現在とがぶつかり合うこの陰鬱《いんうつ》なときに、なぜ自分がアーサー・ブライトを敬愛しているか、その理由を思い出せるのはうれしい。聴衆に目を向けると、ブライトの気骨ある話しぶりに関心をかき立てられているのがわかった。

「さて」ブライトが問いかける。「わたしたちはなんの話をしているのでしょうか？　皆さんのお金のうち、ホール氏のための新しい球場を建設するのに使われる二億七千五百万ドルの話です。

二億七千五百万ドルを投じたこのスタジアムは、年間十万ドルという値の付いた豪華な特別席ばかりに場所が割かれていて、皆さんが気軽に子どもを連れていけるようなところではありません。

この二億七千五百万ドルは、裕福な経営者や資本家層――つまり、皆さんの町にも、皆さんの暮らしにも関心がなく、トムの選挙運動には気前よく財布の紐《ひも》をゆるめる人々――をいっそう裕福にするために、使われるのです」

持ち前の弁論術を使って、胸中の不安を払拭《ふっしょく》しようとしているのだ。すでに落ち着きを取り戻したその口調には、ユーモアと鋭利な批評の刃《やいば》がのぞいていた。

「トムはもしかして、この二億七千五百万ドルの使い道を、ほかに思いつかないのかもしれません。

トムは犯罪のことを憂慮していると言っています。

二億七千五百万ドルがあれば、ジュリアーニ市長がニューヨークのために行なったのと同じことを、わたしたちも、スティールトンのために実行できます。つまり、警官を警察署に閉じ込めて報告書を書かせるのではなく、皆さんの安全を守るために、持ち場につかせることができるのです。

トムは教育のことを憂慮していると言っています。

二億七千五百万ドルがあれば、公立学校を建て直して、授業料も公的規制も要らない市民学校を創設できます。これは、過分な俸給を取るどこかのお役人ではなく、市民がみずから運営のしかたを定めていく教育制度です。

トムは雇用のことを憂慮していると言っています。

二億七千五百万ドルがあれば、失業者のための職業訓練プログラムを組んで、皆さんの家庭に、本来あるべき安定した収入を取り戻すお手伝いができます」

ブライトの声は心地よいリズムに乗り、人好きのする南部のアクセントをにじませていた。ワンダ・ルトスラウスキーまでが、身を乗り出して聴いている。そのとき、ステラは保管所へ向かうノヴァクの死体のことを思い出し、ふたたび腕時計に目を落とした。六時二十分。

「今わたしが申し上げたことを、皆さんはすべてご存じです。では、トム・クラジェクはどうやって、ご自慢のプロジェクトを皆さんに売り込むのでしょうか？

例えば、広告板にホール氏の顔写真を載せて、『二億七千五百万ドルあれば、この子を飢えさせずにすみます』と訴えるのは、あまりうまいやりかたではありません」聴衆のあいだにとまどい気味の笑い声が起こると、その機を逃さず、ブライトがにんまりしてみせた。「なにしろ、ホール氏は今この場で、それだけの額の小切手を切って、トムに手渡せる財力の持ち主ですからね」

心にのしかかる重圧も忘れて、ステラはあやうく笑い出しそうになった。居ずまいを正すクラジェクの顔には、かなり不快そうなようすが感じられたが、ホールのほうは、市長を横目でうかがいながら、鷹揚《おうよう》な人間らしく泰然自若としている。

ブライトが口調に皮肉を込めて、「それとも、トムはどこからか無名の黒人の子どもを探し出してきて、球場のイメージ・キャラクターに起用するでしょうか？　でも、その球場には、皆さんも、当の子どもも、おいそれと足を運べないのです。でも、そ

ところで、市長は、その球場の建設が、多くのアフリカ系アメリカ人に職を提供すると言っています」いったん言葉を切り、自嘲《じちょう》めいた笑みを浮かべる。「そう、礼儀正しいトムは、あからさまには口にしませんでしたが、わたしもそのひとりです」

さっきより大きな笑い声が起こった。心情的な立場はともかく、聴衆の多くが、クラジェクの戦略を軽妙に解きほぐしていくブライトの手並みを楽しんでいるようだ。それに加えて、別の効果も生まれていた。ブライトは、製鋼所の歴史を思い起こさせること、そしてワルシャワ住民のなめてきた辛酸と、クラジェクがピーター・ホールに贈った絶賛とのあいだにある溝の大きさを指摘することで、黒人と少数民族系の白人が意外に多くの共通点を持っていることを示してみせたのだ。記者団は、野次馬的な興味もあらわに、ブライトの演説の行方を注視し始めていた。

「そして、わたしは断言します。このプロジェクトが進められ、竣工《しゅんこう》に至ったとしても、黒人社会の事情は何ひとつ変わりません。ワルシャワの事情についても、同じことです。ここで、自分の胸に問いかけてみてください。『わたしの二億七千五百万ドルでホール氏を助けることが、果たしてわたしを助けるだろうか？』」ふたたび頬をゆるめて、「これこそ、答えを出さなければならない問いなのです。どこかの貧しい黒人の子ども

を救うために、ホール氏に球場を建ててやることはありません」

いったん口をつぐんで、皮肉とその深刻な含みが、聴衆の胸に染《し》み渡るのを待った。そのうえで、突然、自分の顔にも深刻な表情を浮かべる。

「皆さんは、もっと豊かに暮らす権利を持っています。誰にもある権利です。まだ遅くはありません。この事業を、もう一度見直すべきです。すでに生じた出費については、ホール氏に涙を呑《の》んでもらいましょう。そうやって使わずにすんだお金を、皆さんにとって、この街にとって、いちばん賢い用途に役立てようではありませんか」

聴衆を見渡してから、やんわりと締めくくる。「ご清聴、ありがとうございました」

そう言って、ブライトは腰を下ろした。

かなりの拍手が湧《わ》き起こった。クラジェクに対する、あるいはラリー・ロックウェルに対する声援には及ばないものの、ステラが予期した以上だ。ブライトにはまだまだ、ワルシャワで票を掘り起こせる余地があるということだろう。

クラジェクが応戦しようと立ち上がったのをしおに、ステラはさっと廊下に出て、ハンドバッグから携帯電話を取り出した。

ダンスはひとりパトロールカーに乗って、市警本部に向かっているところだった。

「もうマスコミは知っているの？」ステラはきいた。

「いや」間を置いて、「たった今、ノーランに話したところだ」

そこには言葉以上の情報が含まれていた――市警本部長が別の筋から報告を受けていなかったこと。ダンスがぎりぎりまで知らせるのを保留していたこと。ブライトに与えられた猶予《ゆうよ》は、ノーランがクラジェクにまず知らせるか、ただちにマスコミに公表するか、断を下すまでの時間だけだということ。

「ノーランがマスコミに開示する情報をできるだけ絞ってくれるといいけど……。こちらの知識や推測を明かせば明かすほど、犯人に多くを知らせることになってしまう」

「わかっている。だが、そう思いどおりには運ばないだろう。残り時間は、最長で一時間と考えてくれ」

ステラは礼を言ってから、会場に戻った。


「ピーター・ホールは」クラジェクが語りかけている。「この街にとって恩人です。ただし、誤解のないように言っておきますが、このプロジェクトを取りまとめたのはわたしであり、成功の栄誉を担《にな》うのも、失敗の責任を負うのも、このわたしです。

工事費が見積もりを上回った場合、その超過分の全額をホール・デベロップメント社が負担するという取り決めは、わたしの責任においてなされました。

市が費用を〝節減〟できたあかつきには、ホール・デベロップメント社も同等に潤《うるお》うという取り決めは、わたしの責任においてなされました。

すなわち、ピーター・ホールが二億七千五百万ドルに満たない額でブルーズに新しい本拠地を提供できた場合、市はその節減分に見合う払い戻し金を受け取ることになります。この取り決めも、わたしの責任においてなされました」

クラジェクの華奢《きゃしゃ》な体は、非難を受けた人間の切迫感をみなぎらせていた。この男が昔からユーモア感覚を、あるいは、自分自身に対する客観的な視点を欠いていたことを、ステラは思い返した。魅力のなさなどという言葉ではかたづかない、政治家としての弱点ではないだろうか。野心に歯止めが効かず、私益と公益の区別がつけられない人間が市政を司《つかさど》るとしたら……。ざわついた気持ちで、ステラは報道陣に目を走らせ、ノヴァク殺害の報が明るみに出た兆《きざ》しはないかと探った。ポケットベルや携帯電話を手探りしている記者はいないだろうか……。

クラジェクの声に力がこもる。「この二億七千五百万ドルには、じゅうぶんな見返りがあります。雇用が創出され、野球観戦者数が増大することによって、税収が増えます。また、ロックコンサート、オールスター・ゲームなどの催し物、さらには、いつの日か実現させたいとわたしが心から願っている、ローマ教皇のミサからも……」

ローマ教皇に始球式をさせるつもりだろうか？　それとも、ラリー・ロックウェルの隣りに、教皇が隠れているのか？　しかし、クラジェクの言葉は、ステラの中にもある感傷の源に届いた。七歳のときの神々《こうごう》しい瞬間を、ステラは今でも覚えていた。のちにヨハネス・パウルス二世となるポーランド出身のカロル・ヴォイチワ枢機卿《すうきけい》が、聖スタニスワフ教会でミサを執り行なったとき、ほんのわずかなあいだ、ステラの手に触れたのだ。以来、教皇がこの地を訪れたことは一度もなかった。

「われわれは、かつて栄《は》えある市民でした。われわれは、ふたたび栄えある市民になれるのです……」クラジェクが話を終えた。

ステラのハンドバッグの中で、携帯電話が鳴った。取り出して、通話ボタンを押し、小声で応答する。「はい？」

「あと二十分ぐらいかもしれない」ダンスの声。「ノーランが報道陣に声をかけ始めた」

「『じゅうぶんな見返りがある』？」ブライトが疑わしげな声で問いかけた。

「工事関係の雇用からは、見返りは望めません。それはあくまで一時的なものです。市民がスティールトン市内のほかの娯楽施設――映画館、レストラン、百貨店――で使うはずだったお金を、野球観戦に振り向けたとしても、それは税収への見返りとはなりません。

貸借料からの見返りも望めません。ホール氏は一セントも払わないでしょう。豪華な特別席からも、入場料からも、売店の売上げからも、見返りは望めません。すべての権利を、ホール氏が手中にしているからです」

話を中断して、片手を腰に当てる。生徒たちを正しい答えへと導く教師の趣きだ。

「ご存じのとおり、この計画は、市長とホール氏のふたりだけで練りあげたものです。ご両人は、二億七千五百万ドルの市債を発行して、その財源をまかなおうとしています。すなわち、市が返済するべき債務です。利息を合わせると、返済額は四億五千万ドル近くにのぼります。

ご両人が球場を建設して、皆さんが建設費を支払うわけです。

だからこそ、この計画は内密に練られたのです。

だからこそ、競争入札が行なわれなかったのです。

だからこそ、ご両人は、皆さんが今後も次々と、この球場に莫大《ばくだい》なお金を注ぎ込むことになるという事実を、伏せているのです。球場への連絡道路、新しい下水管、新しい公共施設、新しいバス路線、警備の増強、そして果てしのない維持費……」ふたたび口もとをゆるめて、「ホール氏は、電球代すら出す必要がありません。

そうです。ご両人が建てて、皆さんがお金を出すのです。出して、出して、また出して……建設工事の仕事がなくなったあとも、ずっと出し続けることになるのです」

ひと息ついたブライトの顔に、またもや深刻な表情が浮かんだ。抑えた声で、「スタジアムは製鋼所とは違います。製鋼所は、スティールトンの街作りにひと役買いました。

ところが、この球場は、街にひと役もふた役も買わせて、ピーター・ホールを潤わせ、その付けを皆さんに回すものです」胸に手を当てて、「付けを支払わされるのは、わたしです。わたしたち全員です。このプロジェクトに、わたしたちの心をひとつにつなぐ要素があるとすれば、まさにその点でしょう」

さっきよりさらに大きい喝采《かっさい》を浴びながら、ブライトが席に着いた。

ステラは、最後にもう一度、腕時計を見た。

討論会は終わりだ。

ふたりの候補者があわただしく握手を交わし、メディア向けに作り笑いを浮かべている。それから記者団が、ふたりの候補者と、ガード役のマネージャー、広報担当者を取り囲んだ。

ステラは人波をかき分けながら、ブライトがいかにも頼りなげに見えることに気づき、胸を突かれた。ついさっきまで敵地で堂々たる戦いぶりを見せていたその姿が、急に縮んでしまったような……。しかし、それはひと仕事終えたあとの弛緩《しかん》というものかもしれない。今夜の任務を思い起こしたステラは、ふと、自分の払う代償が野心に見合うものかどうか、迷いを覚えた。ブライトからやや離れた場所では、リーザン・ブライトが、追い詰められた鹿《しか》のように、夫の美点や、ワルシャワの温かい土地柄について、ありきたりの言葉を並べている。

やっとのことで、ステラは上司のもとへたどり着いた。「失礼」と断って、十三チャンネルの若い女性の質問をさえぎる。

ブライトが真意を問い詰めるような鋭い視線を投げてきた。「いったい、何を……」

ステラは相手の困惑も構わず、検事の袖《そで》をつかんで、一メートルほどわきへ引っ張っていき、小声で早口に言った。「ここを出ていただかなくてはなりません。ジャック・ノヴァクが殺されました」

反射的な動作で、ブライトが肩越しに背後をうかがう。いくつもの情動が次々湧き起こり、自制を求めてせめぎ合っているのだろう。恐怖、驚き、打算——悲しみ以外のすべての情動が……。やがて、その体から力が抜けたかと思うと、うやうやしいほど間延びした低い声が洩《も》れ出した。「くそ……」

ステラの耳には、それが祈りのように聞こえた。「肝を据えてください。かなりたいへんな状況です」

7

リーザンに手早く断りを言って、ブライトはステラとともに、押し黙ったまま、ステラの車まで歩いた。

薄闇《うすやみ》の中に坐《すわ》ったブライトの姿は、影になっていて、公民館からワルシャワの町へと散っていく聴衆の目には留まらない。「どういう状態だったのかね？」

「ひどいありさまでした」ステラの声は感情を欠いていた。「あの人は、自分のベルトを首にかけて、クロゼットの戸に吊《つ》るされていました。ストッキングとハイヒールを身に着けて」

ブライトが目をみはる。わずかに口が開いたが、声は出てこなかった。やがて、顔をそむけると、うつろな視線を暗い窓に据える。息をするのも苦しそうだ。

ステラは小声で伝えた。「誰がやったのか、わかりません。なぜやったのかも」

しばらく、ブライトは何も言わなかった。おもむろに口を開いて、「では、どうして、殺害されたとわかったのだ？」

意外な問いだった。どういう思考の流れをたどったのか、ブライトの頭には、不慮の事故、つまり、秘めた欲望に魅入られた友人の姿が浮かんだらしい。相手の口調に合わせて、ステラは穏やかに言った。「睾丸《こうがん》を切り取られていたんです」

ブライトの横顔が凍りついた。それから頭を垂れ、両手で顔を覆《おお》う。

歩道に響く足音と、行き交う人の声が、かすかに聞こえてきた。現実的な態度を崩すまいと決めて感情を封じ込めてきたが、ブライトを見守るうちに、ステラ自身の苦悩がよみがえる。慰めを求めると同時に与えたくて、上司の肩に手を置いた。

やや間を置いてから、ブライトが居ずまいを正した。「ほかには何が？」

「匿名《とくめい》の通報があって、ジャックが死んでいると知らせてきたんです。声を変えていたので、通報者の性別もはっきりしません。警察が到着したとき、ジャックの家のドアは施錠されておらず、押し入った形跡もありませんでした。ジャックは誰かとお酒を飲んでいたようで、コーヒーテーブルの上には、コカインの筋がありました。死体が発見されたのは寝室です。亜硝酸アミルと手錠も見つかっています」事実を列挙していくうち、不思議に気持ちが軽くなってきた。声も事務的で、歯切れがいい。「口論が暴力に発展したとも、服装倒錯に見せかけた謀殺とも取れます」

ブライトが目をこすった。くぐもった声で、「犯人は、なんのためにそんなことをしたのだろう？」

「わかりません。わたしも唖然《あぜん》とするばかりで、『こんな死にかたはないでしょう』と思わず胸の中でつぶやきました」

ブライトの表情に変化が現われた。初めてステラの存在をまともに意識したというように、顔を向ける。「きみは現場に行ったのかね？　ジャックのところに」

「ええ」

「なんということだ」片手をステラの手に重ねた。「そうする必要はなかったのに」

ステラは相手の顔をうかがい、真意を量ろうとした。ふたりのあいだで、ジャックとの関係が話題にのぼったのは一度きりで、それもかなり前のことだ。ブライトはどこまで知っているのだろう。ステラの胸中を読んだように、ブライトが言った。「この件から降りるかね？」

ステラは首を振った。「今夜以上に悪いことは、起こらないでしょうから」一瞬迷ったあと、抑えた口調でこだわりを表明する。「腑《ふ》に落ちないんです。ジャックがどんな人間であったとしても……」

そこで言葉に詰まった。自分は、記憶の中のある一郭を、汚《けが》すまいとしているのだろうか。それとも単に、ジャックとの関係が〝そんなもの〟ではなかったことを、ブライトに訴えようとしているのだろうか。そして、ジャックがこの十五年で、どれほど遠く隔たった場所に行ってしまったかを……。

ブライトの視線は、ふたたびよそに向けられている。疲労のにじんだ声で、「人はみんな、ほかの誰かについて、何をほんとうに知っているのだろうか？」

ステラは答えなかった。ブライトが促す。「局まで送ってくれないか。スローンに連絡を取らなくては」

ステラは携帯電話を差し出した。ブライトが首席検事補をつかまえてから検察局に着くまで、ふたりはそれぞれの思いに沈んだまま、口を閉ざしていた。互いに、どうにかして自分を取り戻そうとしているのだ、とステラは感じた。

首席検事補のチャールズ・スローンは、すでに検事室にいて、ブライトの選挙参謀と広報担当者に、電話口で指示を出していた。

「警察に〝全幅の信頼〟を置いていると書いておけ。あの腰巾着《こしぎんちゃく》の本部長には、身に余る光栄だろう。草稿ができたら、すぐファックスしてくれ」ぞんざいに送話器を置くと、ブライトに向かって、「ノーランのやつが、すべて話してしまいましたよ。ガーターベルトの件までね。わたしがここに着いたときには、もう〈プレス〉のリアリーからボイスメールが届いていました。あなたの運動資金として、ノヴァクがいくら調達したのかと尋ねてきたんです」首を振ってから、嫌悪感《けんお》をこらえるように言い足す。「黒いストッキング。あしたの各家庭の朝食の席は、この話題で持ちきりでしょうね」

このせりふが、ステラの競争相手のすべてを語っていた。スローンは、抜け目なく、強気で、感情に流されず、自分とアーサー・ブライトの関係に立ち入ってきそうな——ノヴァクやステラのような——人間とは、けっして打ち解けない。ステラのほうも、後任検事争いの宿敵同士としての意識以上に、反発するものを感じていた。検察局を切り回す政治屋と、何より最良の法律家でありたいと願う女性検事補との、根本的な気質の違いから来るものだろう。ステラから見れば、スローンの疲れを知らぬ触角は濫用《らんよう》ぎみであり、検事への情報の行き来を一手に掌握しようとするその意欲も、局の円滑な運営をかえって阻害していた。スローンの側からは、ステラとブライトの相性のよさが、首席の地位に対する脅威と映るのだろう。

今見ると、ふたりの男は好対照をなしていた。スローンは背が低く、丸顔に口髭《くちひげ》をたくわえ、突き出た腹とずんぐりした体軀《たいく》に、皺《しわ》だらけのスーツをまとっている。ファストフードとペプシコーラが主食で、今も缶を手にしているが、一日の消費量は十本を優に超える。それに比べると、革の椅子《いす》に音もなく腰を下ろしたブライトは、まるで陽炎《かげろう》のようだった。ブライトの机の前に坐って双方を観察するうちに、ステラは自分が三つの点で部外者であること——白人で、女性で、ふたりの男に共通の過去を知らないこと——に、居心地の悪さを覚えた。

「ノヴァク事件に関する声明の草稿を書かせています」スローンがブライトに報告する。

「党のほうから、あした、記者会見を開くように言ってきました。あなたが事態を掌握していることと、局が真相究明を強く望んでいることを、有権者に伝えるように、と。いつもどおりです」

ブライトの表情は、妙にうつろだった。それでも話を聞いていたという証拠に、しばらくしてから静かな質問を投げ返す。「われわれはそれを望んでいるのかね？」

「何よりも望んでいます。さらには、本件をこれ以上愚劣なものに、あるいはいかがわしいものにしないことも望んでいます」だしぬけに、スローンがステラのほうを向いた。「きみはどうするつもりだ？」

ステラはすばやく考えをまとめた。「ダンスと密に連繫《れんけい》する──ありがたいことに、刑事部長みずから指揮を執っているの。重要な訊問《じんもん》には、わたしも同席して、側面支援する。ダンスには、たいした支援は必要ないでしょうけど」ブライトのほうを向いて、「検察局としては、どの程度表立った動きをするべきでしょうか？」

ブライトが眉根《まゆね》を寄せて考え込む。「それは」と、スローンが割って入った。「ダンスがどっちへ進むか、何をするかによって変わってくるだろう」

ステラは肩をすくめた。「あらゆることをやる、と言っていたわ。隣り近所、友人、恋人、新聞配達人、郵便配達人、事務所関係者の取り調べ。現場で発見された証拠品から、ポルノショップやSM関連にも手を広げないといけないでしょうね。それに、ジャックの依頼人の中で、問題のある人物や、不満をかかえていた人物」ふたたびブライトに目を向けて、声を落とす。「ヴィンセント・モロがジャックの最大の顧客だったことは、公には知られていないかもしれませんが、ダンスは知っています」

部屋の空気が変化するのが、肌で感じられた。ブライトが机に目を凝らし、スローンがじっとステラの顔を見る。沈黙のなか、ステラの目はさまざまな細部に引き寄せられた。頭上にある古い蛍光灯の瞬《またた》き、ブライトの机に載ったリーザンと子どもたちの写真、クラジェクとジョージ・ウォーカーが競《せ》り合った前回の市長選の得票数を、選挙区ごとにまとめたとおぼしき書類。空を背景に、不規則な格子《こうし》模様を描くスティールトンの街並み——闇に光の点を散らしたその風景は、テレビゲームの画面を思わせる。暗く沈んだ声で、ブライトが言った。「そのことは誰も知らないのだ、ステラ。ジャックが法廷でモロの弁護を務めたことはない」

「でも、この街の麻薬取引はモロの支配下にあります。そして、大物の売人が捕まると、必ずジャックが弁護に立ってきました。モロの後ろ盾なしで、そんなことが可能だと思いますか？」

「ノヴァクは腕がよかった」スローンが口をはさむ。「売人たちはばかではないし、最良の弁護士を雇うだけの金も持っている」

顔つきにも、口ぶりにも、不機嫌さがにじみ出ていた。ステラはひるまずに応じた。

「わたしは憶測でものを言っているわけじゃないわ。十四年前、ジャックのオフィスでモロを見たことがある。夜遅く、ジャックのほかには誰もいないはずの時間に」

スローンが身を乗り出した。「ヴィンセント・モロは、スティールトンの組織犯罪の親玉だ。二十年にわたって、麻薬、賭博《とばく》、売春、すべてを動かしてきた。ノヴァクがモロと昵懇《じっこん》の仲で、アーサーがもしそのことを知っていたなら、われわれはノヴァクからの献金を受け取れるはずがない。そういうことだ」

言葉の裏に警告が聞き取れた――今後もこの建前は貫かれる。だから、モロの話は二度と持ち出すな。ステラは言い返した。「麻薬は危険できたない商売よ。莫大《ばくだい》な額の金銭がやり取りされ、連邦捜査官は売人たちに内通を迫る。ジャックがもし、依頼人の機嫌を損ねたとしたら……」

「ヴィンセント・モロのか？」スローンが目を剝《む》いて、露骨ないらだちと驚きを示した。「モロはビジネスマンだ。人を殺《あや》めたりはせず、ただ人を消す。ノヴァクと昵懇の仲だったとしたら、なぜ彼を殺すんだ？　それに、その仲をどうやって証明する？　無理だよ」声が低く、冷ややかになる。「しかし、その問いをちらとでも口にすれば、たちまち噂《うわさ》が立つ。市長選の真っ最中にだ。前回、噂がジョージ・ウォーカーの足を引っ張ったことを忘れるな」

スローンがただひとりの聞き手に向かってしゃべっていることは、はっきりしていた。

ブライトが曖昧《あいまい》な目つきでステラを一瞥《いちべつ》する。「ジャックと依頼人のあいだに揉《も》め事《ごと》があったとしても、モロからその話を聞き出すことはできない。そして、ヴィンセント・モロの名を口にするほど間抜けな売人は、どこにもいない。ジャックの依頼人について尋ね回る際、モロの名前は出さないことだね」

ステラはうなずいた。スローンがいきなり口を開いて、「誰かに何かを尋ねる前に、そもそもきみがこの件を手がけるべきかどうか、きみ自身に尋ねてみたらどうだ？」

ジャックとの関係をスローンにまで知られていたのかと、ステラは瞬間的に頬が熱くなるのを感じた。「わたしは殺人課の長よ。重大な殺人事件を扱うのは……」

「きみはノヴァクのところで働いていた」抑揚のない声で、スローンが切り返す。「ここに就職したのも、ノヴァクの口利《くちき》きがあってのことだ。そして今は、なんの必然性もなく、ヴィンセント・モロの話を持ち出している。だから、きかせてもらいたいね、ステラ。きみは、この職務をやり遂げるだけの客観性を持ち合わせているのか？」

この事件を手がけるのに、条件をつけようというのだろうか——モロには手を出すな、と？　それとも、捜査がうまくいかないことを見越して、ブライトの面前で言質《げんち》を取るつもりなのか。「わたしは、職務をやり遂げることしか考えていません」ステラは冷ややかにこたえた。

眉を上げて疑念を表わしてから、スローンがブライトの顔色をうかがう。検事の表情からは、何も読み取れなかった。この状況下ですら、本人は認めないだろうが、ふたりの部下のあいだにある対抗心を利用しているのだ。ステラに向かって、「チャールズへの報告を絶やさないように。すべて、チャールズを通じて進めることにする」

いかにもアーサーらしい、とステラは思った。ステラの立場を守りながら、スローンの面目も保っている。「それで決定なら」と、スローン。「記者会見には、ステラが同行するべきでしょうね」

これは意外だった。スローンは常々、ステラをできるだけ目立たせないよう、夕方のニュースにも顔が映らないよう、心を砕いているのだ。今回は、ノヴァク事件が迷宮入りしたときに備えて、ステラを矢面に立てようと考えたらしい。さらには、ブライトの隣りに白人女性が坐っている構図に、政治的な効果を見出したのだろう。

けだるい動作で、検事がネクタイをほどいた。ステラは場の流れが変わることを半ば期待した。ジャック殺害に関して、個人的な意見が出てもいいころだ。しかし、ブライトの質問は虚を突いた。「トミー・フィールディングの件は、どうなっている？」

六時間ほど前、その犯行現場の写真をつぶさに眺めていたというのに、今はそれが、どこか別の、もっと理性的な世界での出来事に感じられた。ところが、まったく唐突に、ブライトがそちらの進展を気にし始めたのだ。ステラは答えた。「あした、検屍《けんし》解剖が行なわれます。わたしも立ち会う予定です。何かわかるかもしれません。フィールディングの両親からは、何も出てこないでしょう。息子は殺された、の一点張りです」

ブライトが両手の指先を山型に合わせる。「ピーター・ホールを相手にするときは、慎重を期してもらいたい。今夜のこともあるからね」

チャールズ・スローンが目をすぼめ、突き出た腹の上で両手を組み合わせているのを、ステラは視界の隅にとらえた。ホールの側近と麻薬中毒の黒人売春婦の死が、アーサー・ブライトにとってどんな意味を持つようになるのか、考えを巡らしているのだろう。それが、いずれ自分の身にどんな累《るい》を及ぼすのかも。

「ほかに何か？」ステラは尋ねた。

沈黙が訪れた。やがて、ブライトが小さく声を洩《も》らす。「『一日の労苦は、その一日にて事足れり』」

退室を促す合図だ。ステラが出ていくときも、ブライトはほとんど気づいていないようだった。

8

帰宅したのは、そろそろ日付が変わりそうな時刻だった。

スティールトンの西端近くに構えた住まいは、石のポーチがある茶色い木造住宅で、二階の屋根窓からは、遠く市街が見渡せる。暗くて狭い実家とは比べものにならない光と空間の豊かさが、購入の決め手になった。しかし、きびしい職務を忘れてくつろげるのは、堅固な造りと明るい調度のおかげだ。そして、この家は、あらゆる意味でステラ自身の家だった。自分の稼ぎで手に入れた自宅は、長いあいだ仕事を続けてきた自負心の証《あか》しであると同時に、常に独力でものごとを解決していく覚悟の表われでもある。

猫が一匹、同居していた。ほっそりと姿のいい牝《めす》の黒猫で、名前はスター。一見して、独歩孤高の猫という風情を漂わせている。しかし、ステラが帰ってくると、ほどなく主《あるじ》を探しあて、足もとにまとわりつくのが常だった。動物の知覚の仕組みはわからないが、スターは自分がステラに救われたことを知っているらしい。

隣家の十歳になる息子が、自宅の地下室で発見したときは、子猫としか呼べない大きさだった。痩《や》せこけて薄汚れた野良猫そのものの外見に、スカンク並みの悪臭。男の子の母親はその姿に凶暴性の片鱗《へんりん》を認めて、すぐさま動物保護施設へ送り込んだ。つまり猫は、ほぼ確実に死ぬ運命にあった。話を聞いたステラは、男の子といっしょに保護施設へ出向き、猫を引き取った。われながら理を欠いた行動だったが、その猫の拒絶のされかたに心を揺さぶられて、どうしても飼いたくなってしまったのだ。何本もの注射の費用を負担したうえで、ステラは晴れて、猫に愛情を注ぐ生活の緒に就いた。

玄関の鍵《かぎ》をかけたところで、スターの滑らかな額が脚をつついた。壁に手を伸ばして照明のスイッチを入れると、リビングルームから洩《も》れ出す光が、足もとの黒猫を照らし出す。ステラは猫を抱き上げた。

疲れていて動く気になれず、アルコーヴに立ったまま、胸もとでスターを撫《な》でた。わきに置かれた胡桃《くるみ》材のテーブルに、磁器でできた幼子イエスの小像が置いてある。華やかな王冠を戴き、金のひだ飾り付きの聖衣をまとった像は、もう名前の由来も覚えていないが、『プラハの嬰児《みどりご》』として知られていた。昔のワルシャワには、幼きイエスの像を置く家庭が多かった。この像は、ステラと妹が母に贈ったもので、毎年クリスマスと復活祭の時期には、姉妹で父に小遣いをねだり、新しい聖衣を買ってはヘレン・マーズを喜ばせるのが習いだった。今着せてある聖衣は、ステラが十歳のときに買った、母のお気に入りで、癌《がん》に侵されて死の床についた母が、ステラに譲ってくれた。

ステラは毎日母を見舞い、ときには数時間も手を握っていたが、共通の話題はほとんどなかった。老いた母にとって、その贈り物は、まだ娘との仲が大きく損なわれる以前、確かな可能性と秩序があった時代の象徴であり、母娘の人生がどれほど隔たろうと、長女に自分のことを覚えていてほしいという願いが託されている。ケイティはひどく腹を立てたが、実家が売りに出されたとき、ステラはイエスの像を持ち出し、郷愁と崇敬、いくらかの洒落《しゃれ》、そして血のつながった母と自分とが、外見も性格もほとんど似ていないことを不思議に思う気持ちを込めて、自宅に置くことにした。

その話を、母が亡《な》くなる数年前、ベッドの中でジャックにしたことがある。冷ややかな棘《とげ》を含んだ口調で、ジャックが言った。「それは、きみがお母さんより大人になったということだよ。きみは、母親の人生と、学校の尼僧《にそう》たちを見てきた。その結果、尼僧《シスター》が束になっても、神父《ファーザー》ひとりにかなわないと悟ったんだ」口の端にかすかな笑みを浮かべて、「きみは、きみのお母さんになりたくない。マザー・テレサにもなりたくない。きみは枢機卿《すうきけい》になりたいんだ。それとも、教皇か」

おそらくジャックの意図したとおり、ステラは無用の不安に駆られた。献身をためらう気持ちが、女であることの葛藤をいっそう深めているのではないか。だからその夜も、いつもの夜と同様、女になった証しを示そうとことさら努めたのだった。

スターを抱いたまま、ステラは階段を昇って寝室に向かった。

化粧箪笥《だんす》の上に、額に入れた写真が飾ってある。曇りのない顔で、両親と妹が過去から見つめていた。すでに母は亡《な》く、父も魂の脱け殻となり、妹のケイティとは、ステラがジャック・ノヴァクのもとへ奔《はし》ったあの晩以来、疎遠になっている。両親の家に永遠の別れを告げた夜、ステラはしかし、そうなることをまったく予期していなかった。

その夜は、ジャックの上機嫌で始まった。ダウンタウンの高級ナイトクラブで食事を取りながら、ふたりで勝訴を祝っていたのだ。ジャックは事もなげにロードゥレール・クリスタルのボトルを注文した。ニューヨークの歌劇団や舞踊団のスティールトン公演に足を運ぶときや、衝動買いした最新装備のヨットを操縦するときと同じ、悠然とした態度だ。ジャックの人生は上り坂で、特にその晩は、またとない運を享受したばかりだった。アーサー・ブライトにとっては、痛恨のきわみだろう。ジャックの依頼人、東地区の麻薬取引を一手に担うジョージ・フラッドを、コカイン五キロの取次のかどで起訴しながら、証拠のコカインが消えて、訴因が成立しなくなったのだ。警察は、〝管理上の不注意〟を認めた。

シャンパンの滑らかな泡を舌に転がしながら、ステラは言った。「あなたがどうして、ブライトと友だちでいられるのか、理解できない。あの人、あまりに理想家肌でしょう」

「そして、ぼくはあまりに冷笑家肌か？」頬をゆるめて、「アーサーとぼくは友人同士であり、お互いを自分の生態系の一部と認め合うプロ同士でもある。でも、ほんとうのぼくは、理想家なんだよ。もしぼくが神様なら、麻薬の売買を合法化するだろうね。考えてごらん。麻薬中毒のかわりに、麻薬療法が流行《はや》るかもしれない。まあ、アーサーのような法律信者がいるからこそ、麻薬の供給が商売になり、ぼくの存在も必要になる。アーサーが正義の旗を降ろしたりしたら、ぼくはたちまち廃業だよ」笑みがしぼんでいく。「でも、アーサーには勝たなくてはならない。それが唯一《ゆいいつ》、アーサーがぼくに認めてくれる行動原則だ。それともうひとつ、司法取引でアーサーに仲間を売るような依頼人の弁護は、絶対に引き受けないこと」

ステラはもうひと口、シャンパンを飲んだ。「条件のいい司法取引でも？」

ジャックが肩をすくめる。「巡り巡って、みんなが損をすることになるんだ。ある者はうそをつき始める。ある者はあっさり殺される」

ステラは黙り込んだ。ジャックの営業方針から最大の利益を得るのが誰か、当時はもうわかっていた。麻薬の元締めだ。しかし、依頼人は多岐にわたっていた。黒人、白人、アジア人、ハイチ人、ラテンアメリカ系……。まず刑務所にいる本人から電話があって、そのあと、妻か兄弟が、現金入りの封筒を持ってノヴァクのオフィスを訪ねてくる。ステラは給料を受け取り、夜は学校に通うだけで、何も口出ししなかった。ジャックの依頼人たちがアーサー・ブライトに何も言わなかったように。

あのお金の出所《でどころ》は、どこなのだろう。それが当時のステラの疑問だった。そして、なぜ現金なのか？ ジャックは奢侈《しゃし》な生活を隠そうともしていなかった。税金逃れが狙《ねら》いでないことは確かだ。複雑なゲームをともに戦っていながら、主軸プレイヤーであるジャックだけがルールを知っているように思えた。それでも、ステラがロースクールで学んだルール――有罪が立証されるまでは無罪と推定される、最も凶悪な犯罪者にも適格な弁護を受ける権利がある、など――のおかげで、法と秩序と徳義を重んじる見習い法律家の良心が、とりあえず呵責《かしゃく》を手控えていたのだった。

「コカインが消えてしまうなんて」デザートを口に運びながら、ステラはジャックにきいた。「どうして、そんなことがありうるの？」

ジャックが口もとをゆるめて、「お役所仕事だよ。アーサーのような検察官のせいで、麻薬関連の起訴が多くなりすぎて、保管庫は証拠品の山だ。事件が決着したら、そのつど破棄しないと、白い粉の海で泳ぐ羽目になる。そこで、連中はせっせと処理伝票を書くわけだ」低い声で笑う。「どうやら、その伝票を読み間違えたやつがいるらしい。でも、われらが市警本部には、識字能力に問題のある警官もいるから、しかたがないね」

「あなたにとっては、それが幸運だった」

ジャックがブランディを口に含んだ。「運も才能のうちさ」やんわりとはぐらかしてからグラスを置き、ふたたび真剣なまなざしを向けて、「ほんとうの幸運は、その運をきみと分かち合えることだ。今から何時間も、ぼくは幸運であり続ける」

ジャックは単純にそう決め込んでいた。それでいて、その言葉が正しいことを、ステラも知っていた。その晩、鏡の中のジャックに歩み寄りながら、それから二時間足らずで家族が崩壊するとは知らないまま、ステラはある不安に襲われた。この男《ひと》は、法廷でも、ベッドでも、自分の幸運を自分で創り出しているのではないだろうか。

十五年を経た今、ステラの脳裡《のうり》に、あのときの自分が浮かんだ。恋人の前で当惑しながら裸になった自分の姿が……。そして、そのあと、今夜のジャックが浮かんだ。同じ鏡の中に、運も命も尽きて吊《つる》されたジャックの姿が……。

ステラは服を脱ぎ、自分の枕《まくら》のわきにある専用の枕にスターを載せて、明かりを消した。猫が鼻先をステラの髪に押しつけ、ごろごろと喉《のど》を鳴らして、満足げに、規則正しく呼吸を始めた。やがて、喉の音がやみ、スターが眠りにつく。

そのとき、部屋に広がる静寂《しじま》のなかで、待っていたように涙がステラの頬を伝った。誰のための涙なのかは、わからなかった。

PART TWO

JACK NOVAK

第二部

ジャック・ノヴァク

I

眠れない夜を過ごした翌朝、ステラは疲れきった状態で、トミー・フィールディングの検屍《けんし》解剖に立ち会った。

初めての立ち会いのことは、今でも忘れない。ミチェリが手際《てぎわ》よく遺体の臓器をあらわにしたとたん、にやけ顔の技師が、「お待たせしました、コダック・タイム」と剽軽《ひようきん》な声を出して、ポラロイド写真を撮り始めたのだ。それ以来、剖検室というと、なぜか金属的なイメージしか頭に浮かばない。検屍官が使う銀色の器具、鈍色《にびいろ》の流しと戸棚、内臓の重さを量る計器、死体を載せる解剖台。今、ふたつあるその解剖台の一方に、トミー・フィールディングが横たわっている。もう一方では、ジャック・ノヴァクが、うつろな瞳《ひとみ》で天井を仰いでいた。

ミチェリのそばを離れて、ステラはそちらへ向かった。

ステラにとって、検屍解剖は、せいぜいが我慢して立ち会う儀式でしかなかった。しかし、今回は話が違う。手袋をはめた指で軽くジャックのまぶたに触れて、その冷たさを感じながら、赤い斑点の散る眼球にかぶせてやった。これで、最後のお別れが、ほんのわずかにしろ耐えやすくなる。それから裸の死体をシートで覆《おお》い、ジャックを記憶の中に埋葬した。

ステラは何も説明せず、ケイト・ミチェリは何も尋ねなかった。ミチェリと助手は、フィールディングの遺体を見下ろしながら、簡潔に所見をやり取りしていた。自分たちの声のほかは物音ひとつしない室内で、執刀中の外科医よろしく、むだのない動きで作業を進めている。ミチェリのそばに戻ったステラは、なんとか気を取り直して、最期《さいご》の瞬間のトミー・フィールディングからその生前の姿を想像しようとした。

すると、フィールディングの両親に対する心からの同情が湧《わ》き、また、生命の息吹《いぶき》を失った空っぽの肉体のありように、静かな畏怖《いふ》を覚えた。この男は、両親が知っていた、あるいは知っているつもりだった肉体から、すでに遠く離れた場所へ旅立ってしまったのだ。硬直して血の通わないこの器が、かつて命を宿し、今も着々と進行するあの球場建設工事の指揮を執っていたとは、にわかに信じがたい。それでも、フィールディングの顔は、事件現場の写真とたがわず、凛《りん》とした美しさをたたえていた。大きな茶色い瞳と、ギリシャ彫刻並みに整った造作。筋骨隆々とした体にも、彫像の趣きがある。謹厳に運動とダイエットを実践していたのだろう。今でさえ、そのたたずまいには、どこか几帳面《きちょうめん》で潔癖なところが感じ取れた。じっと見ていると、マーシャ・フィールディングを襲った衝撃と驚愕《きょうがく》の大きさが察せられる。

「運がいいと思いなさい」ミチェリが言った。「先週の金曜日に処理した死体なんて、死後三週間も経っていたんだから」

ステラはまだフィールディングから目を離さなかった。「ティナ・ウェルチのほうは、どうだったの？」

「わたしの机の上に、報告書が置いてある。でも、要点だけ話しましょうか。ウェルチは典型的な麻薬常用者。腕と爪《つめ》の内側にある注射針の痕跡《こんせき》、たび重なる注射による皮下出血、最後の注射痕の周囲にある乾いた血液」言葉を切って、まずフィールディングの胴体を、次に硬直した腕を詳細に検分する。「こちらは、注射痕がひとつだけ」臨床上の所見をいくつかテープレコーダーに吹き込んでから、ステラへの説明を再開した。「ティナ・ウェルチには、常用者らしい皮下静脈の肥大と硬化が見られる。でも、こちらからは、その徴候は出てきそうにない」手袋をはめた指でフィールディングの唇をあけ、頭部を傾けて、「現時点で両者に共通するのは、希薄な白い唾液《だえき》。大量の過剰摂取を示す徴候ね。

でも、両者の違いは歴然。ティナ・ウェルチは二十三歳にして、やつれきった不健康な容貌《ようぼう》をしている。肉体が魂の宿る場所だとすると、ふたりのあいだに魂の触れ合いがあったとは考えにくい」短い言葉をいくつか口述したあとで、「ああ、そう、ティナは

HIVに感染していた。大脳白質に、エイズの徴候と見られる初期病巣《びょうそう》があった」

「つまり、悲劇のヒロイン」

ミチェリがうなずく。「きわめて不快な死を迎える運命ね。ところが、実際の死は、苦しみからの解放だった。ヘロインの過剰摂取によると思われる急性の呼吸機能低下。全身の徴候がそれを裏づけている」

「だとすると、フィールディングはティナに何を求めたのか？」内心の問いかけが、声になって口から出た。

「『心は孤独な狩人《かりうど》』？　あなたの頭の中には、母親の唱える殺人説があるようね」

「ええ」

ミチェリが頭を傾けて、ノヴァクのほうを示す。「その点について言うなら、この人も、あそこにいるあなたのお友だちと同じ。打撲傷も擦過傷もなく、体にも頭部にも、暴行を受けた形跡はない。表面上、フィールディングがティナ・ウェルチと争ったことを示すものは何もない。ノヴァク氏と正体不明の相方についても同様。ティナの体にも、手荒く扱われた形跡はない。長年にわたってみずから手を下したもの以外は」

「フィールディングはティナと性交していた？」

ミチェリが首を振った。「ペニスの表面には精液の残留が見られず、ティナのコンドームは全部ハンドバッグに入ったままだった。まずは麻薬から、ということだったのか

もしれない。死に至る避妊法ね」ふたたびテープレコーダーに向かってしゃべってから、

「もちろん、所持品はすべて検査に回して、可能であれば指紋を採取するよう手配しておいたわ。今以上のことが、何かわかるかもしれない。

でも、覚えておいて。ヘロインの過剰投与で人を殺すには、並みはずれた手際が必要になる。つまり、麻薬のことを熟知した人間でなければ無理。しかも、それだけの知識を持つ人間なら、確実性を欠いた殺人法であることも承知しているはず」

「どういう点で？」

「ヘロインは体内でモルヒネに転化して、呼吸機能を抑止する。でも、どれほど大量に摂取しても、必ず死を招くとは限らない。特に、ティナ・ウェルチのような常用者の場合はね。他殺だとしたら、犯人は現場にとどまらないといけなくなる。ことによると、ふたりの胸の上に坐《すわ》って、息が止まるのを見届ける必要がある」メスに手をのばして、「二件の殺人よ。どれだけの人手が要ると思う？　そもそも、割に合うかしら？」

　ステラは検屍官の手の動きを追った。「わたしも、それをずっと考えているの」

ミチェリが目をすぼめ、フィールディングの胸と腹にY字切開を施す。「わたしにできるのは、医学上の証拠に関する説明だけ。でも、わたしもあなたも、殺人現場というものの凄絶《せいぜつ》さを知っている。フィールディングの寝室は驚くほど整然としていた。これが殺人事件だとすると、じつにみごとな手際ね。複数の犯人じゃないと、無理でしょ

う」

検屍官の手には片手鋸《のこ》が握られていた。全身に力を込めて、肋骨《ろっこつ》を切除し、内臓をあらわにする。

その音を聞いて、ステラは耳をふさぎたくなった。「死亡時刻の特定は？ おおよそのところでも」

「遺体からは、できない。両方とも、体温が低下しきっていたから」

慎重な手つきで、ミチェリがトミー・フィールディングの心臓と肺を取り出す。眼鏡をかけた若い中国人の助手が、その重さを量った。ステラは、フィールディングの顔に意識を向けようと努めた。

どうして？ ジャックのときと同じように、無言でフィールディングに問いかける。どうして、こんなことに？ それが検屍解剖のもどかしいところだった。ミチェリには、心臓を剔出《てきしゅつ》することはできても、死者の魂について、あるいは、死者の人生とティナ・ウェルチの人生がどう交わったかについて、何ひとつ語ることはできないのだ。心臓と肺が切開されていくのを見ていると、故人の母親の言葉が頭に浮かんだ。

『トミーは、針が大きらいでした』

検屍官が、ピンク色をした肺の切片を注意深く顕微鏡の下部に挿し入れた。「何を探すの？」ステラはきいた。

ミチェリが接眼レンズをのぞき込む。「ヘロイン常用者の肺には、線維組織が含まれていることが多い。細長くて、拡大すると光って見えるの。ティナの肺には、とてもきれいなものがあった。でも、こちらの肺は、ごくありきたり」

「ということは、一度も麻薬を摂取したことがない？」

「まだ断定はできない」助手に向かって、「髪のサンプルを採って」

ステラは、大理石のように無表情なフィールディングの瞳をのぞき込んだ。「なぜ、ティナ・ウェルチが初対面の客の家まで行ったのか、気になっているの。街娼《がいしょう》は仕事場を決めていることが多い。ホテルの部屋、車の中、路地裏。変質者に切り刻まれる危険を最小限に抑えるには、少しでも主導権を握れる場所でないと」

「そうね」そっけない返事。「わたしの場合は、お客さんが死ぬまで出番がないけど」肩をすくめて、「初対面じゃなかった可能性もあるでしょう。いずれにしろ、ダンス刑事部長と風紀課の坊ちゃん嬢ちゃんたちが、ティナの仕事仲間を調べてくれるはずよ」

わたしに言えるのは、死体としてのトミーとティナの共通点だけ。つまり、死因ね」厳粛な面持ちで、体内に残った血まみれの臓器を調べ始めた。「本件の所見は、典型的な薬物過剰摂取を示している。血液で満たされた肺、拍動不全の心臓、あえなく停止した呼吸器系統。トミーは文字どおり、自分の血に溺《おぼ》れて死んだ」

死体から漂う臭気が、神経に障《さわ》り始めた。ステラは一歩あとずさった。気づいたふうもなく、ミチェリが話を締めくくる。「もちろん、トミーの血液中のヘロイン濃度も調べるわ。相当な量、もしかするとどんでもない量が検出されるでしょう」

ステラはしばらく考え込んだ。「ティナは、まず相手に麻薬を打ったはずよね？　自分の腕に針を刺したまま死んだわけだから」

「妥当な推理ね」

「そのうえ、あなたの見立てでは、トミーは麻薬に慣れていない。だとすると、即死に近かったんじゃない？　慣れているティナでさえ、死んだのだから」

ミチェリが探るような視線を向ける。「つまり、トミーの死にざまを見たら、根っからのヤク中でもひるむんじゃないか、と？　その可能性はある。ただ、彼の体がどれくらいの速さで反応したか、彼女がどれくらいの速さで注射したか、知る手立てはない」

「でも、ティナの死んだ速さは、腕から針を抜く間もないほどだった」

ミチェリが顔をしかめた。「それなら、誰がふたりを押さえつけていたのか？　現場には何人いたのか？　どうして、寝室にもトミーの体にも、争った形跡がまったくないのか？　この人、体を鍛えていたんでしょう？」

「そのとおり」

ミチェリの口もとがかすかにほころぶ。「検屍解剖も楽な仕事じゃない、とあなたの顔に書いてある」

「ええ、わたしにとってはね」

検屍官の笑みが消えた。ノヴァクを一瞥《いちべつ》してから、ステラに視線を戻す。穏やかな声で、「あなたには、やることがたくさんある。もうここでのお務めは果たしたわ。ほかに何かわかったら、連絡する」

ありがたい気持ちで、ステラは剖検室を辞した。ケイト・ミチェリに見栄《みえ》を張る必要はない。金属製のドアを閉めると、トミー・フィールディングの頭蓋《ずがい》を鋸で切り開く耳ざわりな音が聞こえなくなった。

2

郡検察局の会見室──タイル張りの床、剝《む》き出しの壁、金属の椅子《いす》──は、人いきれでむっとしていた。折畳み式のテーブルについたブライトとステラの前には、小型テレビカメラや一眼レフを手にしたカメラマン、録音技師、警察担当記者などに加えて、ステラにはなじみの薄い政治関係のレポーターたちが並んでいる。現職検事に資金援助をしていたジャック・ノヴァクが殺害されたことで、スキャンダルの予感が会場の空気を張り詰めさせていた。ブライトが声明を発表し終えると、即座に〈プレス〉のダン・リアリーが立ち上がった。

よく響く声で、「ジャック・ノヴァクは、あなたの選挙運動のために、どれぐらいの資金を調達したのでしょう?」

引き締まった瘦軀《そうく》を前に傾けて、詰め寄らんばかりの勢いだ。ブライトのほうは落ち着いた物腰で、静かに答えた。「ノヴァク氏からは千ドルの献金がありましたよ、ダン。個人による寄付の上限額です。資金集めの晩餐《ばんさん》会を開くのに協力してくれたこともあります。そのときは四万七千ドル余りが集まりました。ノヴァク氏の友人も何人か出席していました。その人たちは、わたしの友人でもあります。ご存じのとおり、法曹界には、わたしの支持者がおおぜいいますから……」

「しかし、麻薬犯罪の弁護を生業《なりわい》にする法律家から献金を受け取るのは、慎重さを欠く行為と言えませんか？」

ここでふたたび、ステラは、ジョージ・ウォーカーの失脚とブライトの陥った窮地との不穏な類似を思った。腕を組んだチャールズ・スローンが、部屋の隅からこのやり取りを見守っている。ブライトが顔色を変えずに、「言えないでしょう。法律家はみんな、司法制度の公正を信じています。共有されたその理念があるからこそ、一方に訴追する法律家がいて、一方に被告を弁護する法律家がいるのです。それが、われわれの制度の仕組みです」やや守勢に回った感じの口調だった。「二十年以上にわたって、わたしは麻薬事件の起訴に全力を注いできました。その姿勢を、これまで誰にも非難されたことはありません。もちろん、ノヴァク氏にもです」

「ブライト検事？」ステラが振り向くと、背の高い金髪の女性レポーターが目に入った。6チャンネルのジャン・ソーンダーズだ。「今回の殺人事件には、麻薬、性倒錯、そして極度の残虐《ざんぎゃく》性という要素が含まれているようです。あなたの友人であり、支持者でもあった人物が、そのような状況で亡《な》くなったことに、困惑をお感じになりませんか？」

「困惑以上のものを感じますね」ブライトが正面から見返した。「わたしの知るかぎり、ジャック・ノヴァクがこのような最期《さいご》を遂げる前触れは、まったくありませんでした。わたしは、ここにいる誰よりも強く、その原因を知りたいと願っています」

「しかし、今回のように異常な事件は、市長選でのあなたの勝機をせばめるほうに働くのではありませんか？」ソーンダーズが執拗《しつよう》にきく。

ブライトが相手をにらんだ。「そんなことはない。どうしてそうなるのでしょう？」

しばし、室内が静まり返った。2チャンネルのチェット・ウィンフィールドが沈黙を破る。「事件を通報してきた人物について、何か情報はありますか？」

ステラはマイクを手に取った。「まだ何もわかっていません。ですが、警察が捜査を始めてから、まだ十八時間しか経っていないので……」

「その捜査において、郡検察局はどういう役割を担《にな》うのでしょう？」

反射的に、ステラはチャールズ・スローンに目をやった。この質問こそ、スローンが巧みな受け答えを求めていたものだ。どう返事をしても、あとで手きびしく評価されるに違いない。「わたしは殺人課の課長を務めています。ですから、局がすることに対して、あるいはしないことに対して、警察とともに責任を負う立場にあり――」

ジャン・ソーンダーズが割って入った。「ブライト氏が市長選に立つことで、普段より重圧が増すということはありませんか？」

ステラはかぶりを振った。「わたしが感じるのは、ノヴァク氏が亡くなったことへの重圧だけです」

「しかし」リアリーが口をはさむ。「あなたはそのほかに、事件を解決し損ねて自分の政治的願望が妨げられることを気にかけているのではありませんか？　その願望の達成には、ブライト氏の願望達成が不可欠のようですが」

ステラの立場に新たな複雑さが加わったことを、ダン・リアリーは今、突然明るみに出したのだった。すなわち、スローンとのあいだにある軋轢《あつれき》の蕾《つぼみ》が、ブライト当選のあかつきには一気にほころぶことを……。「人がひとり、殺されたんです」感情を抑えて言う。「それがなぜかということを、わたしは気にかけています」長い攻防になりそうだと覚悟して、ステラはマイクを置いた。これで、チャールズ・スローンの思惑どおりになった。結果がどちらに転ぶにしろ、ステラの顔がテレビに映ったのだ。

二時間後、ステラとスローンは、ブライトとともに検事室に坐《すわ》っていた。

椅子に深々と腰を沈めたスローンの態度は、しぶしぶ過ちを許すと言わんばかりだ。ステラに向かって、「なぜ、連中に言ってやらなかったんだ？　これは警察の扱う事件であって、われわれの役割は、求められたときに情報を提供することだ、と」

ステラは問い返した。「この事件で？　報道陣のあの目の色を見たでしょう？　たとえそれが正論でも、そんな答えで切り抜けられるはずがない」ブライトのほうを向いて、「それに、こうなると、ジャックの依頼人を調べずには、切り抜けられないでしょう。調べなかったら、どういう目で見られることか……」

「ノヴァクが麻薬の売人に消されたとわかったら、それこそ、どういう目で見られることか」と、スローン。

「同好の女装趣味の男に消されたほうが、ましだと言うの？　おぞましい選択肢しか残されていないのなら、わたしはとにかく、真実のほうを選ぶ」

スローンが苦い顔をした。ブライトに向かって、「記者会見で、一応の筋は通しました。今後はあくまであなたの論点でクラジェクを攻めて、ジャック・ノヴァクの件はナサニエル・ダンスに任せてください。少なくとも、事実関係が明らかになるまでは」

ノックの音がした。ステラの秘書を務める敏活な中年女性が、遠慮がちにのぞき込む。ステラに向かって、「連絡が二件ありました。ダンス警部とミチェリ検屍官《けんし》からです。早くお知らせしたほうがいいと思ったので」

ミチェリと話し終えたばかりで、まだ気持ちの整理がつかないステラのオフィスに、アーサー・ブライトが入ってきた。

「ジャックの死体はコカイン漬けでした。変態趣味に関しては、抽斗《ひきだし》から発見された手錠に本人の指紋があり、ガーターベルトとストッキングがナイトテーブルにしまってあったのを家政婦が覚えていました。ただ、ハイヒールには見覚えがないそうです。そこが引っかかりますね」

向かいの席にブライトが腰を下ろし、組んだ両手に顎《あご》を載せる。「なぜかね？」

「そういう道具は、一式揃《そろ》えておくものじゃないでしょうか。それに、ミチェリの話では、医学上、ジャックが肛門性交をしていた証拠はないということでした」

ブライトが半眼になって考え込んだ。「男色にはふたつの役割がある。与えるほうと受けるほうだ。亜硝酸アミルのことは、どう説明する？」

「Ｊ・エドガー・フーバーにその手の趣味があったことは、周知の事実です」声に力がこもる。「もしジャックが同性同士のＳＭ行為に熱中していたとすれば、そのことを知っている人間がいるはずです。ジャックを殺害した犯人のほかに」

ブライトが脚を組み、上着の乱れを丁寧に直した。「結果を恐れず、ジャックの私生活を徹底的に暴いていいかどうか、わたしに決めさせようというのだね」

ステラはじっと相手を見据えた。「あなたが正視できるのなら、わたしにもできます。チャールズはあれこれ策を巡らすのに忙しくて、検察官としての職務を忘れています。あるいは」やんわりと嫌味を込めて、「職務に対する考えかたが違うのか」

顔を上げた検事が、泰然とした表情の中に、かすかないらだちをのぞかせた。「チャールズに今の職務を任せているのは、わたしなりに理由があってのことだ。きみの職務についても同じだよ」歯切れのよさを取り戻して、「フィールディングの件は？」

「麻薬の過剰摂取ということだけ。それ以上は出てこないかもしれません。でも、あっさりかたづけるわけにはいかないでしょう」法律用箋《ようせん》に意味もなく殴り書きをしながら、「当面の疑問は、死亡した状況、ティナ・ウェルチと知り合った経緯、ヘロイン使用歴の有無です。ダンスが、フィールディングの元妻やティナの仲間の娼婦《しょうふ》たち、麻薬課の警察官、スティールトン二〇〇の関係者などに訊《き》き込《こ》みをします。ピーター・ホールも含めて」

「それで何もつかめないときは？」

「ジャックの秘められた生活と同じです。フィールディングの私生活を知る人間がひとりも出てこない場合は、何かが間違っているということでしょう。いずれにしろ、こちらはこちらの職務をやり遂げるだけです」

ブライトの口もとに、形ばかりの笑みが浮かぶ。「きみの世界は、ときどき至極単純な場所になるようだね、ステラ」

ステラは肩をすくめた。「そうすれば、的を絞れますから。あなたも、的を絞ったほうがいいですよ――市長選のことだけに。その点に関しては、スローンの言うとおりです。あなたに勝ってほしいという気持ちは、ふたりに共通しています」

三者それぞれの野心を揶揄《やゆ》するような言葉に、検事の目つきが険しくなった。「そして、きみは攻めの姿勢で行く。ジャック・ノヴァクの麻薬関連の実務に探りを入れることを含めて。いや、むしろ、それが捜査の軸か」

「そのとおりです。この件は、あなたにとって、蓋《ふた》をするより解き明かしたほうがいいものだと思います。節を曲げないでください、アーサー」

ブライトの顔がまた曖昧《あいまい》な表情に覆《おお》われ、ステラは瞬間的に、しかし鮮烈に、検事の思考がよそを向いているという印象を受けた。やがて、ブライトがぽつんと言う。「ジョニー・カランと話をするといい」

「麻薬課の警察官の、ですか？」

束《つか》の間《ま》、ブライトが歯がゆそうな顔をする。「ほかにジョニー・カランがいるかね？」

意外な名前を耳にして、ステラは記憶の糸をたぐった。カランには、一度しか会ったことがない。まだノヴァクの補助員をしていたころ、カランが、ブライトに有利な、つまりジャックの依頼人に不利な証言をしたことがあった。それでも、その警官のことははっきりと覚えている。肩幅の広い屈強そうな体軀、青く冷たい瞳《ひとみ》、四十代前半ですでに白くなった、豊かな髪と口髭《くちひげ》。自信に満ちたその風貌《ふうぼう》には、内輪受けの辛辣《しんらつ》なジョークが飛び出してきそうな、やや驕慢《きょうまん》な雰囲気が漂っていた。囮《おとり》捜査官として、暗黙の掟《おきて》が支配する偏執狂的な世界で、危険と隣り合わせの仕事を何年も続けてきたのだ。黒人の住む東地区で任務に当たる白人警察官カランは、同僚のあいだでは伝説的存在だった。

「たしか、ハーレル・プリンスと関わりがありましたね」ステラは言った。

ブライトが眼鏡を拭《ふ》いて掛け直し、ステラを正面から見据える。「カランはプリンスを死なせた」

「死なせた？　殺したんですか？」

立ち上がったブライトが、窓際《まどぎわ》まで歩を進めた。球場の骨組みをじっと検分しているようだ。月曜日で、ヘルメット姿の作業員たちがおおぜい動き回っている。おもむろに口を開いて、「われわれの知るなかで、正真正銘の殺し屋と呼べる唯一《ゆいいつ》の人間。それがハーレル・プリンスだった。デトロイト出身の殺人請負人だ。凶暴かつ残忍な手口で、ヴィンセント・モロの手下を数人始末したあと、自前の麻薬組織を東地区に創りあげた。頭もよかった。モロでさえ手を出せないほどに」

ふたたびステラに顔を向けて、「だが、カランは手を出した。プリンスの腹心の部下を口説き落として、親玉を警察に売らせる段取りをつけたのだ。ところが、ある晩、カランの家の玄関に、舌を切り取られたその部下の死体が転がされていた。

以後、カランは単独で動くようになった。自分でプリンスを追い詰めた。プリンスのボディーガードが死んだ。プリンス本人も、片手に銃を握ったまま、五センチの距離から片目を撃ち抜かれた姿で発見された。カランは、正当防衛を主張した」

ステラは相手の表情をうかがった。「そして、唯一の〝目撃者〟であるボディーガードは、その前にカランに殺されていた」

ブライトがうなずく。「誰がジョニー・カランを責めるだろう？　ハーレル・プリンス殺しは、警官仲間で言う〝公益殺人〟だ。悲しむ人間などいなかった」いったん言葉を切って、椅子の背もたれに両手を置く。「カランはほんとうに怖い男だ。だが、誰にも頼ることなく、スティールトンの麻薬について、調べられるかぎりのことを調べてあげてきた。知識の量では、ダンスも及ばないだろう。ジャック・ノヴァクのことを尋ね回るつもりなら、まずカランから始めることだ」

3

六時、ステラはスティールトン・クラブのバーに腰を落ち着けて、ソール・ラヴィンを待っていた。

ステラはここの会員ではない——このクラブが女性会員を受け入れ始めてから、まだ十年ほどしか経っていない——し、店内の雰囲気も明らかに中年男性向けだ。凝った手彫り模様の入った樫《かし》材のカウンター。分厚い樫の板を張った壁は暗色に塗られ、装飾といえば、控えめに掲げられた著名な会員——判事、実業家、歴代の市長たち——の白黒写真だけ。男性であることに加え、すでに鬼籍に入った人間たちだ。そして、柔らかな緑の皮革張りの椅子《いす》。こびりついたような、かすかな紫煙の香り。しかし、ステラの目から見て、何より象徴的なのは窓からの眺望だった。

クラブは、二十階建てのスティールトン信託銀行ビルの最上階にあり、支配者のような、雲上人のような気分を味わえる。この高さからだと都会のほこりっぽさが目立たず、今も操業しているわずかな製鋼所の橙色《だいだいいろ》の光が薄暮に映えて、活気に満ちた往時の幻影を浮かび上がらせていた。会員の構成も、時のひずみの中に留まっているかのようだ。市の長年の禍根である人種問題に背を向けてきたこの場所には、黒い肌も、東ヨーロッパ系とおぼしき顔も見当たらない。いくつもの小さなテーブルを囲む会員たちは、いかにもアングロサクソン風の年配者か、徒《いたずら》に男性的な凡庸さに憧《あこが》れる若年層で、大半がプロテスタントらしかった。ここにいると、ホワイト《W》・アングロ《A》サクソン《S》・プロテスタント《P》の男たちが代々護持してきた特権意識が、いまだに通用しそうな錯覚に襲われる。しかし、今の市政を動かしているのは黒人と少数民族系の白人であり、権力構造も移り変わってきた。ピーター・ホールのように、古い金の新しい使い道を考え出せる聡《さと》い人間はまれなのだ。変化の先駆けとなったいくつかの大手法律事務所では、最上層の役職は別として、既存の支配階級に属さない弁護士の数が増えてきている。女性、黒人、イタリア人、東ヨーロッパ人、そしてユダヤ人……。そのとき、ステラの胸中を読んだように、ソール・ラヴィンが現われた。

ラヴィンはすでに七十過ぎ。金銀の入り混じった髪には飾らぬ気品が漂い、腹部はなだらかな弧を描いている。運動らしい運動をした経験がなく、それが今、枷《かせ》となって足取りを重くしていた。とはいえ、青い瞳《ひとみ》に曇りはなく、ある種の皮肉っぽい軽妙さの光を放っている。三年前に酒をやめて、容貌《ようぼう》の衰えに歯止めをかけ、市でも最古参の弁護士として、同業者の敬意を引きとどめる道を採ったのだ。それから若さを取り戻して、裕福な株仲買人に先立たれた才色兼備の女性を伴侶《はんりょ》に迎えた。

救済を信じ、ソールの意志の強さを敬うステラにとっては、うれしい出来事だった。ソールの発案で、ふたりは時折昼食をともにするようになった。ステラはこの老弁護士の態度の中に、お返しの敬意と害のない性的関心を感じ取り、くすぐったいような思いをしていた。

ソールが席に着き、テーブル越しに笑みを投げた。「会えてうれしいよ、ステラ。おまえさんを見ると、ユダヤ人以外にもここから失われたものがあるのを思い出す」

「それは何でしょう？」

「若さと、美しさだ。わたしがここで炭酸水を飲み終えるまでに、おまえさんが死ぬことはない。それがわかっているから、くつろげるんだよ」

ジャック・ノヴァクの殺害以来初めて、どうにか硬い笑みを浮かべることができた。

「では、心停止を起こさないように努めます。あるいは、急に更年期を迎えないように」

黒人のウェイターが音もなく、注文を取りに現われた。大半の会員と同じような年配だ。ソールが炭酸水を、ステラは赤ワインをグラスで注文した。

「さて、ジャック・ノヴァクのことだ。ひどい死にかただったな」

ステラはグラスを手に取った。「ひどすぎるという思いが、頭から離れません」

ソールの顔つきはすでに真剣みを帯びている。「おまえさんが知りたいのは、ジャックが依頼人と揉《も》めていたかどうかだな？　いわゆる〝皮革愛好会〟の一員とではなく」

「知りたいことは、たくさんあります」ひと息ついて、ワインを口に運んだ。「わたしは以前、ジャックのところで働いていました」

見つめ返すまなざしに、驚きの色はない。「覚えている。あのころ、ジャックとわたしは、麻薬関連の裁判を何件かいっしょに手がけたからな」

わたしのことは、どんなふうに聞いていたのか……ステラはふと気になった。感情を排したソールの顔は、内心を見せたがらない弁護士ならではのものだ。「そのなかに、気になっている事件があるんです。あなたが売人の弁護を担当して、ジャックが元売りのジョージ・フラッドを弁護したものです」

ソールのかすかな笑みに、探るような表情が重なった。「フラッドは、わたしの依頼人に五キロのコカインを卸したかどで起訴された。その証拠が消えてしまった」

ステラはうなずいた。「検察官はアーサーで、逮捕した警官はジョニー・カランですね？」

「そのとおり」

「それで、ジョージ・フラッドというのは何者なんです？」

表情は変わらないが、瞳に好奇の光が宿る。「ヴィンセント・モロの手下だ」

「それは、承知のうえだったんですね？」

「誰に教わったわけでもない。教わるまでもなかった。モロには、東地区の商売を任せる黒人が必要だった。フラッドがやつの手下でなければ、モロに殺されていたはずだ。後ろ盾があったからこそ、あんなに大きく、あんなに長く商売をしていられた」

「だとすると、モロは、フラッドを放免してやる必要があった」

ソールの目もとから、温もりがかき消えた。「そうだ。フラッドが創りあげたような販売網には揉め事が多いし、モロは、ごくわずかな人間しか信用できん立場にある」グラスをゆっくりとテーブルに戻して、「もっと重要なのは、フラッドほどの地位にあれば、モロに関する情報を何か握っていたかもしれんということだ。モロとしては、フラッドがアーサーと取引するような危険は冒せなかった」

ステラはしばし、沈黙の時間が過ぎるに任せた。やがて静かな口調で、「では、その証拠が消えたいきさつは？」

ソールの顔に笑みが戻った。だが、そこに陽気さはなく、まなざしは冷ややかだった。

「わたしがそれを知っている、と？」

ステラは視線をそらさなかった。「あなたは何を知っているんですか？」

ソールが窓に目を向ける。灯火の点在する闇《やみ》の向こうに、黒インクのようなエリー湖の水面が見えた。ステラは黙って老弁護士を見つめた。職業上の規範を、寡黙《かもく》さという習性を破ってまでステラに手を貸すべきかどうか、量りかねているようだ。やがて言う。

「わたしの依頼人は死んだ。わたしは、モロのために仕事をしたことは一度もない」

「でも、ジャックはしていた」

「そうだ。モロの手下どもは、自分でジャックのもとに行ったわけではない。どの弁護士のところへ行けばいいか、誰に金を払えばいいのかは、モロから指示が出る」

今でさえ、そう聞くと肌が粟《あわ》立った。「フラッドの事件で、何があったんですか？」

ソールの視線はまだステラの背後に注がれている。「ここだけの話だろうね？」

「ええ」

さりげなくソールが周囲を見回した。誰もがそれぞれの会話に熱中しているようだ。

ここで交わされている話題など、想像も及ばないだろう。「わたしに言えるのは、わたしの依頼人がアーサーと取引をする気でいたということだ。

すこぶる厄介な弁護と、すこぶる大きなチャンスが背中合わせだったんだ。わたしの依頼人は麻薬所持の現行犯でカランにしょっぴかれ、フラッドのほうはしらを切り通した。だから、アーサーはこちらを頼りにしてきた。フラッドはわたしの依頼人よりはるかに大物だったから、検察としては取引のしがいもあったわけだ。

わたしの依頼人は、喜んで応じるつもりだった。つまり、アーサーに求刑を軽くしてもらうかわりに、フラッドを裏切る気でいた。そこで、わたしとアーサーは話を始めた。

とても順調に運んでいたのに、突然、依頼人が口を閉ざしてしまった」

「なぜですか？」

ソールが炭酸水を飲んで、唇をなめた。「いまだにわからん。こちらとしても、刑期の短縮は請け合えても、出所したあとの命の保証まではしかねたからな」肩をすくめて、「依頼人の話では、起訴が取り下げになるという伝言を受け取ったそうだ。なぜなのかは、ついに聞き出せなかった」

「でも、ジャックは知っていたと思っているんですね？」

ソールが椅子に背中を預け、両手でグラスを揺らす。「ヴィンセント・モロのような男は、事を行なうのに、何千もの手段を持っている。警官をだます、判事をだます、証拠の保管係を買収する、裁判所の書記に金を渡して任命書を偽造させ、当たりのいい判事に審理を担当させる。検察官ですら、金を受け取って故意に敗訴することがある。あるいは証拠が〝事故〟で消えてしまうことも」今、そのまなざしは、ステラを正面からとらえていた。「ジャックが偶然、そういう事故の恩恵を受けたという可能性もある。しかし、世間の噂《うわさ》から逃れることはできん――何かを起こしてくれる弁護士だという噂からはな。そういう評判は、商売上の追い風になる」

ステラは指先でワイングラスの縁に触れた。「誰かの期待を裏切るまでは」

ソールが口もとをゆるめる。「約束をしておきながら、果たせなかったのかもしれん」しみの浮いた手に顎《あご》を載せて、「ひとつ言えるのはな、ステラ。九〇年代初めごろから、事情が違ってきたということだ。

ジャックは、麻薬関連の大きな訴訟で、ヴィンセント・モロ側の弁護士を務めていた。これは、少なくともふたつのことを意味する。第一に、ジャックは依頼人全員の口封じをしなければならん。依頼人のためではなく、モロへの忠誠からだ。第二に、弁護料は現金で受け取ることになる。モロとしては、小切手を切るわけにはいかん。自分や自分の〝合法的事業〟に結びつきかねないからだ。

一九九〇年を過ぎたあたりから、状況がきびしくなり始めた。連邦捜査局が電子機器による監視を芸術の域にまで高めたことはもちろん、重大な麻薬犯罪には無条件で終身刑が適用されるようになった。依頼人の口をふさいでおく、つまり、依頼人に裁判を受ける覚悟をさせるのは、そう楽な仕事ではない。もしジャックが、誰かに無罪を勝ち取るという約束をして、なのに終身刑の判決が下ったとしたら――ああ、どこかの人でなしが、弁護士を罰したいと考える可能性もないとは言えん。

それに今は、書類鞄《かばん》に詰め込んだ現金も、問題のひとつだ。最近では、一万ドル以上の現金を受け取ると、誰からもらったかを国税局に申告しなくてはならん。ジャックのような立場にあれば、ときに虚偽の申告もするだろう。依頼人がもしそれを知ったら、ジャックに取引を持ちかけることができる。あるいは、その場合、モロがその依頼人を消すかもしれん。ジャックが重圧に負けて、当局にモロを売り渡す前にな。

鏡張りの部屋みたいなものだ。全員が自分以外の全員を見張り、全員が妄想にさいなまれている。何か間違いが起これば、たちまち……」しばらくじっとステラを見つめて、「ああ、それが、麻薬専門の弁護士の身に降りかかりそうなことのひとつだ。しかし、もうひとつ、連中が華美な暮らしに傾きがちだという現実がある。麻薬と、楽に手に入る金と、なんでもありのセックス。そして、身を滅ぼし始める。もしかすると、ジャックの身に起こったのも、そういうことだったかもしれん」

「あなたはそう考えているんですか？」

ソールが肩をすくめる。「最近、ジャックとはあまり行き来がなかった。しかし、わたしから見ると、あの男はいつも、少々太陽に近すぎるところを飛ぶきらいがあった。歯止めがきかんというか……」飲み物を手に取って、「ただ、仕事をすっぽかしたという話は、一度も聞いたことがない。麻薬弁護士のたががはずれると、まずそういう徴候が出てくるものだが」

ステラはワインを飲み終えた。金属を舐《な》めたような後味が舌を刺す。「で、もしそうなったら」

「ジャックのような最期《さいご》を迎えるかもしれん――みずからの歪《ゆが》んだ嗜好《しこう》の犠牲になるということだ。依頼人が手を下すかもしれん。ただし、モロではないと思う。弁護士をお払い箱にすればすむことだからな」思いに沈んだまま、ソールが椅子に深く坐り直した。

「いまだに解《げ》せんのは、なぜモロが、昔なじみの弁護士ジェリー・フローリオをくびにして、フラッドのような大物をジャックのもとに行かせ始めたか、だ。フローリオは脂《あぶら》が乗り切ったところで、ジャックはまだひよっこだった。仲間うちでは、どんなからくりがあるのかといぶかる者もいたよ。

ある日突然、モロの息のかかった売人が、みんな財布にジャックの名刺を入れて、しょっぴかれると同時に電話をかけるようになったんだからな。ジャックがその黄金のボールを受け取って、みごとな走りっぷりを見せたことは認めざるを得んだろうが」

ステラはしばらく黙ったまま、空になったワイングラスに目を凝らしていた。「二杯目を飲む時間はありますか？」

その口調に何かを聞き取ったのか、ソールが頭をもたげた。「なぜだね？」

「お話ししたいことがあるんです」

4

そのハイチ人の売人には一度しか会わなかったが、けっして忘れることはなかった。つるりとした顔に、二日分の顎鬚《あごひげ》と、訴えかけるような潤《うる》んだ瞳《ひとみ》。こめかみの上部まで後退した額だけが、三十過ぎという実年齢にふさわしい。

男はジャン＝クロード・デノアイエといい、どことなく音楽的な甲高い声が、若い雰囲気を醸《かも》していた。デノアイエは財布から写真を取り出して、ステラに見せた。東地区の幼稚園に通う、愛らしい目をした双子の娘――だから、強制送還されるわけにはいかないのだ、と言った。

「ハイチに帰っても、なんもない。貧乏して、くたばるだけ」

ふたりはジャックの事務所にある形ばかりの資料室に坐《すわ》っていた。ジャックが前日に保釈金を納めてあった。しかし、数カ月来の忙しさで法廷から抜けられないジャックが、電話してきて、新しい依頼人との面談をステラに頼んだのだ。デノアイエはモーテルの駐車場で深夜に逮捕され、ヘロイン五キロを所持していたかどで起訴されたという。ステラは相手の話を聞きながら、二児の父親がアメリカという国を致死性の薬物のぼろい市場としか見ていないその道徳観念の希薄さに、想像力が及ばず、ただあきれた。経験の浅いステラにも、この男が東地区の有力な売人であることは見当がついた。五キロの麻薬の末端価格は、かなりの額になる。

「捕まったときのいきさつは？」

まるで監房の中にいるように、ハイチ人が周囲を見回した。神経性の痙攣《けいれん》に似た動きで、小さく肩をすくめる。「あそこで〝買い〟をやった。たぶん、その前から見張られてた」

ステラはペンを置いた。メモを取られると緊張するらしく、ハイチ人の髪の生《は》え際《ぎわ》にうっすらと汗がにじんでいる。「〝買い〟のやりかたを教えて」

ハイチ人が目を伏せた。観念したように、「あそこに車を駐《と》める。そいで、バーに行く。卸し屋はトランクのキー持ってる。おれは一杯やって、卸し屋は車のトランクに物《ブツ》を入れる。十分経って、おれはモーテル出て、駐車場で卸し屋とすれ違う。そのとき封筒を渡す。長くて二秒。

こないだは、卸し屋いなかった」言いよどみ、そのときの恐怖がよみがえったのか、身をこわばらせた。「すぐ、やばいことあったとわかった。

ずらかるしかなかった。

車に戻って、乗り込んだ」目を閉じる。「助手席に、男がうずくまってた。何がなんだかわからないうちに、そいつがおれの頭に銃を突きつけた。最初、ハーレル・プリンスがシマを荒らしに来たと思った。でも、そいつは、白い口髭生やした、でかい白人だった。『トランクをあけろ』と言って、おれの顎の下に、丸まった紙を突きつけた」

「令状ね」

薄手の綿のシャツをまとった貧弱な胸が、短く速い吸気に合わせて動いている。「おれはばかじゃない。卸し屋もばかじゃない。やばいことあったと知って、物《ブツ》を入れなかったと思った。だから、おれ、トランクをあけて……」

言葉がそこで途切れた。ハイチ人が悲しげに首を振る。

ステラはその続きを知っていた。ジャックにはふたつしか選択肢がないはずだ。令状に法律上の不備があったことを願うか、アーサー・ブライトとの司法取引を試みるか。

おずおずと、ステラは尋ねた。「その卸し屋って、誰？」

ハイチ人が身を固くする。「やつをもし売ったら……」

この男がすでにそれを考えていたことを、ステラはすぐに悟った。危険の度合を秤《はかり》にかけているのが伝わってくる。この面談に証言としての効力はないが、ここから先はジャックに任せたほうがいいかもしれない。そのとき、会議用のテーブルをじっと見つめていたデノアイエが、小さく声を洩《も》らした。「ジョージ・フラッドだよ」ジョージ・フラッド。ステラは頭の中で反芻《はんすう》した。警察が五キロのコカインを〝紛失した〟おかげで、自由の身になった黒人。ジャックの依頼人だ。そこで言葉に詰まった。

インターホンが鳴る。

受付係が、ジャックが戻ったことを告げた。ステラに、オフィスまで来るよう言っているという。ハイチ人に気休めの言葉をかけてから、ステラはオフィスに向かった。

資料室とは違って、ジャックのオフィスには入念な飾り付けがしてある。日本製の壺《つぼ》、故郷を捨てたジャクレーというフランス人の筆になる繊細な日本画。スティールトンに不釣合いなその異国趣味は、自分を際立《きわだ》たせるための作戦らしい。空いている黒い椅子《いす》に腰を下ろして、入手したての情報を伝えた。ジョージ・フラッドの名前が出たところで、ジャックの顔から、人間喜劇を鑑賞するような楽しげな緊張感が消えた。

「それは問題だな」

「なぜ?」

「ジョージ・フラッドはぼくの依頼人だったことがある。またそうなるかもしれない。利益相反の可能性がある」椅子に背を預け、考えを巡らしてから、ステラに指示を出す。

「その男を呼んでくれ」

ステラは言われたとおりにした。デノアイエとのあいだの一時的な協調関係を保ちたい気持ちもあって、同席を求められることを半ば期待し、戸口でぐずぐずする。

「しばらく席を外してくれないか」ジャックが言った。ステラが出ていくとき、ハイチ人が不安げな顔を上げ、それからジャックがドアを閉めた。

三十分後、資料室から見ていると、うなだれたデノアイエが足早に応接室を通り抜けていくのが目に入った。ステラの視線には気づかなかったようだ。

ステラはオフィスに戻った。「どうなったの？」

ジャックが眉《まゆ》をひそめる。「あの男は、強制送還をひどく恐れているね」

「それはそうでしょう」

両手で顎を支えた姿勢で、ジャックがステラを見上げた。「アーサーのところへ行こうなどという案を持ちかけてきたよ。きみはあの男に、何を話したんだ」

顔が上気するのを感じた。「何も話してないわ」防御の気持ちが、もっと曖昧《あいまい》な情動――好奇心と非難のあいだにある何か――に変わる。「あなたこそ、何を話したの」

「もしフラッドを売るつもりなら、よそを当たってくれと話した」ステラの顔色をうかがうようなしぐさを見せ、それから口調を和らげて、「これは明らかに利益相反に該当する。それに、そう、ぼく自身の倫理規定にも抵触する。

あの男には家族がいる。それに、証拠がもっと出揃《でそろ》わないと、とても陪審の支持など得られない。さて、アーサーはどうするか。あの男の体に盗聴器を仕掛けて、ジョージ・フラッドを罠《わな》にかける？　デノアイエはそのあと、何秒生きていられると思う？」

当初の嫌悪《けんお》感とは裏腹に、ステラは、相容れぬふたつの力の板ばさみになったハイチ人とその家族に同情を感じ始めていた。「何か方法があるでしょう」

「きみが満足するような方法はない」口調がさらに和らぐ。「あの男は自分で自分の首を絞めるだろう。でも、それはぼくの依頼人としてではない」

ステラはそれ以上何も言わなかった。その晩は、ジャックの部屋に泊まらなかった。


泊まらなかった理由のひとつは、第二学年の最終試験だった。

ふた晩のち、ステラは、訴訟費用査定の授業のノートをぼんやりと見つめている自分に気づいた。まったく能率が上がらない。やがて、図書館員が明かりを点滅させ、閉館時刻を知らせた。

ステラは目をこすった。狭いアパートに戻れば、ベッドに倒れ込んで眠ってしまうだろう。最善の策として、これまで試したことのない勉強法が頭に浮かんだ。ジャックのオフィスまで行き、ポット一杯のコーヒーを淹《い》れて、資料室にある木の椅子とテーブルの助けで、睡魔をできるだけ遠ざけるのだ。

応接室に入り込んだステラは、はっと身をこわばらせた。

低い声が聞こえたが、内容を聞き取るには声が小さすぎた。ジャックのオフィスから、ひと筋の光が洩れ出している。

次の行動を決めかねて、その場に立ち尽くした。それから、神経をざわつかせたまま、明かりに向かって静かにカーペットの上を進む。

ドアがわずかに開いていた。中のようすは見えない。「できることをすべてやったのかね？」誰かが問いかける。

男の声だった。事務的で、無機質で、どこか冷たい。「思いつくかぎり、すべてやりました」ジャックが答える。「でも、あの男は手に負えなくて……」

こういう話しぶりを耳にするのは、初めてだった。大半の依頼人を相手にするときの早口で強気な語調とは、似ても似つかない。「それから？」穏やかな声がきいた。

ジャックがか細い声が答える。「『それから』は何も……」

ステラはさらに二歩進んで、ドアの隙間《すきま》から中をのぞいた。

明かりはジャックの卓上スタンドだけだ。もうひとりの男は、背中をこちらに向けて坐っていた。大柄ではなく、夜半を過ぎた時間だというのに、チャコールグレーのスーツの襟から糊《のり》の利《き》いた白いシャツをのぞかせ、白くなりかけた髪も高い金をかけて入念に整えてあるようだ。ジャックと向き合ったその顔がわずかに上を向いた。

ジャックの視線に反応したらしい。ジャックの目はステラの姿をとらえて、狼狽《ろうばい》に見開かれている。

ぎこちない動作で、ステラは部屋の中に入った。「明かりがついているのが見えたので、誰かが忍び込んだのかと……」

男がこちらを振り向くと、薄闇《うすやみ》を貫くように黒い瞳が光った。外見からは四十代前半と見受けられたが、焦点を合わせるとき、目もとに皺《しわ》が寄った。ジャックがどうにか口を開いて、「補助員のステラ・マーズです」

男が立ち上がった。細身だが均整の取れた体。所作にむだがなく、それでいて優雅な趣きがある。柔らかみを加えた声も同様だった。「たいへんきれいなお嬢さんですな、ステラ・マーズ」

古風でどこか庇護《ひご》者然としたその褒め言葉に答える前に、男がさらに明るいほうへと踏み出した。

その容貌《ようぼう》には非凡なものがあった。顔の皮膚は動きと同じようにむだがなく、突き出た左右の頬骨のあいだで張り詰めていて、薄い唇と、わずかに尖《とが》った顎との組み合わせが、面と角、明と暗を作り出している。片手を差し出され、まっすぐに瞳をのぞき込まれたとき、ステラは身を引きたくなるのをこらえた。

初めて会う相手だが、顔には見覚えがある。

男がステラの手を取り、両手でくるんだ。冷たく乾いた感触。「たいへんおきれいだ」低い声で繰り返したあと、「さて、よろしければ席を外していただいて……」

無言のまま、ステラはオフィスから離れた。

数分後、ジャック・ノヴァクが資料室に入ってきた。

ステラは、集中しようとしてできなかったノートから顔を上げた。押し殺した声で、ジャックが尋ねる。「ここで何をしていたんだ？」

口の中が渇いた。「あれは、ヴィンセント・モロでしょう？」

質問したわけではなく、ジャックも答えなかった。腕を組んで戸口に立っている。さらに声を落として、「仕事の話だったんだ。あの男のことを気にかけたり、口にしたりしないでもらいたい。きみは今夜、あの男を見なかった。わかってくれるね？」

いいえ、とステラは心の中で言い返した。そんなこと、今夜はわかりたくない。睡眠を奪われ、心を開ける家族はなく、ジャックからもらう給料で暮らさなくてはならないこんな状況で……。けれど、もうすでに、ジャックとその仕事を、けっして以前と同じ目で見ることはできないと知った。今必要なのは、ひとりきりの時間。

口をつぐんだまま、ステラはうなずいた。

テーブルを回り込んできたジャックが、うなじに口づけをする。「帰りなさい。何をするにも、時間が遅すぎる」

訴訟費用査定のテストが終わった翌朝、けだるくふさいだ気分のまま、ステラは朝刊を広げた。テーブルでコーヒーを口に運びながら、漫然と記事を眺める。そのとき、都市圏版の最終面に載った短い記事に気づいた。

『麻薬密売の容疑者殺される』という見出し。

ステラはコーヒーカップをテーブルに戻した。

ジャン＝クロード・デノアイエが、オノンダガ川の桟橋の下に浮いているところを発見されたのだ。頭には銃弾が一発撃ち込まれていた。

その事実を頭が受け入れるまで、ステラはそこに坐っていた。それから、新聞を折り畳むと、ジャックのオフィスへ車を走らせた。

ジャックは机の前に坐っていた。ドアを閉めたステラは、新聞をジャックの前にほうり投げた。「あなたがあの人を売った。そして、ヴィンセント・モロが殺させた」

ジャックが弾かれたように椅子から立ち上がり、ステラの背後にあるドアに目をやる。その一瞬のためらいがジャックの恐怖心をあらわにし、反論の力をそいだ。「よくそんな言いかたができるね。ぼくという人間を、まったくわかっていないんじゃないのか？」

ステラは面と向き合い、憤《いきどお》りを込めて言った。「ええ。わかってなかったみたい……」

ジャックの頬が紅潮する。「ぼくが依頼人にけっして綱渡りをさせないのは、なぜだと思う？　桟橋の下に浮く羽目になるからだ。

売人が司法取引に応じようとしたら、ぼくが知らせずとも、その情報はヴィンセント・モロの耳に入る。スティールトンでは、どんな話も筒抜けだ。ほかの売人、警官、ときには検察局から、情報が流れる。デノアイエは、ぼくの説得に耳を貸さなかった」

「でも、モロは耳を貸した」ステラは食い下がった。「あなたはモロに仕えてるんでしょう？」

「誰にも仕えてなんかいない」ステラの両肩をつかんで、互いを落ち着かせるかのように、ゆっくりとかぶりを振る。「あれは、一度限りの取引だった」さらに語調を弱めて、「モロはぼくを通じて、アーサーに、麻薬撲滅運動は時間と金の浪費だということを、アーサーの政治生命も先行きが暗いということを伝えたがっている。ぼくは、自分にできることは何もないと言った。きみも聞いていただろう？」

ステラはじっと相手を見つめた。頭がうまく働かない。「そうは聞こえなかったわ」

知り合ってから初めて、ジャック・ノヴァクの目に涙が浮かぶのを見た。不意のことに心が乱れ、言葉に詰まった。

「お願いだ」ジャックが細い声で言う。「きみがぼくにとってどれだけ大切な存在か、今なら言えるよ。お願いだ、ステラ、ぼくを信じてくれ……」

ステラは目を閉じた。

ワインを飲み終えて、ステラはテーブル越しにソール・ラヴィンを見つめた。周りにいた客たちは思い思いに会食室へと向かい、バーにはほとんど人が残っていない。ステラは静かに言った。「ジャックがデノアイエを売ったのかどうか、ずっと気になっていました」

ソールの表情に、人の善行悪行を書き留める記録天使さながらのきびしさが浮かぶ。

「気にすることはない。それもジャックの仕事のうちだった」

ステラは黙って窓のほうを向いた。

「そして、おまえさんはきのうから、ジャックの首を吊《つ》って去勢するほど憎む者が、デノアイエの遺族のほかにいるだろうかと気にしている」

ふたたびソールと向き合って、「ええ」

「では、少しばかり助言させてもらおう」身を乗り出したその顔には、深い憂慮の色と、今まで見たことのない切望のようなものが浮かんでいる。「この職務はおまえさんの人生そのものだ。それをまっとうする力は、おまえさんの自分自身に対する観念から生じる。自分が誠実で、規律を守る人間であるという観念だ。

わたしはそれを笑うつもりはないよ、ステラ。自分でも、そういう観念を持っていた時代を、記憶の底から拾い出したいぐらいだ。もしわたしがおまえさんの立場にいたら、その観念をもてあそんだりはせんだろう。ブライトの後釜《あとがま》にすわろうと決めた以上、きれいな身を保つことはむずかしくなる。そのうえ、今回の事件はおまえさん個人との関わりが大きすぎる。聖人であっても、身の処しかたを誤りかねん」

ステラは微笑《ほほえ》んだが、心は重く沈んでいた。「わたしは聖人ではありません。ジャックの下で働き始めた時点で、聖列に加わる機会を逃しました」笑みを消して、「確かに、個人的な関わりが大きすぎるかもしれません。でも、自分の目で見届けたいんです」

ソールの表情は変わらない。しかし、警告のつもりか、小さく首を振った。「行動に移す前に、その理由を自分に問いかけることだ」

5

翌朝十時、ステラはナサニエル・ダンスとともに、古びた保育所でトミー・フィールディングの元妻を待っていた。

ここまで来る車中、黒人たちが住む東地区の荒れた街並みを眺めながら、アーサー・ブライトのことを考えた。この街並みがどうやってブライトの人格を形成してきたのか。今あるブライトになるためには、そしてこのきびしい環境と渡り合うためには、どんな資質が求められたのか……。地域の大部分は、三十年前の暴動以来、動きを止めてしまったかのように見えた。大きめの家々は宿泊施設に改造されて、身の危険を感じている者、貧困にあえぐ者、職を失った者、その日暮らしの者たちの住処《すみか》となり、ほかの家屋は、窓に板を張って、安手のコカインの吸飲所か非行少年たちのたまり場に姿を変えている。一九二〇年代以来の歴史を持ち、かつてはそれなりの体裁を保っていた商店街も、今はごみが散乱する道路に沿って、クリーニング屋、酒屋、食糧割引切符を歓迎する食料品店、古着を売買する店、福祉小切手を現金化する店などが並ぶだけだ。軒先の看板には、色褪《いろあ》せた文字や時代遅れの筆記体が踊っている。二街区進むあいだには住民の姿も目に入った。学齢と思われる十代の少年たちがたむろしてマリファナを回し喫《の》みしながら、冬の冷気の中で白い息を吐き、やつれきった顔のホームレスの男が、寝袋を詰め込んだぼろぼろの買い物カートを押していた。バスの停留所では、分厚いコートを着込んだ黒人の女が三人、もどかしげにバスを待っている。バスの行き先から推して、白人居住者の多い東郊外に行き、家の掃除をするのだろう。もうひとり、シャッターを降ろした酒屋の戸口で酔いつぶれている女もいた。

その先には公営住宅があった。味けないシンダーブロック造りの外壁は、意味不明のいたずら書きに覆《おお》われている。絶望に膿《う》みただれたその住宅に、ふた親そろった家庭はほぼ皆無だろう。次に目に入った渋色の煉瓦《れんが》造りの学校では、窓が割られ、校庭のバスケット・リングにはネットがなく、剝《む》き出《だ》しのコンクリートには赤いペンキで〝血の掟《おきて》〟が殴り書きしてあった。スティールトンの学校は、この六年間で、破産手続きに追い込まれるか、さもなければ無期限の〝非常事態〟法によって州の管理下に置かれてしまい、ごく基本的な教育さえ、そこに通う生徒たちの安全と同様、当てにできないものとなった。ステラの課で最近手がけた事件の中には、校外で非行グループ同士が撃ち合いをしたものや、ドラッグの売買に手を染めた生徒が、トイレに行く許可をくれなかった女性教師を殺したものもあった。

希望の芽吹きも、ところどころに見られた。修復された家や、空き地に新しく建てられた大きな家は、荒廃した地域を救うために危険を冒す覚悟のある警察官や消防士や公務員たちとその家族に、市が一戸一ドルで売ったものだった。いまだ活気を失わない黒人たちの教会では、託児所、学童保育、校外補習、初歩の職業訓練、有能な役割モデルとなる男女の講演などが実施され、日曜日の朝には、信仰と地域の親睦《しんぼく》による心の癒《いや》しも提供されている。この卑しき地の周縁部には、中流階級とホワイトカラー層が徐々に増えつつあった。けれど、残念ながら、それを上回る数の住民が、もっと安全な郊外の街区や学校を求めて、ここから逃げ出していた。

むろん、その人たちを責めることはできない。ここまで進んだ貧困、福祉への依存、人種差別、薬物乱用、家庭崩壊、そして三世代以上にわたるさまざまな社会病理に対し、明快な解決策を見つけるのは容易なことではないのだ。そう考えると、こんな環境から身を起こしたブライトのような人物がどれほど尊敬に値するか、それに比べて自分の歩んできた道がどれほど平坦だったか、ステラはあらためて思い知らされた。政界の不透明な権謀術数の渦中《かちゅう》にいながら、いまだにブライトがこの地域の救済とスティールトンの復興に身を捧《ささ》げていることを思うと、うれしい気持ちになる。そして一方では、死体保管所で初めて目にした人品卑しからぬあのエリート白人の元妻が、なぜこういう物騒な界隈《かいわい》――ジョージ・フラッドのような麻薬密売人たちが警察より幅をきかせるような場所——で保育所勤めをしているのかと、不思議の念に駆られた。

保育所に到着したとき、施設それ自体に意外な印象は受けなかった。遊戯室に面した廊下にダンスと並んで立つと、壁に貼《は》られた絵やポスターの生き生きした色使いが目に入り、その勢いのよさと、明滅する蛍光灯、磨耗したリノリウムの床、子どもたちの着古した服との落差が胸に響いた。ダンスも同じことを感じているのがわかった。子どもたちの大半は六歳未満のアフリカ系アメリカ人で、アジア系とラテンアメリカ系が何人か、そしてひとりだけ、お下げ髪をした明るい目のハイチ人の女の子がいる。ステラは一瞬、ジャン＝クロード・デノアイエが見せた写真の少女たちの運命に思いを巡らした。ここにいる子どもの多くは、まだ好奇心旺盛な年ごろだ。ハイチ人の女の子がでたらめにブロックを積んで塔を作るのを、ステラはしばし目で追った。この子たちの先行きはおおよそ見通せるけれど、それでも、限られた子ども時代を子どもらしく過ごす姿を見ていると、心の奥からほのぼのしたものが湧《わ》き起《お》こる。しかし、教室から出てきたアマンダ・フィールディングには、愕然《がくぜん》とさせられた。

アマンダは元の夫よりかなり年上に見えた。背が高く痩《や》せぎすで、足の運びがぎこちなく、少々バランスの悪い体つきをしている。平たすぎる胸、広すぎる腰幅、太すぎる足首。形の悪いプリント地のワンピースを身につけて、化粧はしていない。地味な茶色の髪は、前だけがきちんと刈りそろえてあった。青白い肌に、やつれた顔。目の下のたるみのせいで、疲労の色がいっそう濃く映った。ミチェリのメスが入る前の若き美青年《アドニス》と並べて考えると、どうもしっくりこないところがある。フィールディングとティナ・ウェルチを写したあの現場写真を見たときの感覚に似ていた。へつらいを感じさせない灰色の瞳《ひとみ》――才気を内に秘めた、迷いのない鋭いまなざし――だけが、かつてこの女性の魅力がどこにあったかを示していた。

アマンダはまずステラに、次いでダンスに片手を差し出した。前置きなしに、「奥にわたしのオフィスがあります。そこでお話ししましょう」

上品な声に、東海岸のアクセントが聞き取れた。教養のある女性のようだ。おそらく上流階級の出で、才知に富み、外見を飾り立てることに価値を置かないタイプなのだろう。ダンスとステラはあとに従い、物置とさして変わらないオフィスに入ると、プラスチック製の椅子《いす》に腰を下ろした。椅子のあまりの小ささに、ダンスは膝《ひざ》の関節を鳴らし、顔をしかめた。そのようすを見ていたステラは、一瞬、心を温かくくすぐられた。アマンダ・フィールディングも同じような思いを抱いたらしい。

「もっと大きな椅子をお持ちしましょうか」さりげなく申し出る。

「お気遣い、ありがとうございます。でも、今は立ち上がらないほうがよさそうです」

まじめくさったその言いかたが、外見から来る威圧感を和らげた。この刑事部長の神経の細やかさが、ステラにはよくわかった。ダンスが小型のテープレコーダーを机に置いても、アマンダは拒まなかった。

ダンスがお定まりの質問から始めた。トミーと最後に会ったのはいつか。最近ふたりの仲はどうだったか。丁寧ではあるが愛想のない口調で、アマンダが答えていく。トミーの麻薬使用に心当たりがあるかという質問には、断固とした否定の言葉が返ってきた。自分からは何も話そうとしない。ステラは、情動を欠いたその受け答えに不穏なものを感じ、この女性が七つになる娘の父親の変死という事実を、心の中でどう整理したのかといぶかった。思わず質問が口をついて出る。「ジュリアは今回のことを、どう受け止めていますか？」

この話題は胸にこたえたようだった。抑えた声で、「きょうからまた学校へ行っています。休んでいるあいだ、ピーター・ホールがとても親身になって、うちへ訪ねてきたり、あの子を乗馬に連れ出したりしてくれました。トミーと娘が深く心を通わせ合っていたことを知っているからです。父親と会える日には、ジュリアはおめかしをして玄関で待っていました。トミーの車が見えると、駆け寄っていって……」小さく首を振り、声を途切らせる。「あの子は今回のことをまったく理解できていません」

ステラの脳裏を、一連の映像がよぎった。娘の生活の客演スターとなった最愛の父親。日々の仕事に追われながら、別れた夫の愛情が、自分ではなく七つの娘に注がれるのを見守る母親……。

「あなた自身は、理解できていますか？」

「いいえ」

「ヘロインのことがあるから？」

アマンダが目を伏せた。そして、ダンスの目を避けながら、苦痛を隠そうともせずにステラを見据えた。「あのふたりが、裸だったからです」

ダンスは沈黙を守っている。部屋の空気が一変していた。ステラは人差し指を唇に押し当てて、相手から目を離さずに頭を傾け、しぐさで問いかけた。

無言のまま、アマンダが腕を組む。自分を抱き締めることで、寡婦《かふ》の満たされぬ性衝動を表現しているようにも見えた。「トミーはセックスが好きではありませんでした」

ごく私的な話題に触れるのを気づかって、ステラは視線を落とした。「相手が誰であっても？」

アマンダが息を整えた。視線がダンスに移って、離れる。あらためて自分の置かれた状況に気づいたらしい。落ち着き払った黒人の刑事、回り続ける録音テープ、私生活を穿鑿《せんさく》する初対面の女検事補。やがて、翳《かげ》りを帯びた灰色の瞳にあきらめの色が宿った。

重い口を開いて、「トミーがあんな死にかたをした理由はわかりません。でも、あの人を理解するお手伝いならできます。あの人がわたしと結婚した理由から話しましょう」

ステラはうなずいた。「話していただけるなら、どんなことでも……」

ダンスを一瞥《いちべつ》してから、アマンダがステラに向き直る。「わたしは三十三でした。トミーより七つ年上です。

大学を出て——スミス女子大で社会福祉の学位を取ってすぐに、今の職に就きました。そのときはもう、自分には世界を救えないとわかっていました。でも、誰かを助けることなら、次世代の人間を少しだけ守ることなら、できるかもしれないと思ったのです」

若かりし日々への郷愁の響きを聞き取って、ステラは、自分も検察局に入ったころ、似たような心境でいたことを思い出した。自分の持つ根源的な資質をつかもうとしていたのだ。「わかります」

「自分では、できたつもりでいました」アマンダが抑揚のない声で言った。「でも、この仕事に終わりはありませんでした。幼児虐待《ぎゃくたい》、安手のコカイン、望まない妊娠……。それについていくだけの力が、わたしにはなかったのです」唇を嚙《か》んで、「おまけに、わたしは孤独で、自分をさらけ出すこともできませんでした。

だから、お酒を飲み始めました」腕を組んだまま、天井を仰ぐ。「夜になると、ひとりで飲んで、仕事に向き合えなくなると、病欠の届けをして、朝から飲みました。飲むことで、ましな気分になれたからです。やがて、選択を迫られる日がやってきました。

入院してアルコール依存の治療をするか、自主的に退職するか。

何をすべきかはわかっていました。保育所を辞めて、別の職を見つけました」自虐的な笑みをよぎらせて、「郊外の旅行代理店に勤めて、また飲み続けたのです。そのころには、もう真実を悟っていました。ウォトカは仕事の憂《う》さを晴らすためではなく、孤独を、疎外感を慰めるためのものだったのです。どこへ逃げても、それはついてきます」

実直なまなざしが、ふたたびステラに向けられる。現在の自分に立ち返ったらしい。驚くほど平静な口調で、「六年に及ぶ心理療法の成果が、トミーとどうつながるのかとお思いでしょうね。すべての面でつながってくるのです」

気を鎮《しず》めるためか、体の前で重ねた自分の両手に、じっと目を凝らした。「わたしは自分から申し出て、その代理店が運営する単身者向けの旅行クラブを手伝うことにしました。歳はいくら上でもいいから男の人と出会って、結婚をして、念願の子どもを持つつもりでした。そうすれば、アルコールが必要なくなると思ったのです。

けれど、若い男も年かさの人も、誰ひとりわたしに関心を持ってくれませんでした。わびしく長い十年が過ぎて、そのあいだ、仕事はきちんとこなしたので、ときどき〝風邪〟で休んでも、大目に見てもらえました。そんなとき、トミーが現われたのです。

あの人が初めて店に来たときは、見とれてしまいました」アマンダが大きく息をつく。回想が声に活気をよみがえらせていた。「姿がよくて華やかで、雑誌のモデルみたいな着こなしをしていました。あまりにも——痛ましいぐらい——陽気な感じがしたので、なんだか腑《ふ》に落ちなくて、なぜこんな人が入会したがるのか、入会する必要があるのか、いぶかったものです。はっきり言って、そのクラブは、もっと年配の人、容姿にまったく自信を持てない人のための組織でした。ふたりでパンフレットを見て、会社で企画した旅行の話をしながら、わたしは内心、『セクシーな美人の投資銀行家にでも声をかけて、熱々の旅行を楽しめばいいんじゃないの。こんなところに坐《すわ》って、わたしにみじめな思いをさせるよりは』と思っていました。

トミーは、わたしが実社会とみなす世界で、確かな成功を収めていました。プリンストンを出て、ミシガンでMBAを取って、ホール・デベロップメントで条件のいい職に就いたばかり。初めて夕食に誘われたときは、とにかくびっくりして、怖くて、のぼせ上がりました。

わたしは自分に言い聞かせました。向こうはたぶん、安心できる年上の話し相手が欲しいだけだ、と。互いに東部の出身で、有名校を出て、読書体験もかなり共通しているようでしたから——誘われるまでに、そういう話もすませていたのです」その声は自分を卑下する響きに満ちていた。「迎えに来るあの人を待ちながら、ふたりの魂は触れ合っているのだと思い込もうとしました。でも、それも長続きしませんでした」

突然、追憶のシーソーに疲れきって、アマンダが失意の底に引き戻されたように見えた。ステラはそっと尋ねた。「何があったんですか？」

アマンダの視線はまだ自分の両手に注がれている。「夕食の席で、わたしはお酒に手をつけました。口数が増えて、はしゃいで、「それから、酔いつぶれたのです」

ダンスが、例によって真意のうかがえない顔つきで聞き入っている。ステラは、気にせずにいられなかった。悩みの少なすぎる特権階級の白人女性が、悲劇仕立ての身の上話に興じていると思っているのか……。しかし、その刑事気質は、ステラと同様、この話の先行きに油断なく耳を澄ましているようだ。

「それで、トミーは、もう一度あなたを誘ったんですね」ステラは先を促した。

はっとした表情を見せたあと、アマンダが首を縦に振る。「もう一度、そして、二度、三度……。

この人はわたしが飲んでも気にしないのだ、と思いました。初めてキスをされたときは、抱かれることを期待しました」よみがえった驚嘆が、それに続く幻滅の響きを透かして聞き取れた。「ところが、あの人はいきなり、結婚してくれと言ったのです。

わたしはとうとう、望んでいたもの――婚約――を、望んでいた以上の形で手に入れました。でも、あの人は、めったにわたしに触れようとしませんでした。いつも、仕事をしているか、マラソンの練習に出ているか、ひどく疲れているかで……。そのことを話そうとしても、耳を貸してくれませんでした。

トミーは、本や映画や仕事、そして自分が訪ねたあらゆる場所について話をすることができました。けれど、愛情を交わす能力がありませんでした」声が細くなり、苦みを帯びる。「あの人の母親に会ったとき、ようやくそのわけを悟りました。トミーの人生は、軍事占領下にあったのです」

その言葉は、ステラがトミーの母親から受けた印象と相容れないものではなかった。

「母親に圧迫されていたということですか?」

「圧迫?」アマンダが短く冷たい笑みを浮かべる。「絨毯《じゅうたん》爆撃と形容するほうが近いでしょうね。義母は、わたしたちふたりを質問攻めにして、わたしのいる前でも、わたしをけなしました。それも、息子を敵に回さない程度に……。あの母親は、トミーの生活の中に自分の知らない部分があるということに耐えられないのです。

トミーは幼いころから、ひとつしかない自己防衛の術を完璧《かんぺき》に身につけていました。母親から、そして知り合ったすべての女性から、自分を隠すことです。あの人の魅力も、申し分ない着こなしも、仕事への熱中も、すべて恐怖心の表われでした。セックスを望まないばかりか、恐れていたのです。トミーの望みは、自分の中のある部分を誰にも見られないことでした」

ステラはダンスを横目でうかがった。アマンダに意識を集中している。ダンスも同じことを考えているのだろうか。女性といっしょにヘロインを打つというのは、ある意味でセックスと同じくらい親密な行為ではないかと……。「それでも」ステラは口をはさんだ。「ふたりは結婚して、子どもまでもうけた」

アマンダが椅子に背中を預ける。「ある晩、勢いづけのウォトカを飲んで、あの人に食ってかかりました。それまでの寂しさとわだかまりが一挙に噴き出したのです。妻に触れようともせず、愛も子どもも与えてくれない男とは暮らせない、と宣言しました。あの人は青ざめました。何も言わず、わたしにキスをして、それから、わたしが手を貸して……」顔をゆがめて、「終わったあと、トミーは眠り込み、わたしは横になっていました。酔った頭で、わたしはようやく事の真相に思い当たりました。

わたしたちは互いに、言葉にはしないまま、ある取り決めを結んでいたのです。トミーは、わたしの欠点に目をつぶってきました。それは、自分の欠点にも目をつぶってもらえることと、わたしがもっと有利な条件を要求できる立場にないことを、察していたからです。あの人は、わたしのアルコール依存から利益を得たまれな存在でした。夜遅く帰宅したときに、妻がお酒と寂しさで正体を失っているのを見ると、たぶん心が軽くなったことでしょう。

わたしたちは結婚生活を続け、社交の場にも連れ立って出かけました。どんなに不釣合いな夫婦だろうと、構いませんでした。わたしが素面《しらふ》で正気を保っているかぎり、トミーは見せかけのデートをしたり、もっと若くてきれいな女性に言い寄られたりせずにすんだのですから。

あの人は妻を持つことで、大事なママ——わたしに会うたび、義母は露骨に呆《あき》れ顔をしたものですが——への、それにピーター・ホールへの体裁を繕い、わたしのほうは、人知れず家の中で、前後不覚になるまで飲むことができました。酔いが覚めるまでは電話にも出ないほどでした」背中を丸めながら、「妊娠の可能性が高いときには、セックスを求めることもできました。なんといっても、子どもが生まれれば、トミーには願ってもない隠《かく》れ蓑《みの》になるし、義母には待望の孫ができるわけですから」

自虐的な白日夢からふと目覚めたように、アマンダがテープレコーダーを見つめる。ダンスからステラへと視線を移して、「お金を払って、どこかの女とセックスする？　トミーだったら、セックスをしないでおくために、お金を払ったでしょう」

「では、結婚生活を終わらせた理由は？」ステラはきいた。

「ジュリアです」自嘲《じちょう》めいた口調に、初めて誇りの響きが混じる。「妊娠がわかったその日から、わたしは飲むのをやめました。わたしもトミーも、子どもに酔っ払いの母親を持たせたくありませんでしたから。ただひとつの問題は、すでにわたしが自分の置かれた状況を、感傷抜きの明晰《めいせき》さで見きわめていたことでした。

ジュリアが生まれてから三年間、この子のためだと胸に言い聞かせて、その状況に耐えました。トミーの無関心に耐えた三年、ジュリアをわたしから引き離し、孫娘の人生の最重要人物に収まろうとするマーシャ・フィールディングの横暴に耐えた三年です。そこでもうひとつ得心したのは、老フィールディング夫妻も、わたしたち同様、愛のない結婚生活を送ってきたのだということでした。わたしたちに干渉できなくなったら、マーシャには何も残らなかったでしょう。

わたしは娘を心に傷を負った成人《アダルト・チャイルド》ではなく、まともな成人《アダルト》に育てあげるつもりでした。トラウマの温床のような家に置いておくわけにはいかなかったのです。だから家を出て、娘が尊敬できる母親になろうと考えました。自分の心の隙間《すきま》を娘に埋めさせる親ではなく」ひと息ついて、温もりのない笑みを浮かべる。「トミーも心の奥ではそれを理解していたと思います。あの人が何より恐れたのは、自分の中にある母親への憎しみと向き合うことでしたから」

その声の鋭利な棘《とげ》が、ステラの肌を刺した。家庭を冒した病毒から逃れるただひとつの方法は、ステラも知るとおり、まず逃げ出して、そのあとで、それが手遅れでないように、自分が保菌者になっていないように、祈ることなのだ。「トミー自身は、どういう親でしたか？」

アマンダの表情が和らいだ。「献身的でした。娘の存在に感謝していました。娘はトミーが異性愛者であることの証《あか》しでしたし、そのおかげで、人付き合いもしない仕事の虫になっても体裁が保てました。娘との絆《きずな》は、それまでトミーが築いてきた人間関係の中で、いちばん安全なものでした。娘を見てわたしの顔が浮かぶことも、まずなかったでしょうし」笑みが寂しさを帯びる。「ジュリアはきれいな子なんです。父親に似て。トミーが日曜日に会いに来なかったことは、一度もありません」

ダンスが身を乗り出した。「彼は、命を危険にさらすような性格でしたか？　不満をかかえていたというようなことは……」

アマンダがきっぱりと首を振って、「すべてがトミーの思いどおりに運んでいました。でも、もし不満をかかえていたとしても、自衛本能の強い人ですから、麻薬には手を出さなかったでしょう。外からの力で意識を変えられることを好みませんでした。アルコールもたしなむ程度で、ワインをグラスに一杯くらい。それに、健康の維持が――ダイエットとエアロビクスが、仕事の次に大事なことでしたから」

ステラは検屍《けんし》の場面を思い返した。解剖台に載せられた彫刻のような体が頭に浮かぶ。

「お母さんの話では、トミーは針が大きらいだったということですが」

「今度はそんな話を……。確かに、注射はあまり好きではなかったと思います。でも、マーシャはそういう話をするのが、つまり、息子を子ども扱いして、自分がついていないとだめなのだと思わせるのが、大好きなんです。それも、トミーがいる場で、他人に話して聞かせるのが」はっと自分を取り戻して、「現実としてありえないのは、トミーが注射を打つことではなく、あかの他人の売春婦と注射針を共有することです。極度の潔癖性でしたから、そんなことをするわけがありません。

それと、あの人が、黒人女性のヌード写真を載せた雑誌を愛読していたというのも、絶対にありえないことです」

ダンスがアマンダの表情をじっとうかがう。至極さりげない口調で、「裸の黒人女性が好きなことを、あなたに言いそびれていただけかもしれない」

アマンダが頬を赤らめるのを見て、ステラは笑みを押し殺した。アマンダが首を振る。「〝黒人〟だからではありませんよ、警部さん。〝女性〟だからです」

ダンスの表情は変わらなかった。まじろぎもしないその黒い瞳には、ステラでさえ気《け》圧《お》されそうになる。「トミーが仕事について話すことはありましたか？」

「はい。それは無難な話題でしたし、トミーはあの球場にぞっこんのようでした。興奮がこちらにも感染してきそうで、そういうところは相変わらず魅力的に見えました。球場の模型をジュリアへのみやげに持ってきて、娘の部屋で組み立てていました」アマンダの声が初めて純粋な悲しみに満たされた。「球場のこけら落としのときには、ジュリアが学校を休めるようにしておけと言うのです。ブルーズの本拠地第一戦を観せたいから、と。車のナンバープレートまで、〝PLAYBALL《プレイボール》〟に替えたほどです」

「行動や嗜好《しこう》を変えてしまうような悩みが、あったとは考えられませんか？」ステラはきいた。

アマンダは机をにらんでいる。「わたしも、なんとかして理解したいのです。いつかは、ジュリアにも理解してほしい。そして、父親を高く評価してほしいと思っています。最後の何週間か、トミーは落ち込んでいるようでした。工事について、いろいろこぼしていました。ご存じのように、予算内で球場を完成させる責任を負っていたのです。あの計画がクラジェク市長と市にとって、得な話だったと思わせるために。そして、ピーター・ホールを予算超過から守るために」ステラのほうへ顔を上げて、「ブライト検事が計画そのものに異議を申し立てているわけですから、トミーはきっと、政治的な圧力も感じていたはずです。けれど、あの人が個人的な悩みをかかえていたとして、それがどういうものだったか、わたしにはまったくわかりません」

好奇心に駆られて、ステラは身を乗り出した。「その圧力がとても大きかったとしたら、トミーはどう対応したでしょう？」

「逃げ出すのではなく、いっそう激しく仕事に打ち込んだと思います。道をはずれたことは、絶対にしなかったでしょう。そんなことができる人ではありません」またステラを正面から見据えて、「だから、誰がどう言おうと、わたしには、あの人の死にかたが納得できないのです。ただ……」

「ただ、なんですか？」ステラはきいた。

悲痛な笑みを浮かべて、アマンダが話を締めくくる。「トミーがその黒人女性といっしょにいることを望んだのだとしても、目的は麻薬でもセックスでもありません。母親に見せつけることを夢想していたのでしょう」

ステラとダンスは保育所の前に立っていた。通りを吹き抜ける寒風が身にしみる。ダンスが口を開いた。「あの子どもたちの多くは、投票できる年齢になるまでに、妊娠しているだろうな。あるいは、死んでいるか」ステラのほうを向いて、「フィールディングについてのあの女性の話を信じるか？」

「ええ。あなたは？」

ダンスがステラの顔をのぞき込む。「わたしは誰も信じない」

6

「ほう」ジョニー・カランが涼やかな声で言った。「ブライトに言われて来たのか」

ステラは腰を下ろした。「大筋が知りたいんです。この街の麻薬事情について」

カランが口髭《くちひげ》を撫でながら、値踏みするようにステラを眺める。その視線にはなんの遠慮も感じられなかった。やや事務的な、淡々とした態度を取ることで、ステラが女であること、ものを頼む立場にあることを再認識させる肚《はら》らしい。ブルージーンズと丸首のアイリッシュ・セーターに包まれた肉付きのいい巨体。小型の砲弾さながらに突き出た腹。ゆうに五十は過ぎているはずだ。豊かな長めの髪はすでに白く、赤らんだ顔色と青く筋が浮いた鼻は、仕事の緊張をほぐすのにウィスキーの助けを借りていることを物語る。ステラは束《つか》の間《ま》、人生にいたぶられたかつての父の姿を思い起こした。しかし、カランの淡いブルーの瞳《ひとみ》は冷たく冴《さ》え、衰耗の兆《きざ》した容貌《ようぼう》の中で、非情な明晰《めいせき》さの光を放っている。五センチの距離からハーレル・プリンスの目へ弾丸を撃ち込む姿が、たやすく想像できた。かすかに訛《なま》りのあるその声——柔らかく軽快な、アイルランド系のテノール――にさえ、まがまがしい音色が聞き取れる。

「ノヴァクの件で？」カランが言った。「ご苦労なこった」

この男と顔を合わせて、二分足らず。倫理上の議論を戦わせるのが時間のむだだということは、すでにわかっていた。「それがわたしの職務ですから」

カランが椅子《いす》に背中を預ける。『なんで、あんたが？』と言いたげな表情だ。ステラはぶっきらぼうにきいた。「ノヴァクは一連の事件にどう関わっていたんでしょう？」

まなざしが透明の度を増し、やがて、瞳の奥を閃光《せんこう》がよぎる。「えらくむずかしい問題だな」

「どういう点で？」

カランは自分の茶色いブーツを検分するようにじっと見た。おのれの関心事以外のことには興味をそそられない孤高の士を気取っているのか。「今の仕事に二十三年。その前に風紀課で十年。それでも、その答えはわからない。あんたのほうは、質問さえわかってない」

話し上手な警察官は多い。中には、聞き手を魅了する巧みな語り口を身につけた者もいる。しかし囮《おとり》捜査に長年携わってきたカランは、言葉を獅子《しし》身中の虫のように扱い、殺風景なオフィスにも、私生活をうかがわせるものは何もなかった。「では、どう質問すればいいんですか？」

ゆっくりと、カランがブーツから目を上げた。赤ら顔の中で、寒々としたブルーの瞳を縁取る白い部分がひときわ目立つ。「ヴィンセント・モロは一連の事件をどう操ってるのか」

ステラは小さく首を傾けた。「操って生き延びてきたということですね」

椅子に身を沈めたカランが、いかにも倦《う》み疲れたしぐさで、瞼《まぶた》を半分閉じた。残りの人生を、一本の映画だけ観て過ごせと命じられたかのように……。ようやく口を開くと、「昔、シカゴの犯罪組織が、スティールトンに殴り込みをかけようとした。この街のギャングたちは、駅でシカゴの連中を待ち伏せして車に連れ込み、そいつらの頭をショットガンで吹っ飛ばしたあと、その〝残り〟を冷凍車に載せてシカゴに送り返した。警察は気にも留めなかった。地元のごろつきどもからたっぷり袖《そで》の下をもらってるから、シカゴのごろつきなんぞに用はないってわけさ。単純な世の中だった」

話し慣れた物語なのに、野蛮な時代の暗黒街の動きを簡潔に描き出す自分の舌の動きに、カランは突然、興を覚えたらしかった。ステラは黙って話の続きを待った。「麻薬がすべてを変えた。動く金の額が桁《けた》違いだ。商売に絡《から》むやつがどんどん増えて、そいつらが、分け前に与《あずか》るために平気で人を殺した。それを取り締まるのが警察の役目だ。つまり、ヴィンス・モロは、商売敵とおれたちと、両方を相手にしなけりゃならない。

今でもギャングどもは、昔と変わらず、商売敵を消してる。以前よりうまくやってるだけだ。おれがハーレル・プリンスをかたづけたときは、ヴィンスの笑い声が聞こえた。おれからやつへの、クリスマスプレゼントだな。ジョージ・フラッドは、自分のシマを取り戻した」ブーツを履いた足を机に載せて、「あとで、垂れ込み屋の舌が小包で届いたときは、おれも笑わせてもらったよ。プリンスはもう死んでたんだからな」

カランの言葉は比喩《ひゆ》ではない。切断された舌を前に苦笑する姿が目に見えるようだ。ステラは、話の底に流れる虚無的な笑いと、人の死とその所産との連鎖、つまりカランが結果的にモロのために問題を処理してやった事実とを聞き分けた。「あなたは、ヴィンセント・モロと知り合いなんですか？」

驚きを含んだステラの表情に、カランが頰をゆるめる。「幼なじみだ。ふたりでつるんで、車を盗んだもんさ。そのあと、おれは警官に鞍替えして、やつは本職になった」

最初の部分は、さほど突飛な話とは思えなかった。警察官と犯罪者を隔てる線は、ときに細く、その線上を、自分だけの掟《おきて》を作ろうと意気込む人格形成途上の奔放な若者たちが歩いていくのだ。しかし、カランとモロとの結びつきには興味を惹《ひ》かれた。したたかに、抜け目なく生き残ってきたふたりの男が、旧知の仲にある。どちらの男についても、多少なりとも知っていると明言できる人間は皆無に近いというのに。「モロはどんな人物ですか」

カランの顔から、斜に構えた表情が消えた。しばらくして、「何ものも恐れない。ロ数は少ないが、やると言ったことは必ずやった。何より、頭がいい。車を盗む現場を押さえられたことがない。だから、麻薬事件を操る現場も、押さえられたことがない」

その声からは、並々ならぬ敬意が感じられた。おそらく、自分自身に対する誇りも混じっているのだろう。「なぜ、一度も押さえられないんです？」

カランがふたたび値踏みするような目を向ける。そして、さりげなく答えた。「たくさんの人間を抱き込んでるからだ」

ソール・ラヴィンの話が胸によみがえった。モロが張り巡らした人脈の網——ノヴァク、判事、書記、警察官、もしかすると検察官も……。同じぐらい冷静な口調で、ステラはきいた。「例えば警官なら、どういう方法でモロに便宜を図るんでしょう？」

カランの瞳に冷ややかな色が宿る。「〝事故〟で麻薬を紛失してしまうほかに？」

ステラはまたも不意を突かれた。「ええ、そのほかに」

カランがふたたび半眼になる。過去三十年を振り返って、どこまで話すべきかを計算しているのだろう。ようやく口を開いて、淡々とした口調で語りだした。「売人についての情報を流す。ほかの警官が使ってる垂れ込み屋をヴィンスに教えて、ヴィンスがそいつを始末できるようにする。裁判にかけられたヴィンスの手下を、自分の垂れ込み屋だということにして、検察に求刑を軽くしてもらう。同僚のパスワードで警察のコンピュータ・システムに侵入して、その同僚が何を追ってるかを突き止める。違法な捜索をして、令状を無効にする。聞き耳を立てる。とにかく、何をやっても証拠は残さない」

これは、机上の理論ではない。並べたてられた背任行為のひとつひとつから、現実の毒気が漂ってきた。「そういうことが全部、実際に行なわれていた、と？」

沈黙が訪れる。やや見開かれたカランの目には、深い孤絶の色が宿っていた。自分を周囲から切り離すという業《ごう》を負った人間のまなざしだ。「囮捜査をやってると、他人にうそをつく。他人を売る。ヤク中のふりをすることを覚える。人の顔色を読むことを覚える。どこかのムショに入っていたとは、絶対に言わなくなる。そのムショのことを隅《すみ》まで知り尽くしてなかったら、売人をだますどころか、逆に殺されかねないからな。誰も信用できないんだ」埋もれていた怒りがふたたび声ににじむ。「ジャック・ノヴァクなんかより、ずっと賢くなる。そして、人の注意を引かないように立ち回る」

「でも、あなたはその悪徳警官が実在していると考えている」

カランが坐《すわ》ったまま体を動かし、猫に似た怠惰な動きで肩をすくめた。「特定の誰かのことを言ったわけじゃない。複数いるかもしれないし、二十年以上のあいだには入れ替わりもあったろう」間を置いて、「おれたちはそういう話をしない。あんたにも、話してほしくない。今じゃもう、ただの昔話かもしれない――ここ二、三年、ヴィンスも幸運に恵まれてないようだしな。あんたにこんな話をした理由はただひとつ、あんたが自分のやってることを少しもわかってないからだ。さもなけりゃ、こんなとこまでジャック・ノヴァクのことをききに来たりはしないだろう」

ステラは憤《いきどお》りを抑え込んだ。「じゃあ、ジャン＝クロード・デノアイエというハイチ人の売人のことは？　あなたがモーテルの駐車場で逮捕した男です。ジョージ・フラッドが受け渡し場所に現われなかった、そのあとで」

カランがにらみつける。やがて口を開くと、「男めかけのノヴァクめ。おれは、デノアイエに司法取引をさせるつもりだった」

ステラは冷ややかに言った。「ここまで二十分ほどの物語の中で、ジョージ・フラッドは二度も幸運に恵まれていますね。あと何度、そういうことがあったんでしょう？」

背筋を伸ばしたカランが、ステラの背後の壁に目を向ける。ぶっきらぼうに、「一度だな。おれが知ってるのは」

「どんな……？」

「一斉検挙だ。おれたちは麻薬を押さえた。新聞の見出しも押さえた。だが、フラッドは取り逃がした」

「そして、今まであなたは、同僚の誰ともこういう話をしなかった」ステラは棘《とげ》のある口調で言った。「興味すら示さなかった」

「興味？」カランが腕を組み、一語一語を嚙《か》みしめるように言う。「興味ぐらいはあるさ。麻薬課には、十五人の囮捜査官がいる。うち九人が二十年以上の経験を持つ。そのほかに、内勤でずっと関わってるのが、刑事部長も含めて五人。それだけの人数の中の少なくともひとりがヴィンスとつるんでる可能性は、かなり大きい」自嘲《じちょう》と厭《いと》わしさのはざまで、声が揺れていた。「どいつを選んで、自白してくれとお願いすればいいんだ？　ノヴァクみたいにモロの金で派手に暮らす間抜けなやつは、ひとりもいない。退職まで待って、あっさり行方をくらますはずだ」間を置いてから、抑えた声で、「その前に、おれが捕まえればべつだが」

カランの住む現実――信義を欠いた妄想と暴力の世界――の力が、ステラを圧倒した。

「ハーレル・プリンスのように、ですか？」

謎を秘めたまなざしが、ステラに向けられる。「プリンスはあっという間に死んだ。運がよかったと言っていい。ヴィンスほどじゃないだろうが」

軽やかさを取り戻したその声には、怒り以上の凄《すご》みがあった。カランの世界のもうひとつの側面、その世界を構成する原理が、明らかにされつつある。少年期の友人同士が抱く競争心が、四十年を経た今も、カランとモロを結びつけているのだった。ハーレル・プリンスの死は、カランの好みからするとお手軽すぎたらしい。次にカランの行く手をさえぎる者が、その付けを支払わされるのだろうか。

「誰がノヴァクを殺したんでしょうか？」ステラはきいた。

カランがまた肩をすくめた。「やつの婦人服の仕立屋かもな。あんたのお目当てが、腹を立てたり、ぶち込まれたりした依頼人だとすると、おれには心当たりがない」

「あなたは以前、風紀課にいましたね。ノヴァクに変態趣味があるという話は、聞いたことがありますか」

「変態？　いいや。娼婦《しょうふ》が好きらしいとは聞いたがね。街娼じゃなくて、モロのところの女たち、つまり、派遣されてくる値の高い連中さ」情欲というものの幅の広さに食傷気味の声だ。「ノヴァクは〝演出〟に入れ込んでるという噂《うわさ》だった。金のかかる趣味だよ」

「〝演出〟」ステラは復唱した。

カランが手をかざして指を広げ、痛みに顔をしかめた。節くれだった指は関節炎を患っているらしく、関節が赤く腫《は》れていた。意外にも、爪《つめ》はきちんと切りそろえてある。左手の肉から生えてきたような大きな赤い石をあしらったごつい指輪を、右手で回し始めた。「三人プレーというやつだ。ノヴァクは指示を出すのが好きだったらしい。映画監督みたいに」

ステラは肌が火照《ほて》るのを感じた。「指示を出して、自分は観ている？」

「だと聞いた」

「男性も入れて？　誰かの手を借りて、首を吊《つ》る、とか？」

両手から顔を上げたカランが、見透かすような視線を向ける。「さあな。おれたちはそれほど親しかったわけじゃない」

　意味ありげな言いかたに、ステラは一瞬とまどった。それを見て、カランがわずかに歯をのぞかせて笑い、大儀そうに言い足す。「男にしかできないこともある」

　この揶揄《やゆ》は、明らかに意図的なものだった。男にしかできないというのが、ガーターベルトを着けた男を吊るすことなのか、その結果としての殺人事件を訴追することなのか、わざとぼやかしている。ステラは冷たく言い返した。「例えば、レイプとか？」

　短い笑い声。「例えば、いろいろだ」

　両手を握り合わせて、ステラは相手を見据えた。「トミー・フィールディングについて、何か聞いたことはありますか？」

　カランの濃い眉《まゆ》がさっと上がる。「売春婦といっしょにヤクのやりすぎでくたばった土建屋の男か？　いや、何も」

「では、その女性のほう、ティナ・ウェルチについては？　ダンスによると、ウェルチはスカーベリー通りの劇場近くで、何度か逮捕されているという話でした」

　カランが机の上にある縁の欠けたマグカップを手に取り、空になっているのを確認するようにのぞき込んだ。「今は名前を聞いてもわからない。風紀課にいたのは、ずいぶん昔だからな。おれの知ってる淫売《いんばい》は、歯抜け婆《ばば》あになってるか、死んでるかだ。だが、スカーベリー自体は変わらない。娼婦がたむろして、ごみ箱の陰でやらせる場所だ」

この男は売春婦だけにとどまらず、女性一般を蔑視《べっし》しているのではないかという気がした。ステラは抑えた声で言った。「麻薬課も、スカーベリーで仕事をしていますね」

カランがカップを机に置く。「おれはもう、囮捜査をしていない。年を取りすぎたし、顔も売れすぎた。だが、あの辺を巡邏《じゅんら》することはこの先もあるだろう。部下を送り込むことも、あるかもしれない」

「おもに何が取引されているんですか?」

「ヘロインだ。中毒になってる娼婦が大勢いて、売人より簡単に寝返る」見下すような口調。「連中にとっちゃ、刑務所に入るほうが怖いんだ。商売ができなくなるうえに、禁断症状に苦しめられるわけだからな。問題は、連中がたいてい、ジャック・ノヴァクでさえ関わらないような下《した》っ端《ぱ》の売人からブツを買ってることだ。ときには、体で払うこともある」口もとにまた笑みをよぎらせて、「ヘロインをくれてやると言えば、ほとんどの女が、ロック・ハドソンのいちもつさえしゃぶる。墓から掘り出してきてでもな」

「でも、その相手の車に乗ったりするでしょうか?」ステラは穏やかに問いを返した。

うんざりしたような息をついて、カランが椅子に深く身を沈める。「要するに、あんた、娼婦について知りたいのか」

「娼婦のことは知っています。スカーベリーについて知りたいんです」

カランは間を置いて、恩着せがましく言葉を絞り出した。「ダンスか風紀課のやつらにきけばわかるだろうがな。スカーベリーは、まあ、掃きだめみたいなとこだ。麻薬や女が、どこよりも安く買える。女のなかには盗みを働くやつもいれば、ひも付きのやつもいるが、ほとんどははぐれ者で、自分で自分の身を守ってる」ふたたび指輪を回しながら、「あそこは物騒な場所だ。頭のおかしな野郎にステーキナイフで切り刻まれないよう、互いに目を配り合う娼婦たちもいる。ダンスも調べるだろうが、フィールディングがあそこで女を拾ったんだとしたら、その車を誰かが見かけた可能性はあるな」

「女性たちは、どこで客を取るんですか」

「車。路地裏。安ホテルって手もあるが、フロントの人間に金を払わなきゃならない。多少でも脳みそがあれば、五分で五ドルのおしゃぶり代を他人と山分けにはしないだろう。そして、多少でも脳みそがある娼婦なら、知らない相手の車に乗ったりはしない」顔を上げて、問いかけのまなざしを向ける。「その女は、車でフィールディングの家まで行ったわけか？　ヤクで釣られたとしか考えられないな。いや、それだけじゃ乗らない。割増料金を払う客で、しかも顔見知りだったか」

ステラは書類鞄《かばん》を開いた。「最後にあそこへ行ったのはいつですか？　ひょっとして、木曜日には……？」

「フィールディングが死んだ晩か？　いいや。たぶん、その二、三日前だ。先週の火曜日だったと思う」

犯行現場の写真を何枚か取り出して、机越しに相手に渡す。「どちらかに見覚えは？」

カランが写真を広げた。抽斗《ひきだし》から出した半眼鏡をかけ、裸の遺体に目を凝らす。「男のほうは知らない。スカーベリーでは見ない顔だ。女のほうはなんとも言えない。おれが車で通るのは、たいがい暗くなってからだしな。風紀課の連中なら知ってるだろう」

カランが写真を返してよこした。「先週の火曜日、何時ごろですか？」ステラはきいた。

「遅い時間じゃなかった。九時か、九時半か。はっきりは覚えてない」

ステラは写真を鞄に戻した。「車を覚えるのは得意ですか？」

「車？」いらついた響きが声に戻っている。「売人かどうかは、車で見分けるんだ」

「白いレクサスを見た覚えは？　一九九九年型です」

カランの反応は冷ややかだった。「郊外の主婦が乗る車だな。カントリー・クラブの駐車場によく駐まってる。スカーベリーでも、二度ほど見かけた。何か探すようにスピードを落として、それから走り去《と》ったよ。おおかた門限が迫ってたんだろう」目つきが鋭くなる。「そいつのナンバープレートは、文字指定がしてあったのか？」

思わず期待が高まり、神経と筋肉が張り詰めた。「〝ＰＬＡＹＢＡＬＬ〟と」

椅子《いす》に背を預けたカランが、人間の愚行の無慈悲さにあきれるように、高笑いを響かせた。腹部の小高い隆起に喜悦のさざ波が立ち、青い瞳《ひとみ》がきらきらと揺れる。「悲しき土建屋さんの〝サヨナラ・ゲーム〟ってわけだ」

「スカーベリーの聞き込みは終わった」受話器の向こうでダンスが言った。「フィールディングを見かけた者はひとりもいない。白いレクサスについても同様だ」

自分の机についたステラは、スタジアムをじっと眺めた。鉄鋼の骨組みの中を、兵隊蟻《あり》よろしく作業員たちが動き回っている。「カランの言うとおりだとしたら、ティナは前からフィールディングを知っていたのかもしれない」

「カランね」そっけない声からは、なんの心情も聞き取れない。「気が合ったか？」

「すごく合ったとは言えないわね」カランの抱いている疑念について、どこまで明らかにすべきか、ステラは迷った。「でも、カランは、ジャック・ノヴァクが娼婦を好んでいたという話をしてくれた。それと、〝演出〟を」

ダンスが黙り込む。やがて意を決したように、「きみもこっちに来たほうがよさそうだな。これからノヴァクの恋人に会う予定だ。存命中のノヴァクに会った最後の人間は、自分だと言っている。その恋人が無実なら、ほんとうの最後ではないわけだが」

7

ダンスとステラがミッシー・アレンの住むペントハウスに着いたのは、三時だった。街を一望できる窓の向こうで、頼りなげな冬の陽光が、鈍色《にびいろ》の湖面を淡く照らしている。

ダンスとステラはカウチに坐《すわ》った。アレンは立ったままで、あいたグラスをコーヒーテーブルから取り上げたり、積み重ねたファッション雑誌の位置を直したりと、せわしなく体を動かしている。話しぶりは支離滅裂で、文と文が互いに足を引っ張り合っていた。自分が容疑者のひとりであることを多分に意識しているのだろう。本人によれば、職業はモデルだが仕事は不定期、年下の同業者も多いので、時間が有り余り、ついついジャックと例の電話のことを考えてしまうのだという。「来てもらって、ほんとによかった。ジャックのことがあってから、頭ん中が取っ散らかってるの。電話が鳴ると、あの人を殺した犯人からじゃないかと思って――」

唐突に口をつぐんで、無力感と苦悩を示すように、芝居がかったしぐさで両腕を広げてみせた。濃淡の縞《しま》がある長いブロンドの髪。三十代後半にしてはなめらかすぎて、ほとんど皺《しわ》のない顔。扇状に広げた指先の派手な赤いマニキュアを見て、ステラはマネキンを連想した。そして疑問を抱かずにいられなかった。この女性と自分に、ジャック・ノヴァクを惹《ひ》きつけた共通の資質があるとしたら、それはいったいなんなのだろう。

「あの晩のことを話してください」ダンスがいつもの淡泊な口調できく。「思い出せることは、全部」

まるで聞こえなかったように、ミッシーは動きを止め、ずいぶん経ってからうなずいた。「全部、ね」そう復唱すると、リビングルームをゆっくりと歩き回りながら、昂《たか》ぶった声で一挙に話しだした。

あの晩はノヴァクの部屋に泊まるつもりだった。確かに、コカインを喫《や》っていた。モデル業界には、いまだにコカインを喫る女たちが大勢いる。撮影や呼び出しが絶え間なく続き、企画に合った容姿でなければすげなく帰されるような日々のストレスを、コカインが解消してくれるのだ。けれど、自分もジャックも常習者ではない——ステラは胸のうちでこの言い分を却下した。ミッシーが泣きだしたときには、今も薬物の影響下にあるのではないかと疑った。ふいにミッシーが、燃料が切れたように椅子《いす》にくずおれた。

ダンスとステラは、ただ見守っていた。その沈黙に気まずさを覚えたのか、ミッシーがふたたび話しだす。苦しげなようすで、ジャック・ノヴァクが死んだ夜のことを振り返るその声には、恐怖の影が差していた。

ジャックはやや興奮気味だった。ふたりはレストランの閉店時間まで粘っていた。ジャックがシングルモルトのスコッチを試飲させろと要求し、店のサービスの悪さに苦情を言う。洗面所でコカインを吸ってきたのだと、ミッシーは気づいた。気まぐれの度が増したようで、怖かった。だから、アパートに戻って、ジャックがドアを閉め、服を脱ぐよう命じたときも、逆らわなかった。ジャックの目が異様にぎらついていたからだ。ミッシーのほうから求めたのは、コカインだけだった。

ジャックが剃刀《かみそり》の刃を使って、ことさら丁重に、コーヒーテーブルに白い線を引いた。ひんやりした粉末が鼻孔に届くと、ミッシーの気分はたちまち上向いた。コカインのうねりが、白のバーガンディの酔いを切り裂き、室内のようすがくっきりと浮かび上がってくる。ここにいながら、ここに属していない感覚が味わえた。

照明がまぶしすぎた。カウチの横にあるライトに手をのばすと、ジャックが低い声で禁じる。「つけておくんだ」

ミッシーはジャックのほうを向いた。明るい人工の光が、くたびれた中年の肢体を容赦なく照らしている。贅肉《ぜいにく》の目立つジャックの顔は、造作に締まりがなく、両目の下のたるんだ皮膚が黒ずんで、性悪な穴熊《あなぐま》を思わせた。

帰るのよ――頭はそう命じていたが、体が従わなかった。モデルの仕事は減ってきているし、相手の望みどおりにしていれば、ほかの女たちが妬《ねた》むほどの部屋に住んでいられる。優しいときのジャックは、背中をさすったり、ヴェルレーヌのひねりのきいた詩を読んだりしてくれる。そんなときには、この弁護士を愛しているような気にもなれるのだけれど……。

ジャックが寝室に姿を消した。戻ってきたとき、その手には手錠がぶら下がっていた。何も言わず、ミッシーは裸になった。意識がよそへ向かうように、努めて機械的に体を動かす。チョコレートを食べ過ぎてしまったから、あしたはエアロバイクを一時間漕《こ》がなくては……。ジャックがそっと背後に回るあいだ、ミッシーは自分の平たい腹をじっと見下ろしながら、この先いつまでこんなことが続くのかと、ぼんやり考えた。

慈《いつく》しむように、ジャックがうなじにキスをする。その合図を読み取って、ミッシーは従順に両手を背後に回した。手錠をはめられると、身を固くしてカーペットをにらむ。ズボンのジッパーが下ろされる音に、わびしさが込み上げ、体を照らす明かりのせいで、一瞬、寒々しい素のままの意識が頭をよぎった。相手に合わせて、来るところまで来てしまった。想像もしなかった世界へ……。いつも望んでいたのは、美しくあること、相手の情欲をかき立てること、そして恋の狂熱が冷めたあとも、頼りになる男に優しく包み込まれることだった。ジャックと出会ったときには、若さの残り時間も少なくなっていて、この人こそ目当ての男性であってほしいと……。

ぎこちなく、ミッシーは床に膝《ひざ》をついた。むき出しの肌がカーペットに擦れる。手錠が平衡感覚をゆがめていた。体勢を立て直し、膝立ちで相手のほうへにじり寄っていく。ジャックは下着を足首に絡《から》ませたまま、カウチに坐っていた。まだ勃起《ぼっき》はしていない。しだいにそれはむずかしくなってきているようで、ときに亜硝酸アミルを使ったり、ほかの人間たちといっしょにミッシーを観たりすることで、どうにか奮い立つ場合もある。趣向によっては、ミッシー自身もそれで奮い立つのだが……。

上体をかがめて、ジャックを口に含んだ。ゆっくりと、目を閉じて、心を遠くにさまよわせる。

電話が鳴った。

ジャックがびくんと腰を引いた。静かな室内に、耳障りな音が響き渡る。

意外なことに、ジャックが立ち上がって電話に向かった。ミッシーはカウチに頭をもたせかけて、この猶予《ゆうよ》に感謝した。

あした、運動を終えたあとで、母に電話しよう。マギー・アレンはいつも、ミッシーのことをきれいだと言ってくれる。子どもを産む前の自分のようだ、と。母は、娘の胸がふくらみ始めるずっと前から、化粧道具の使いかた、身支度の整えかた、衣服の着こなしかたを教えてくれた。よく鏡の中から、娘に向かってにっこり笑ってみせたものだ。まるで昔のわたしを見ているみたい……。ほどなくミッシーも、鏡の中の自分にひとりで見入って、母の目に映る明らかな美の資質を探すようになった。

「今から？」ジャックの問う声が耳に届いた。

今、何時だろう？　自分の知らない人間を、ジャックがここに呼ぶつもりなのかと、不安になった。ジャックの声は張り詰めていて、そこに警戒の響きが加わる。「では、十分後に」カーペットの上を歩いてくる足音が聞こえたとき、ミッシーはふたたび目を閉じた。

手錠が軽く引っ張られ、かちりと音がして、手首のいましめが解かれる。

「帰るんだ」

ぞんざいな口調に、切迫感が聞き取れた。しかし、理由をきいても、話してはもらえないだろう。ジャックは絶対に説明をしない。

服を着るミッシーの存在など眼中にないかのように、ジャックが部屋の中を歩き回り始めた。無言のまま、ミッシーはドアの掛け金をはずした。

突然、うなじにジャックの唇が押しつけられる。低い声で、「運転できるかい？」

ミッシーは振り返った。知らないうちに涙が浮かんでいた。何も言わずにうなずく。ジャックが、目に焼き付けようとでもするように、じっと顔を見つめた。やがて柔和な声で、「電話をくれないか。あす、何時でもいいから、きみが起きたときに」

そそくさとキスを返して、ミッシーは冷たい夜気の中へ足を踏み出した。

ステラはみぞおちをぎゅっとつかまれるような感覚を味わった。恥ずべき記憶ばかりではなく、疑惑が胃をかき回す。虐待《ぎゃくたい》された女の積もり積もった憎悪《ぞうお》に、アルコールとコカインという燃料が注がれて、制御不能の怒りに火がつく――容易に思い描ける筋書きだ。スツールを蹴飛《けと》ばしたり、死体の睾丸《こうがん》を切り取ったりすることは、男でなくともできる。「部屋を出るとき、誰かを見かけましたか？」ステラはきいた。

「いいえ」ミッシーは消耗しきったようすだった。「外に車が何台かあったのは、覚えてる。でも、車はいつもあるから」

ステラは呼吸を整えた。「被害者がどういう死にかたをしたかは、知っていますね？」

ミッシーがうなずいて、目をそらした。なるほど、かなりの美人だ、とステラはあらためて思った。高い頬に、明るい茶色の瞳《ひとみ》。はかなげでなよやかな容貌《ようぼう》が、モデルとしての華やかさに、危うい輝きを添えている。しかし、整形手術の影響が追い追いこの美しさを翳《かげ》らせていくだろう。肌にはすでに過剰な張りがあり、やがてこの顔も、表情を持たない陶製の人形のようになってしまうに違いない。ステラはある部分で、この女性に深い同情を感じていた。しかし、ことによると、ナイフから自分の指紋を拭き取ったのはミッシー・アレンかもしれないのだ。静けさの中で、小ぶりのカウチに巨体を収めたダンスがミッシーをじっと観察している。穏やかな声で、「ノヴァクから、縛ってほしいと頼まれたことはありますか？」

ミッシーの目が大きく見開かれた。「いいえ」

「首吊《くびつ》りを手伝ってほしい、とは？」

「いいえ」声がこわばる。「それについては、何も知らないわ」

やや不自然な憤慨ぶりを、ステラは心に留めた。ミッシー・アレンは不安定で、神経過敏で、芯《しん》が弱い。ステラの経験に照らせば、この手の女性は常習的にうそをつく。うそを生き延びるための道具と考え、何か問題にぶつかると、今ミッシーがしているように、被害者意識を前面に出して、さらにうそを重ねる。

「ノヴァクがほかの人といっしょにあなたを観るという話ですが」さりげなくきいた。「観るのは男性ですか？」

ミッシーが後方に首を振ると、髪がうなじへ流れ落ちた。ステラの目には、そのしぐさが解離性の気質の表われと映った。せり出した舞台に出る前のモデルが、気を鎮《しず》めるときのしぐさだ。「女性のこともあった」

ステラはためらった。抑えた声で、「ノヴァクさんは、その人たちとセックスをしましたか？」

「ええ、女性とは……」ミッシーが唇を噛《か》む。「たいていの場合、ジャックはあたしを観るほうが好きだった。知らない人を相手に、いろんなことをさせるの。ジャックがお金で雇った女性を相手にしたこともあるわ」しだいに声をしぼませて、「その人たちに手荒に扱われたわけじゃない。ただ、初めてのときはべつだった。あの人の依頼人がいっしょで……」

今度は、ステラが目を閉じる番だった。

季節は夏。湖畔に建つジャックの別荘の前で、濡れた細長い砂浜が輝いている。

ステラは湖水に足を浸して坐り、ゆるやかな波に向かって小石を投げた。まだ日の高い時間だったが、すでにワインを飲みすぎていた。考えはまとまらず、日差しのせいでけだるい。ジャックがくれた紐留《ひもど》めのビキニも、もう大胆すぎるとは感じられなかった。飲み慣れないワインが、感覚を鈍らせてしまったのだろう。

ここへ来るのは、いつも楽しみだった。仕事とロースクールという単調な日常からの、気を抜く暇もないジャックの生活からの、ふたりの避難所だと思っていた。けれど、今飲んでいるのは、不安を紛らすためだ。ジャックの仕事。自分の針路。現状に飽き足らないジャックが、目新しい刺激を求めているという予感。昨夜の出来事……。

クーラーから冷えたボトルを取り出し、プラスチックのコップを満たした。足もとにたゆたう波を、午後の陽に彩られた紺青《こんじょう》の湖水を、じっと見つめながら……。

寝室の暗がりの中でジャックが持ち出した話題には、秘めた懇願と渇望とが聞き取れた。「どんな夢想？」ステラは小声できいた。

「いろいろだ」もう一度ステラの首筋を唇でなぞりながら、低い静かな声で、「聞かせてあげよう」

頭がふらつくのを感じた。ワインを飲みすぎたようだ。朦朧《もうろう》としたまま、仰向けになると、腹部にジャックの唇が触れた。もしかすると今夜は、この人が心に何をかかえているのか、わかるかもしれない。

しばらくして、ジャックがステラの中に入ってきた。動きを合わせながら、ジャックのささやき声に半分だけ意識を傾けて、見知らぬ人間が闇《やみ》の中からふたりを観ているという物語を聞いた。物語の絶頂と同時にジャックが絶頂を迎えたとき、ステラは悟った。この人の夢想の中では、その見知らぬ人間が、わたしの中に入っていたのだ……。

水辺で、ステラはさらにワインを飲みながら、前夜のことを思い返した。「とてもよかったよ。きみを観ているのは」ジャックはそう言っていた。

今、ジャックは別荘の中にいる。昼食のとき、ひとりの時間が欲しいと言ってみたら、意外にあっさりと、二本目の白ワインを持たせて、送り出してくれたのだ。

夢想。どうして、ジャック・ノヴァクといると、ステラ自身の夢想がひどく世俗的なものに思えてしまうのか。法学の学位を取り、自分の家を持ち、最も機嫌のいいときのジャックと同じくらい理解のあるパートナーに巡り会うこと。たぶん、いつかは夫を、そして明るい目をした娘を持つこと。その娘は、母親の愛情を受け止め、自分の価値をしっかりとわきまえた子になるだろう。ステラ自身がずっとそうなりたいと希《ねが》ってきたように……。どうして、こういう思いをジャックに伝える勇気が湧《わ》いてこないのか。しばしのあいだ――どれぐらいの時間かはわからない――思考が日差しと混じり合って、湖水へ溶け込んでいくような気がした。ボトルを手に取ると、空になっていた。

立ち上がって、ゆっくりと別荘に向かう。

酔っているのがわかった。一歩踏み出すごとに足もとがふらつき、思うように進めない。陽光は明るすぎたし、世界――薔薇《ばら》園や、別荘を囲む木立――は前方わずか数メートルの範囲に狭まって見えた。

裏のポーチに着くと、片手を手すりに載せて体を支えた。それから、網扉をあけて、室内に足を踏み入れる。

リビングルームは暗く、ひんやりとしていた。天井の扇風機が回るかすかな音が意識に入り込み、次いでジャックのステレオから、もの悲しいヴェルディのレクイエムが流れてくる。室内は、ステラが別荘というものに抱いていた印象とは違っていた。入念に装飾が施され、天井から床まである本棚には、美術書、新刊本、革装の古典全集がびっしりと並んでいる。その眺めに、ひとときの平穏と安堵《あんど》とを感じた。

ジャックを捜してあたりを見回したステラは、びくりと身をすくませた。

背が高く端正な顔立ちの黒人が、鮮やかな緑の瞳を光らせて、ジャックのソファから立ち上がったのだ。たくましい体をぴったりしたジーンズとTシャツに包み、肉感的な唇の両端に笑みを浮かべている。

「ジャックはどこ？」

おののきに声がとがっているのがわかった。そのとき、やはり笑みを浮かべながら部屋の隅から見ているジャックに気づいて、仕組まれたことなのかといぶかった。

ジャックがなにげない調子で言う。「こちらはディエゴ・カーター。依頼人であり、友人でもある」

ステラは動けなかった。懇願を込めた目でジャックを見据え、説明を請う。やがて、説明がなされないこと、説明されるまでもないことを悟った。

低い声で伝えた。「ふたりで話したいの」

「いいとも」子どもを相手にするように、ジャックがステラの手を取って寝室へ導く。

ステラはわきに両腕を垂らしたまま、寝室に立った。

ジャックがそっと額に口づけをして、顔をのぞき込む。「黒人だからかい？」

首を振るだけで、思いを口に出せなかった。ゆっくりと、うやうやしい恋人の手つきで、ジャックがビキニのトップをはずした。

ビキニが床に落ちる。ステラは呆然《ぼうぜん》としたまま、頭を垂れて、その布切れを見つめた。

自分たちが堕落に向かっているという感覚に襲われた。

「だいじょうぶだよ」なだめるような声がしたが、焦りの響きは覆《おお》うべくもない。「誰にも、手荒なまねはさせないから」

ひどい吐き気を覚えた。よろめきながら、一歩あとずさった。

ジャックが手を伸ばしてくる。ステラは、自分が家族から、今や恋人からも、切り離されてしまったことに衝撃と苦痛を覚え、片腕を上げて、相手の顔を平手で叩《たた》いた。

横ざまによろめくジャックに、震える声で言う。「車の鍵《かぎ》をちょうだい。今すぐに」

ジャックが口もとを押さえ、堅苦しく、「運転は無理だ。行かせるわけにはいかない」

この人とはもう終わりだと確信した。しかし、相手はそう思っていないという不安が、新たな恐慌を呼び起こす。ふたりの男になぐさみ者にされる自分の姿が頭に浮かんだ。

ジャックは平気かもしれないが、ステラにはとても正視できない光景だ。肉体ばかりではなく、自我の観念や自分の未来像までが危機にさらされる。できるかぎり平静な声で、ステラは言った。「それなら、あの人を追い出して」

ジャックは何も言わない。薄暗い部屋の中で、ふたりはにらみ合った。

「お願い」食いしばった歯のあいだから言う。

それからしばらく――ステラにとっては果てしない苦悶《くもん》の時間――ジャックは動こうとしなかった。やがて寝室を出ると、ドアを閉めた。

半分裸のまま、ステラは泣きだした。

十三年後、ステラはミッシー・アレンを見つめていた。ようやく質問を口にする。「その男たち、つまり、ノヴァクといっしょにあなたの相手をした男の中で、あなたに――もしくはノヴァクに、腹を立てた人はいますか？」

「わからないわ」反射的な動きで膝を合わせ、背中を丸める。「あの人たちといっしょにいるときのことは……ええ、思い出せない」

「名前は思い出せますか？」

「ジャックは一度も名前を言わなかった」視線をそらして、「あの人たち、仮面を着けてたこともある」

無言で、ステラはダンスのほうをうかがった。いつものとおり、その胸中を読み取るのは容易ではない――ミッシーの供述と、ノヴァクのオフィスに飾られた仮面の絵を結びつけているのか……。しかし、ステラのてのひらは汗ばんでいた。

「ノヴァクがストッキングやハイヒールをはいたことはありますか？」と、ダンス。

「ジャックが？」ミッシーが低くかすれた声を出す。「いいえ。はいたのは、あたし」

ステラは大きく息を吸い込んだ。ダンスが続ける。「あの晩、ノヴァクの部屋でも、スコッチを飲みましたか」

間があいて、ミッシーの眉間《みけん》に皺《しわ》が刻まれた。意識を集中させようとしているらしい。

「飲まなかったわ。ジャックも飲まなかったと思う」

いずれにしろ、ミッシーの指紋は採取することになる。ダンスが体の前で両手を握り合わせて、「電話に出たノヴァクは、おびえていましたか？ 心配そうでしたか？」

ミッシーが物憂《ものう》げな表情を見せた。当初の興奮した態度と、今の無気力な姿との落差が、ステラの不安を募らせた。「そんなふうじゃなかった。丁寧っていうか、用心深い感じ。だいたい、ジャックがなぜあの電話に出たのか、よくわかんなくて……」

ステラにもよくわからなかった——この女性は真実を話しているのだろうか……。

「ノヴァクが仕事のうえで問題をかかえていたかどうか、ご存じですか？」

ミッシーが落ち着きなく髪をかき上げる。「仕事の話は、してくれたことがない。あたしには、あんまり知られたくなかったんでしょ」小さな声で、「あたしはただ、あの人のそばにいて、あの人が満足するために必要なものを与えたかっただけ」

ステラはしばし口をつぐんだ。ミッシーの話に対する疑いと、自分自身の過去の幻想——自分にはジャック・ノヴァクに心の安らぎをもたらす力があるという思い込み——が、心の中でぶつかり合う。やがて、あの最後の週末の記憶がよみがえった。車のドアをあけながら、暗がりにいるノヴァクを振り返って口にした、最後の言葉。「あなたの心には穴があいてるわ、ジャック。わたしには、そこを吹き抜ける風の音が聞こえる」

当時はまだ、自分の心が恋人によってどれほど損なわれたか、気づいていなかった。

8

「もしあなたがお付き合いを望んでおられるとしたら」三十分後、マーティン・ブライヤーが言った。「その男性は、あまりお勧めできる相手ではありませんな。〝付き合い〟という言葉を相当広い意味でとらえるなら、話は別ですが」

「相当広い意味になりますね」ステラは答えた。「その人は亡《な》くなっていますから」

ブライヤーが角縁の眼鏡越しにこちらをじっと見つめた。その眼鏡は、オフィス――淡いブルーに彩られた、修道院を思わせる温かみのない部屋――と同じく、臨床心理士の規格を満たすための道具立てに思えた。個人的には、この職種の人間を前にすると、恐れにも似た窮屈さを感じる。しかし、検察官として、法廷で心神喪失の答弁に向き合うこともあり、そういう機会を通して、ステラは鑑定証人のブライヤーに、自分と相通じる個人責任重視の傾向と倫理的判断を感じ取っていた。ブライヤーが両眉《りょうまゆ》を上げる。その癖が、細長い顔と、周辺に白髪の残った禿頭《とくとう》をいっそう目立たせる。「われわれは、あの不幸なノヴァク氏について話しているのでしょうか？」

「そうです。ここだけの話ということで」

ブライヤーが銀色の細いペンを唇に当てる。「わたしが興味を引かれたのは、あなたが触れた人格特性の多様さです。他人を魅了する力、誇張癖、社会規範に対する蔑視《べっし》、人心を巧みに操る手腕、凡庸さへの強い恐怖、内面の虚《むな》しさを埋めたいという狂おしい欲求。本質的に、かなり厄介なものをかかえた人物ですな」目をすぼめて、「あなたがあのかたをよくご存じだったと想定してよろしいでしょうか?」

ステラは言いよどんだ。「ええ。一時は」

相手の眉がふたたび上がる。「今挙げた特性のいくつかを、じかに経験するほどに」

質問ではなかった。ステラは相手の視線をまっすぐ受け止めて、さりげなく答えた。

「自分の限度を思い知らされるほどに」

臨床心理士の灰色の瞳《ひとみ》が鋭くなった。おもむろに口を開いて、「ただし、ノヴァク氏の限度を知るほどではなかった」

ひと呼吸置いて、ステラはうなずいた。「限度があればの話です。彼の新しい友人たちの話からしても、多くの限度が残っていたとは思えません。おまけに、あの死にかた」

ブライヤーが脚を組んだ。手にしたペンをまだ無為にいじっている。そのしぐさが指の長さを引き立て、初老の大学教授の、いかめしく学者らしい印象を強めた。「窃視症《せっし》、それに集団性交を好むという話がありましたな。そこから始めるとしましょう。

思うに、その事実は、刺激は言うに及ばず、支配をも切実に欲していることの表われです」遠慮がちにすぼめた口もとに、新たな心づかいが読み取れた。ステラが気まずい思いでいること、それを隠す気でいることを察知したらしい。「〝恋人〟という呼びかたが妥当だとすると、その恋人に対してほかの男性に身を委《ゆだ》ねることを強要するのは、恋情、あるいは親密さの対極にある関係性です。境界の欠落した自分に合わせるため、恋人の境界を取り払ってしまう――それが快楽のひとつになっていることを示します。非凡で特別な、全能の存在でいたいという欲求を高揚させるものは、すべて快楽となるでしょう」声を和らげて、「それは、セックスを超越した欲求だと思えます。そして、その欲求を満たすために、あなたの描いたその男性は、常人離れした直観力で、自分の選んだ女性の弱みをかぎ取り、巧妙に、巧妙に、蠱惑《こわく》の手をのばしてくるはずです」

しばらくして、ステラは自分が黙り込んでいることに気づき、ようやく言葉を絞り出した。「何ものも、あの人の意思を阻《はば》むことはできないと知りました。涙さえも」

ブライヤーが抑えた好奇のまなざしで、「知り合ったのは、何歳のときですか？」

事務的なその口調に、不慣れな同情心が聞き取れた。「二十代前半です」

ブライヤーがペンから目を上げる。「何歳の女性であれ、そういう人物から逃げ出せたのは、快挙と見るべきでしょうな」

内心の自問が、この専門家の目に、そこまであらわに映ったのだろうか？　しかし、共感を含むその論評には、心が癒《いや》された。漠然とそういうものを求めて、ステラはここまで足を運んだのかもしれない。この先、私用で再訪することはないだろうが……。

「ジャックからは、自分の真の姿を教えられました。少なくとも、真の姿の一面を」

ブライヤーがうなずいた。「われわれは規則に従って生きています。規則が必要なのです」眉根を寄せて、思慮深い表情になる。「しかし、逸脱した行為にもまた、ある種の規則がある。あなたのお話の中で腑《ふ》に落ちないのが、まさにその点なのです」

「どういうことでしょう？」

「緊縛嗜《し》好《こう》は、本人の性格とじゅうぶんな整合性があります。しかし、ガーターベルトとハイヒールについては、理解に苦しみますな。すなわち、本人がそれを身に着けていたということがです。自体愛行為の手際《てぎわ》についても同様」

ステラは坐《すわ》ったまま姿勢を正した。「わたしも首をかしげています。そういう行為の証拠は、今のところ、発見時の状況だけですから」

ブライヤーがペンを回しながら、「では、わたしの理解不能な点を挙げて、あなたの疑問と通じるところがあるかどうか、見ていきましょう。

ミチェリ検屍《けんし》官が指摘しておられるようですが、自体愛者は一般的に単独行動を好み、女装趣味を持つ場合はさらにその傾向が強まります。独善的であり、なおかつみずからの嗜好を隠そうとする――さまざまな意味で、それは絶対的な孤独の象徴なのです。刺激の種類を問わず、死を弄《もてあそ》ぶ行為はそういう含みを持ちます。だからといって、その人たちが絶対に同好の士を求めないというわけではありません。相方を見つける人もいます。痛みを共有できる他者の存在は、ある種の慰めにはなるでしょう。しかし、そういう段階に至るまでには、行為自体もかなり洗練されているはずです。方法や手順が確立され、専用の革紐《かわひも》やあざを防ぐスカーフが用意され、物理的な限界もきちんと心得ている。つまり、通常なら、スツールを使うような危険は冒さないでしょう。爪先《つまさき》立ちで用は足りますから」

ステラの意に反して、ミチェリがジャック・ノヴァクの裸体の向きを変えた瞬間の光景が胸によみがえった。死体の両手はきつく縛られていたのだった。「とすると、ジャックにパートナーがいたという仮定は成立しにくい？」

「成立しやすいのは、ノヴァク氏を殺害した人物がサディストであるという仮定でしょうな。ノヴァク氏をマゾヒストと見なすのはむずかしい。氏が誰かの協力を得て、手近にある少々お粗末な道具を使ったという筋書きも、説得力を欠いています。それに、あなたの描いた人物像は、生存本能が非常に強く、誰を利用すべきか、避けるべきか、どの時点でどこまでやっていいのかを、的確に判断する力を持っているように思えます。激しい殺意を抱いているパートナーの心を読み違えることはないでしょう」口調に迷いをにじませて、「どうもしっくりと来ませんな。なぜそういうことになったのか、筋道立ててご説明したいところなのですが」

「わたしも、坐りの悪いものを感じています。筋道が見えないんです」

一瞬、ブライヤーがためらいを見せた。「見たくないという気持ちもあるのかもしれませんな。わたしの立場から、少し補足しておきましょう。

ノヴァク氏は常に刺激を求めるタイプです。そして、その鈍麻した感覚を奮い立たせるのは、コカインだけだったのでしょう。だとすれば、発見されたとおりの死を迎えた可能性も、パートナーの殺意を読み損なった可能性も、ないわけではありません」また言葉をとぎらせる。その先を言うべきかどうか、迷っているらしい。やがて庇護《ひご》者めいた口調で、「こんなことがあなたの身に起こったのは、たいへんお気の毒です。真実がどうであれ、これ以上あなたの苦痛が増さないことを祈ります」

ソール・ラヴィンの勧告を思い返しながら、束の間《つかのま》、ステラも口をつぐんだ。「これ以上増すとは思えません」

検察局に戻ると、職場がいつになくあわただしく見えた。制服警官がふたり、ステラのわきを抜け、狭い廊下を駈けていく。チャールズ・スローンのオフィスの外にある秘書室では、スティールトンの人口構成を反映したあらゆる民族の秘書たちが、多様な言語で忙しさへの憤懣《ふんまん》をぶちまけ合っていた。煮詰まったコーヒーの匂《にお》いが漂っている。スローンのオフィスに入って、ドアを閉めた。ふたりの反目の噂《うわさ》は、ブライトの後釜《あとがま》争いの下馬評とともに、すでに局内に広まっている。ステラとしては、これ以上事態を悪化させたくなかった。

スローンが視線を向ける。精いっぱい感情を排した口調で、「わたしに何か用かな、殺人課長？」

ステラは勝手に腰を下ろした。「ノヴァクの件で、応援が必要なの」

スローンが目をすぼめる。「どんな応援が？」

「現場のようすがどうしても不自然に思えるの。ダンスもそう思っている。ノヴァクに変態行為の相方がいなかったと仮定すると、純然たる謀殺でしょう」

にべもなくスローンが答えた。「だから、ナサニエル・ダンスがいるんじゃないか」

「それだけじゃない。ノヴァクが裁判で不正をするのを、誰かが後押しした節があるの。ソール・ラヴィンもジョニー・カランも、同じ疑いを持っている。常習ということではなくて、いくつかの大きい裁判で」

「『誰か』とは？」冷ややかな声。

「警官かもしれない。ジョージ・フラッドの事件を覚えている？」ふたりの目が合った。

「五キロのコカインがあっさり消えるなんて、そうそうあることじゃない」

返事はなかったが、記憶に残っていることは目つきでわかった。「フラッドは人殺しだったわ。ノヴァクの依頼人のなかには、ほかにもそういう人間がいた。ノヴァクがもう一度〝奇跡〟を起こすと約束して、それを果たせなかったとしたら？」

スローンが膝《ひざ》を乗り出す。「事件の起こった晩、きみは、アーサーの選挙資金を調達したジャック・ノヴァクが、ヴィンセント・モロのおかかえ弁護士だったとほのめかした。そして今度は、ノヴァクが麻薬絡《がら》みの裁判で不正を働いたと言う。アーサーの頭に銃口を突きつけているようなものじゃないか。いっそのこと、トム・クラジェクの運動員に鞍替《くらが》えしたらどうだ？」

ステラは怒りを抑え込んだ。「カラン、ラヴィン、わたし。この街でジャック・ノヴァクの行状に疑いを抱いているのが、その三人だけだとは思えない。外部の人間に真相を突き止められたほうが、都合がいいというの？　例えば〈スティールトン・プレス〉に？」声にいやみを込める。「わたしはあなたみたいに世知に長《た》けてはいないけれど、愚直さは報われるとずっと思ってきた。せめてそれを選択肢に含めてもらえないかしら」

スローンがにらみつけた。「わたしの唯一《ゆいいつ》の関心事は、アーサーを市長に当選させることだ。彼の愚直さが、きみの自己満足以上の報いを得られるようにね。縁もゆかりもない死んだ弁護士より、わたしにはそのほうがよっぽど大事だよ」息を継いでから、噛《か》みつくように、「鏡でものぞいて、とくと自分の立場を考えるんだな」

顔が熱くなるのがわかった。懸命に感情を抑えて、「それもいいけれど、いっしょにアーサーのところへ相談に行くというのはどうかしら？」

休みを知らないスローンの動きが止まった。ステラの言葉に、いちばん脆《もろ》い部分——アーサー・ブライトと自分だけの世界が侵食されるという懸念《けねん》——を突かれたようだ。不快感もあらわに、「アーサーは子守じゃない。市長候補なんだぞ」

「だったらなおさら、ふたりだけで決めるわけにはいかないでしょう」

スローンがハンバーガーの包み紙を小さく丸めてから、ゆっくりと手を開いて、その残骸《ざんがい》をじっと眺める。やがて、観念したように、「何が望みだ？」

「ジャックの裁判記録を選別するのに、書類の扱いに慣れた人の応援が欲しいの」一瞬迷ってから、「犯罪組織に通じた人なら、なお助かる。ダンスの専門ではないから」

「〝応援〟か」スローンの口調は、穏やかながら棘《とげ》を含んでいた。「われわれがアーサーを〝応援〟していることを、ついつい忘れがちで、困ったものだ」

ステラは取り合わなかった。スローンが顔をそむける。守勢に回ったときは、目を合わせるのも耐えられないらしい。気乗りのしない声で、「提供できる〝応援〟は、マイケル・デル・コルソの時間を少しだけだ。ほんの少しだぞ」受話器を荒っぽくつかみ上げてから、その手を宙で止め、もう一度ステラに目を据えた。「この件に関して、きみがやることは、全部知らせてもらう。逐一、細大漏らさずだ」

ステラは退室し、自分のオフィスに戻った。もうひとつ別の問題が、それもいちばん気の重い問題があった。しかし、スローンのおかげで、それと向き合うことができるのだ。


妹の家に到着するころには、夜の八時近くになっていた。

ケイティ・ダーウィンスキーがドアをあけた。「どうぞ」

赤みがかった髪に、ずんぐりした造作。母をそのまま太めにしたような容貌《ようぼう》だった。しかし、歓迎も敵意も示さないその口調は、誰にも似ていない。無関心こそ最もわが意に沿う態度だと心に決めて、そういう話しぶりを努めて身につけたのだろう。

それは、母が死に、父が病んで以来、妹が引きこもりがちな暮らしを送ってきた事実と軌を一にしていた。ワルシャワを離れ、狭い庭のある五〇年代風の農家が並ぶ郊外に引越したことさえ、ある部分では、両親の家を売り飛ばした冷たい姉への当てつけなのだろう。家族を捨てた姉が、今度は家族の根っこを断ち切るために帰郷したという認識を、ケイティは隠そうともしない。同じ両親のもとで育ったわずか三つ違いの姉妹が、共有してきたすべてのもの——両親、家庭生活、果ては単純きわまりない記憶まで——に対して、仇《かたき》同士のように正反対の見解を持つことが、いまだに不思議でならなかった。

ケイティのあとについてキッチンへ向かう途中、居間から罵声《ばせい》が聞こえた。「何をびびってやがるんだ」義弟の声だ。「へなちょこの、腰抜けの、給料泥棒め」

ステラは居間の入口で足を止めた。スティールトンからバスケットボールのチームが消えて以来、ほとんど関心を払わなくなったせいで、ボビーが熱狂的なファンだということを忘れていた。フォードの工場の同僚らしきふたりの男が、いっしょに観戦している。罵倒の対照になっているのは、案の定、派手な宝飾品と大口叩《たた》きで有名な高給取りの黒人のポイントガードだった。

ボビー本人は、お世辞にも外見に気をつかっているとは言えない。たるんだ腹、フー・マンチューもどきの髭《ひげ》、家の中でも外でもかぶっているスティールトン・ブルーズの野球帽。ミラー・ビールの広告に出てくる放浪者のようだ。それでも、子どもがふたりいるのだから、妹はボビーとの性生活を受け入れているらしい。その場面を想像すると、ステラはいつもぞっとさせられた。妹のためにも、それが正常位で行なわれないことを願うばかりだ。

目を上げたボビーが、ステラの姿をとらえた。いつもの挑みかかるような笑みが浮かぶ。「ああ、ステラお嬢さん」郡検事補の優雅な暮らし向きにあてつけたその呼称は、同時に、義姉の訪問の目的を推したうえで、すばやく張り巡らした防御線でもあった。

ステラはきまりの悪さといらだちを覚えた。

「ステラ姫と呼んで」と受けてから、さらに愛想よく加える。「こんばんは、ボビー」

礼節を取り戻したボビーが、友人たちに〝義理の姉で、次期郡検事〟だと紹介する。簡単なあいさつのあと、男たちの関心が試合に戻ったので、ステラはケイティに続いてキッチンへ入った。

「コーヒーでいいわね」と、ケイティ。

二客のカップにコーヒーが注がれると、ふたりはキッチンのテーブルについた。陶製の鷲《わし》と、温和な表情を浮かべた農夫たちの小さな立像が飾ってある。ステラはまた同じ思いにとらわれた。この飾りつけは、ケイティ版の家族物語の骨格をなす架空のポーランドに由来するものだ。これよりは、ウォトカの甖《びん》を描いた静物画と、閉鎖された製鋼所の模型のほうが、よほど真実に近いだろう。

ぎこちない沈黙が訪れ、ケイティのほうが先に折れて、おずおずと質問した。「あちらのようすはどう？」

「ええ、上々よ。先々週の日曜日には、ゲティスバーグの演説を丸ごと暗誦《あんしよう》したくらい。あの人にそんな素養があったなんて、すっかり忘れてたわ」

眉《まゆ》をひそめた妹を見て、ステラは、この家にそういう皮肉を持ち込んだ自分を諌《いさ》めた。口調を和らげて、「相変わらずよ、ケイト。もう何カ月もしゃべらない。あの人の声がもう一度聞けるかどうか、あやしいものね」

「でも、体調はいいんでしょう?」

「とてもね。そう聞いてるわ」

ケイティが時間をかけてコーヒーを飲み、カップを注意深く受け皿に戻す。「姉さんは家を売ってしまった。看護師もくびにした」

ステラはどうにか自分を制した。「あの人の命をつなぐ手段のひとつとして、やったことでしょう。あなたも承知してるはずよ」

「承知した覚えはないわ。何もかも、姉さんが決めたことよ」

昔から、妹との会話は意思の伝達ではなく、果てしない論戦に傾きがちだった。「誰かがやらなくてはならなかった。中学校の代数の問題と同じよ。あの人があとどれぐらい生きられるか、費用はどれぐらいかかるか。ただし、正確な答えは誰にもわからない」

ケイティがことさら慎重な手つきでコーヒーにクリームを足し、入念にかき混ぜる。「姉さんにはわかってるんでしょう。でなけりゃ、ここへ訪ねてくるはずないもの」

そうね。ふいに怒りを覚えたステラは、胸の内でつぶやいた。あの人と同じように、身を潜めていたいところよ。抑えた声で、「押しかけて悪かったわ。でも、父さんは息をし続けるし、治療費はかかり続ける。それはどうしようもないの」

ケイティが顔をゆがめた。「わたしたちはみんな、息をし続けてる。姉さんが家を出てからも、ずっと息をしてた。姉さんが新聞の見出しを飾ってるあいだに、わたしはボビーと結婚して、子どもを産んだ。でも、請求書を送りつけたりはしなかったでしょう」

その言い分の不当さが、ステラの胸をえぐった。「あなたは、両親に選択を迫ることだってできたはずよ。『ステラが来ないなら洗礼式は中止』とかね。わたしは遠ざかりたくて遠ざかってたんじゃない。あなたがあなたの言う〝家族〟にとどまるために、遠ざかってる必要があったの」息を継ぎ、声を低くして、「わたしたちは今でも家族よ。でも、もう父さんの裁定を仰ぐことはない。あの人はあなたの顔も覚えてないし、自分で用足しもできない。だけど、わたしもあなたも、世話をしてやれないでしょう？」

ケイティが腕を組んだ。「世話が必要なのは、父さんだけじゃないわ。デブとジミーだっているの」忍耐も限界だと言いたげな声で、「この先、ボビーの年収が九万ドルになる見込みはない。姉さんには関係ないでしょうけど、公立学校って最悪なの。子どもたちのためを思うと、高いお金を出しても、聖名会の学校に通わせるしかない」

カップを置いたステラは、躊躇《ちゅうちょ》する気持ちとまだ闘っていた。「べつに自分の姪《めい》と甥《おい》を暗黒時代に委《ゆだ》ねるつもりはないわ。わたしがどんなに頼みごとが嫌いか、知ってるでしょう。ほんの少し、応援が必要なだけ。永遠に続くわけじゃない」

「そうかもしれない。でも、姉さんはお医者さんと話して、二〇〇一年までは続くと踏んだわけでしょう？　だから、郡検事選挙のための資金を確保しておきたい」

ケイティにも、邪推を働かすぐらいの頭はあるらしい。「ずいぶん単純な話になってきたわね。もう父さんの問題なんかじゃなくて、母性と野望の一騎討ち。わたしの役どころは身勝手な性悪女？　ケイティ・マーズ作の私小説風ホームムービーだわ」

出し抜けにケイティが立ち上がった。「姉さんは両親を捨てた。わたしたちみんなを捨てたのよ」声の震えと闘うように言葉を切ってから、「ロースクールに行って、独り立ちした。おかげで今、父さんの面倒を見られるだけの収入を得てる。わたしに言わせれば、そんなの最低限の務めよ」低くなった声に、悪意がにじむ。「それとも、世話に時間を取られて、小切手を切る暇もないのかしら」

ステラは、体内でダムが決壊するのを感じた。私利と慎みで築いていた最後の抑制が崩れたのだ。ただ優越感だけが、罵倒ではなく、侮辱という手段を選ばせてくれた。「子どものころのことをよく思い出すの。わたしが賢い姉、あなたが気立てのいい妹という配役は、なんて不公平だろうと思ってた。頑張りさえすれば、わたしのほうはどんなチャンスでもつかめるんだもの。賢い娘は独り立ちできるけど、気立てのいい娘は家に縛られるしかない。

でも、それは考え違いだった。あなたは、人目につかないところで気を抜く程度には賢くて、恥を感じるほどには気立てがよくない」立ち上がって、妹と向き合う。「あなたが今のあなたになったのは、わたしのせいじゃない。もうあのふたりのせいにもできないわ。あなたを作ったのはあなた自身。自分で今の自分を選んだのよ」

ケイティが怒りに身をこわばらせた。「帰って」うめくように言う。

唐突に、子どものころの記憶がよみがえった。悪夢にうなされた妹が、ベッドにもぐり込んできたときのこと。あのころから、ケイティは、姉には甘えが通用すると知っていたのだ。しかし、時間をさかのぼることはできない。

ステラは言った。「残念ね。お互いにとって残念」

背を向けて、妹の家を辞した。この先、父が死ぬときまで、ふたりが言葉を交わすことはないだろうと確信しながら。

9

ステラとマイケル・デル・コルソは、スティールトン・スクエアにあるベンチに腰をかけて昼食をとっていた。広場のわきには、鳩《はと》の糞《ふん》で汚れたポーランド建国の父ピウスーツキ元帥《げんすい》の銅像がある。季節はずれの暖かさに恵まれ、広場のあちこちにホットドッグや焼きたてのプレッツェルを売る屋台が出ていた。ガラス張りの高層ビルと、三〇年代から風雨にさらされてきたビルとが、風景の中でちぐはぐに絡《から》み合い、それぞれから、厳寒の合間の和らぎに惹《ひ》かれて、勤め人の群れが吐き出され、疑いと喜びの入り混じったまなざしを真昼のあえかな陽光に向ける。ステラはプレッツェルを口に入れた。

ポーランド風ホットドッグのひと口めをかじってから、マイケルが言った。「ヴィンセント・モロが人と会うときは、こんな感じだと思いますよ。屋外なら盗聴されないし、立ち聞きされる危険も少ない。ただし、日が落ちたあと、警官が目をつけないような場所を選ぶでしょうが」ちぎったパンを鳩に投げて、「それでもなお、相手が裸でなければ、銃か盗聴器を忍ばせている恐れがある」

ステラはアップル・ジュースを飲んだ。「被害妄想ね」

「自律の賜物ですよ」マイケルが訂正する。「気をゆるめず、飲みすぎず、誰も近づかせない。第一の鉄則は、〝知らない人間とは付き合うな〟。長年付き合った人間も信用しない。裏切りそうな相手は、その機会を与えず始末する。そこまでの警戒心をあれほど長く保てる人間がほかにいないからこそ、生き残れるんです」

ステラはもっとつぶさに相手を観察した。身長百九十センチほど。体格のよさと折れた鼻から推して、大柄で向こう見ずな少年のころ、フットボールのコーチに見込まれて、ラインを死守しろと言われたのかもしれない。しかし、三十代半ばにして、真っ黒な癖毛には白いものが混じり、贅肉《ぜいにく》がつき始めたその動きの少ない体からは、拙速を戒める自制心が感じられた。黙想しているような半眼ぎみの黒く澄んだ瞳《ひとみ》が、いかにも過酷な現実と対峙《たいじ》してきたその風貌《ふうぼう》を際立《きわだ》てている。と、急にひとり笑いを始めたマイケルの顔が、少年のようにほころび、ステラが受けた寂しげな印象──感傷的で世事にはまったく疎《うと》いという予断──が消えてなくなった。

「モロを闇《やみ》の帝王風に仕立てておけば、局でドン・キホーテ役を務めるぼくにも、箔《はく》がつきますからね」

自嘲《じちょう》の言葉に、ステラは虚を突かれた。「わたしが捕まえるには大物すぎるというわけ？」抑揚のない声で言う。

マイケルが間合を測るような目をした。「捕まえるなら、連邦捜査局でしょう。あなたの役目じゃない。特に、モロとなんの関わりもない殺人の容疑では」

「なぜ、わたしじゃだめなの？　あなたにも捕まえられない相手だから？」

意図したよりもきつい反応になった。マイケルの目に、我のぶつかり合いを感知したような、愉快げな表情が浮かぶ。「わかりました。とりあえずノヴァクは吊《つ》るされたままにしておいて、ヴィンセント・モロに話を絞りましょう」

低く、荒っぽく、平べったい声。実用本位の英語しか話さないイタリア系一世の親の影響だろうか。ノヴァクの死にざまに対する揶揄《やゆ》が、そのせいでかえって強烈に響く。「モロはまあ、手の届かない存在と言っていいでしょう」淡々と話を続けて、「じかに会える人間は、せいぜい三、四人。モロはその連中を、ほとんど命がけで守ってます。少なくとも、処刑する必要に迫られるまではね。骨の髄までマフィアなんです」

ホットドッグは手に握られたままだ。「四十何年か前、モロは高校をやめて、ギャングの下で働き始めた。数年後、蠟燭《ろうそく》の灯る秘密の部屋に連れていかれた。時間や場所には、たいして意味がありません。数世紀にわたって同じ儀式が続けられてるんです。ギャングたちはモロの右手に聖人のカードを握らせて、火を点ける。炎が消えるまで、モロはカードは握り続ける」初めて短い笑みをステラに投げて、「ゴッドファーザーの世界ですよ。絵空事に聞こえるんだったら、折を見て本人と握手をしてみるといい。

火傷《やけど》の痕《あと》で引き攣《つ》れた指が拝めます」

ステラはもうひと口、プレッツェルをかじった。マイケルがモロを語るときの、親しみにも似た口調が、ジョニー・カランを思い出させた。マイケルまでが、モロの幼なじみのような……。ノヴァクのオフィスでモロに会ったことは、伏せておいた。あの晩は部屋が暗くて、記憶に刻まれたのはモロの手ではなく、目だった。

「次に、ギャングたちはモロの指を突き刺す」マイケルが平然と続ける。「まだ指から煙が出ているうちに。裏切りが死を意味することを、心に刻ませるためです。もちろん、モロはすでに掟《おきて》を心得ていた。スカリーシ・ファミリーに加わる唯一《ゆいいつ》の道は、指定された人間を、誰であろうと殺すこと。モロの場合、自分のいとこが標的でした。

彼はマフィアの掟を学び取り、今もそれに従って生きています。モロの部下たちは、裏切りが死を招くことを知っている。殺されないためには、先に殺すしかない。モロがティノ・スカリーシを殺したように」手にしたホットドッグを再発見したように、しげしげと見て、「みずからスカリーシに授けた教訓を、モロはけっして忘れないでしょう」

「モロのことを、よく知っているみたいね」

鳩の群れを眺めながら、マイケルがホットドッグをかじり、時間をかけて咀嚼《そしゃく》した。

ステラがこの捜査官について知っているのは、職務に関わる経歴だけだ。法律と会計の学位を持っていること。検察局の尖兵《せんぺい》として、ホワイトカラー犯罪と組織犯罪という手ごわい敵と、丸六年闘ってきたこと。しかし、ステラの目には、労働者風のところと品のいいところ、尊大さと繊細さが同居する人間、ほの暗い諧謔《かいぎゃく》を弄《ろう》する男として映った。モロに対する姿勢にも、その両面性がうかがえる。職務上の敵対心が、もっと深い親しみ――敬意に近いか、ことによるとそれ以上の感情――とせめぎ合っているのだろう。

ステラのほうを向いた。「ぼくはリトル・イタリーで育ちました。みんながヴィンセント・モロに一目置いてた。それは、単に怖いからじゃなく、金を借りたり、職を世話してもらったりしてるからでもない。みんなが彼をよく知ってて、彼もみんなのことをよく知ってるからです」声を和らげて、「モロの父親は、うちの父と同じシチリアの出でしてね。ぼくが初めてモロに会ったのは、彼が出資したリトル・リーグのチームにいたころです。それまででいちばん大きいホームランを打って、地区大会に優勝したときだった。試合のあとでモロが、ヨギ・ベラのサインが入った古いボールをくれて、ぼくのプレイを称賛したんです。彼はわざわざ名乗ったりはしませんでした。こちらだって、きく必要はなかったけど」

「モロは、あなたがずっとそれを覚えていることを知っていた」

マイケルがうなずく。「彼は、人の弱点と、人の引き寄せかたを知ってます。でも、それだけじゃない。彼にどう思われるかが、誰にとっても大きな問題になる」

ステラはまた好奇心に駆られた。「あなたはどうして、引き寄せられなかったの？」

マイケルの口もとを笑みがよぎる。「ロースクールですよ。ぼくの両親は、善と悪に対する強い意識を持ってたんで、自然の流れとして、よきカトリック教徒である息子は、法は万人のためのもの、そうあるべきものと信じるようになった」ふたたび広場のほうに目を凝らして、「誰にでも、自分の中に住まわせたくない感情というのがあるはずです。麻薬や女性を売り物にするばかりか、私利を守るために人も殺すような男をあがめるのは、無知でいるより始末が悪い。悪徳です」

その口調に突然加わった峻厳《しゅんげん》さが、ステラの心をかき乱した。もしかすると自分がルールに固執するのも、おのれを蔑《さげす》む気持ちの表われなのだろうか。ジャック・ノヴァクが鏡の中に示して見せた頽廃《たいはい》から、身を守ろうとする意識が働いているのか。もしかするとマイケルも、自己を知ったがために、同じような恐れを抱いているのか。

「モロは、人のいちばん卑《いや》しい部分につけ込みます。例えば、高級売春婦の派遣事業。モロのリムジン・サービスが女たちを客先に送り届けて、セックスの代金を支払う客に、麻薬まで売りつける。金のある実業家とか政治家とか、大物の客になると、女が別のアパートに連れていく。そこの寝室の壁には小型ビデオカメラが仕込んである。事が終われば、口の軽くなる客もいるでしょう。だから、録音装置も備わってる」憤《いきどお》りより、うんざりした気持ちが表われた声だ。「それが恐喝の材料になる。変態的なセックス、コカインの使用、その哀れなかもがうっかり洩《も》らした言葉……。ところが、モロ自身はけって表に出てこない。金を取り立てるのは、配下の集金人たちの仕事なんです。われわれとしては、モロがリムジン・サービスの会社を通じて金の洗浄を行なっていることを証明するしかありません。でも、取引の記録は残されてないし、帳簿は改竄《かいざん》されてる。それに、リムジン会社の名義上の所有者は、モロの手下を売ったりすると自分の命が危ないことを知ってますからね」ふたたびステラに顔を向けて、「人間の弱みをフローチャートにしたようなものです。ただし、このチャートには終点がない」

耳を傾けるうちに、マイケルの落胆が伝わってきた。ステラ自身、たまに起こるマフィア絡みの殺人事件を訴追することがあったが、そういう場合、被告側はただアリバイを主張するだけで、殺人自体も単純きわまりないもの——金銭や権力を求めたり、感情を爆発させたりした単独犯によるもの——が多く、長期刑か、まれに死刑の判決をもって決着がついた。それに引き換え、マイケルは、腐敗しきった泥沼のような場所で職務に取り組むなかで、モロの有罪を立証することへの絶望感を募らせてきたのだろう。

「なのに、あなたはなぜ頑張るの？」ぶしつけにきいてみた。

マイケルが肩をすくめる。「実存に関わることだからです。生きることが大問題であるかのように生きろと言ったのは、サルトルだったか、カミュだったか」

冗談めかした言いかたの裏に、失望ではなく、もっと根源的なものが隠されているような気がした。自分の中の最善の部分をまっとうしようという、移民の息子の意固地な決心。それが、自分の中の最悪の部分を恐れる気持ちと結びついたとき、その恐怖が魂に忍び込むことがあるのを、ステラは知っていた。

「モロの麻薬組織のことを教えて」

胸を突き出して歩き回る鳩に、マイケルがホットドッグの残りを投げてやった。「もうかなり詳しいんじゃないですか？

仕組みは簡単です。モロを守るために作られてる。頂点にいるモロは、右腕のフランク・ファルコとしか話さない。ファルコが元売りの連中と取引をする。モロがその連中と顔を合わせることはない。

東地区の元締めのジョージ・フラッドと、あなたが会ったハイチ人の売人――消されたデノアイエの例で考えましょうか。

モロにとって、フラッドという黒人は欠かせない存在です。イタリア系からラテン系、アジア系、ほかの黒人たちに卸す拠点ですからね。でも、フラッドはファルコとしか接触せず、デノアイエはフラッドとしか接触しない。

デノアイエの下にいる末端の売人たちは、頂点から数えて五番めの層になります。頂点にいるモロには、われわれの手が届きにくい仕組みになってる。ノヴァクの役目は、依頼人の口をふさいでその仕組みを支えることです。しかし、ジョニー・カランも抜け目がない。末端の売人の口をどうにか割らせて、デノアイエの名前を引っ張り出した。

そして、駐車場でデノアイエを締めあげて、フラッドに迫ろうとしたわけです。モロがそんなことをさせるわけがない。デノアイエの口からフラッドの名前が出てしまうと、次はフランク・ファルコの番ですからね。もちろん、フラッドもファルコも、モロの名を口に出すほどばかじゃないけど、危険が近づきすぎてることに変わりはない。だから、デノアイエとしては、司法取引をしたいとノヴァクに持ちかけた時点で、命運が尽きたわけです。

ノヴァクはただ、モロに注進するだけでよかった」ぱちりと指を鳴らして、「あっという間に、ハイチ人は死んだ。十四年経った今でも、あれが、モロと麻薬を結びつける最も濃い線でした。ノヴァクの忠誠心の記念碑ですよ」

最後の言葉に込められた強烈な侮蔑《ぶべつ》の響きが、ステラを一瞬身構えさせた。かつてノヴァクの下で働いていた人間に対して、暗に疑問を投げかけているのだろうか……。その考えを振り払って、「じゃあ、モロに関する情報はどこから入手するの？」

「おもに、FBIですね。人手も、技術や設備も、われわれとは比べものになりません。捜査官の数、監視、盗聴、ビデオカメラ、情報提供ネットワーク、ファルコのような人間が誰と連絡を取ってるか、どんな事業と関わってるかという記録。えらく精確なモロ・ファミリーの組織図さえあります。でも、知ってるからといって、それを立証できるとは限らない。つまり、モロとファルコが自家用機に乗り込む姿は撮影できても、いった飛行機が離陸してしまえば、機内でどんな相談がなされてるか、聞くことはできません。だから、モロは飛行機を使う」もどかしさに押されるように話す速度が上がり、粗野な感じの口調に辛辣《しんらつ》さが加わった。「それに引き換え、こちらの手勢はというと、アーサーと市警の面々、それに、ジョニー・カランぐらいですね。ひいき目に見ても、モロにとって目障《めざわ》りな存在という程度で、場合によってはやつの手助けをしてます」

「どういうこと？」

「麻薬の世界は、自然淘汰《とうた》の法則に支配されてます。しぶとくて頭のいい者だけが生き残る。とはいえ、桁《けた》違いの金が動く場所だから、〝上昇志向〟のある悪党どもはみんな、分け前に与《あずか》ろうとする。ここでまた、ジョージ・フラッドの縄張りである東地区を例に採りましょう。何年か前まで、フラッドの悩みの種はハーレル・プリンスだけだった。カランが葬《ほうむ》った黒人です。それが今では、いくつものごろつき集団を相手にしてる。ブラッズ、クリップス、ヘルズ・エンジェルズ。ほかにも、スキンヘッドども、黒人ども、大勢のジャマイカ人ども。古いしきたりを重んじない連中です。モロはときどき、何人かを始末しなくちゃならないし、われわれが代わりにそうすることもある。なにせ、そういう連中は素人の集まりでしかなくて、モロみたいな緻密《ちみつ》な流通網を持ってません。流通網とは、駐車場、リムジン、倉庫、売春宿、それぞれを運営する人材。さらに、アーサー・ブライトの追及をかわすために鼻薬をかがせた、警官や判事や廷吏などの人脈のことです。そういう後ろ盾のない予備軍なら、アーサーも手が届く。だけど、ＦＢＩはわれわれを信頼してないし、われわれの働きを重んじてもいません」

自分の苦々しい口調が耳についたかのように、マイケルが唐突に口をつぐんだ。ベンチに坐《すわ》ったまま、背を丸めている。若きフットボール選手というよりは、自分の属する階級で今以上の位置には行けないと気づいたボクサーのようだった。自分を規定してきたスポーツに嫌悪《けんお》を感じながら、それを認めるのを恐れているボクサー……。やがて、肩をすくめたマイケルを見て、ステラは考えすぎだったかもしれないと思った。

「じゃあ、マフィアが弱体化していると言われるのは……」

マイケルはしばらく答えなかった。ふたたび口を開いたとき、その声は前より穏やかになっていた。「弱りかたが非常にゆっくりしてるということでしょうね。でも、ラヴィンがあなたに話したことは当を得てます。弁護士と末端の売人にかかる重圧のせいで、ＦＢＩは、ギャングたちにとっていっそう手ごわい相手になった。それに、盗聴技術と証人保護プログラムのおかげで、二十人もの人間を殺したと言われるサミー・〝猛牛〟・グラヴァーノみたいな人間でも、自分のボスを売れば、新しい顔と新しい暮らしを手に入れることができる。ＦＢＩは要するに、モロを出所のフリーパスにしようとしてるんです」また声をあげて笑う。「だから、モロの息子のニックが、不法行為の授業でぼくと机を並べることになったのかもしれない。でも、それは同時に、モロがノヴァクを吊るし首にしない理由にもなる。あそこまで道徳観念を欠いた人間は貴重だから、モロとしては失いたくないでしょう」

ステラはその言葉を反芻《はんすう》した。「何かの事情で、仮にモロがノヴァクを脅威に感じたとしたら？」

「ノヴァクがモロをゆすった、とでも？　あのノヴァクが？」侮蔑をあらわにしながら、マイケルが視線に力を込めたような気がしたのは、錯覚だろうか。「一時間前、麻薬取締局にいる知人に電話をしてみました。その言葉を信じるなら、ＦＢＩはノヴァクに関する情報を何も握っていなかった。それに、モロから金を受け取るほうが、モロを売るよりずっと気楽ですからね」

ステラは束《つか》の間《ま》、あの晩のジャックの有頂天ぶりを思い返した。コカイン消失という〝奇跡〟と、それに続くジョージ・フラッドへの起訴取り下げ……。ジャックには、明確な理解を拒む面がいくつもあった。孤独で、移り気で、おそらく空虚な心にみずからさいなまれていた男……。しかし、ステラは結果的に、逃げ遅れて傷を負いはしたものの、何を最優先させるべきかという判断において正しかった。高潔さにこそ価値があり、ジャックには高潔さのかけらもなかったのだ。

マイケルが腕時計に目を走らせて、「戻らないと」と、いきなり立ち上がった。

ステラは内心むっとした。マイケルの態度には、ブライトの副官のひとりに抱くべき敬意が欠けている。ステラはずっと前から、若い女性法務官として、不当に軽んじられる経験をいやというほど味わってきた。しかし、その一方で、じっくり構えて、ここぞというときに自己を主張すれば、それに反駁《はんばく》されることも、不当な扱いがふたたび繰り返されることもないと学んだ。

灰色の空の下、ふたりは無言のまま建物に入り、エレベーターに乗って、マイケルのオフィスに向かった。

戸口で立ち止まったステラは、室内に目を向けた。今まで、ここで足を止めたことはなかった。スチールの机、むき出しの壁、タイル張りの床。マイケル・デル・コルソの仕事場は、ステラのオフィス同様、殺風景で温かみのない場所だった。違いといえば、マイケルの背後にある脇机《わきづくえ》に載った小さな写真立てぐらいか。黒い瞳《ひとみ》とブルネットの髪の、はっとするほど繊細な美しさを持つ七歳前後の少女が写っている。この美貌《びぼう》は、どんな女性から受け継いだものなのだろう？　そのとき、ふと、ステラはマイケルが指輪をしていないことに気づいた。

「ノヴァクの記録に関して、今後もあなたの応援がいるわ。ノヴァクが職務上の理由で殺されたんじゃないことを確かめたいの。だから、わたしのやりかたに合わせて」

さりげなく放った最後の言葉は、こちらに合わせるのが義務であることを、相手に思い出させるためのものだった。マイケルの瞳に変化が現われ、わずかに目がすぼまる。ステラの意図を、そしてたぶん、それ以上のことを理解したしるしだ。つまり、ステラとチャールズ・スローンが競合関係にあること、そして、もしこの任務からはずれたければ、マイケルには駆け込む先があるということを。

「わかりました」マイケルが答えた。

10

ジャック・ノヴァクと別れて十三年後、ステラはかつての恋人のオフィスに坐《すわ》っていた。

夜の七時を少し回った時刻。窓のないこの部屋にいると、外界から引き離され、過去に幽閉された感覚に襲われる。十三年という歳月がすっぽり消え失せたかのように。

目の前には、数時間かけて過去の記録から選り出した五冊のファイルが積んである。ステラの管理下に置かれた正式の証拠物件だ。〝ジャン＝クロード・デノアイエ〟と書かれた一冊めの薄いファイルから、依頼人との面談録を抜き出した。今と変わらない几帳面《きちょうめん》な書体で、ステラ自身が記したものだ。『司法取引？』という走り書きに、下線が引いてある。

これを書いた二日後に、あのハイチ人が死んだのだ。

オフィスのドアが開いて、ナサニエル・ダンスが入ってきた。

大柄な体が収まると、接客用の椅子《いす》が小さく見える。両手を組み合わせて、いつもの無表情なまなざしをステラに向けた。

「何を見つけた？」

「ファイルを五冊。全部、あなたが麻薬課にいたときのものだと思う」ファイルを一冊わきに置いて、「これがジャン＝クロード・デノアイエのもの。ジョージ・フラッドを売りたがっていた売人。手がけたのはカランで、いきさつはわたしも知っている。ほかの四件に関して、あなたの助けが必要なの」

ダンスは何も言わなかった。その沈黙は、武器であると同時に鎧《よろい》でもある。スティールトン市警本部という薄闇《うすやみ》の世界、不用意に他人を信頼できない世界で培《つちか》われた習慣だ。

「五冊とも、フラッドの密売網に絡《から》むものよ。いちばん古い事件では、ジャック・ノヴァクがフラッドを、ソール・ラヴィンがフラッドの売人を弁護している」

ダンスが形だけの笑みを浮かべて、「わたしがその売人、ルイス・ジャクソンを逮捕したんだ。証拠は五キロのコカインだった」

ステラは手早くファイルを開いた。「そこで〝管理上の不注意〟が生じた。保管庫の誰かがコカインを廃棄してしまい、全員が釈放された。ソールの話だと、ジャクソンは司法取引に応じて、フラッドを売るつもりだったらしいわ」

ステラから目を離さずに、ダンスがゆっくりとうなずく。

「コカイン廃棄の許可を与えたのは、誰だったの？」

腕を組んだダンスが、「保管庫の記録では、被告が有罪を認めたという名目で、所定の許可が下りたことになっている。しかし、許可証そのものは、どうしても見つからなかった。だから、誰の過失なのかは不明のままだ」

「過失だったの?」

ダンスの視線は揺るがなかった。ステラの質問の意図を、ダンスが穿鑿《せんさく》することはないだろう。むしろ質問に答えながら、自分なりの結論を導き出そうとするはずだ。「警察の仕事に、過失はつきものだからな。この件もそうだったんだろう」

ステラは、それ以上追及しないことにした。「次の件も、ジョニー・カランの担当。カランが令状を取って、フラッド配下の別の売人が住んでいるアパートを捜索した。令状の申請書によると、匿名《とくめい》の通報者から、その売人がカウチにコカインを詰めているという情報が入った」辛辣《しんらつ》な笑みを口もとによぎらせて、「カウチからは何も見つからず、カランは売人の鍵《かぎ》を取り上げて車庫へ行き、車のトランクの中に、輸送の準備が整ったコカインを発見した。この件の審理を担当したのが、フリーマン判事。東地区の人権派のエース。その後のいきさつは、当然知っているでしょう?」

ダンスがまたうなずく。「フリーマンは、捜査に落ち度があったという理由で、その件を棄却した。カランは令状に記された権限の範囲を逸脱したんだ」

ステラはそのファイルを先の二冊の上に載せた。「できすぎた話よね」

ダンスが椅子に深く坐り直す。「モロが手を回して、フリーマンに担当させた、と？」

「あるいは、誰かがその売人に捜索の情報を洩《も》らして、令状の権限が及ばない場所にコカインを移動させたか。カランとしては、対処のしようがなかった。判事のところへ戻って、令状の捜索範囲を広げてもらったとしても、そのあいだにコカインは消えていたでしょう。少なくとも、過剰捜索をしたおかげで、現物を押収《おうしゅう》することだけはできた」

ダンスが椅子の腕に肘《ひじ》をついて、てのひらに顎《あご》を載せた。「担当の検察官は？」きかれなくても言うつもりだったが、きかれたことで、あらためてダンスの勘の鋭さを感じた。「チャールズ・スローン」

ダンスは低い笑い声を洩らしたきり、何も言わなかった。

「四件めも、捕まえたのはカラン、検察官はスローン。被告人はまたしてもルイス・ジャクソンで、コカイン所持の容疑。でも、今回、スローンは被告側に罪を認めさせた」無造作にそのファイルをいちばん上に載せて、「ルイスは一年務めて出所。労力としては、ディズニー・ワールドへ行くのとたいして変わらないわね」

「ノヴァクの弁護は？」

「前回と同様、違法捜査を主張。でも、申し立てに説得力がないうえに、判事がフリーマンではなかった」残ったファイルを取り上げて、「そして、最後の一件。ここでまた、あなたが登場する」

ダンスは、温和に映るほど悠然とした姿勢を保っている。「どの事件か、当ててみようか。ジャクソンの服役中のものだな。わたしは、フラッドに不満を持つモーガン・ビーチという売人を、ヘロイン密売のかどで逮捕した。そいつは司法取引でフラッドを売り渡すことに、喜んで同意した。ところが、ノヴァクが保釈金を低く設定させた。五万ドルかそこらだ。われわれは二度と、ビーチの顔を見ることはなかった」

克明な記憶それ自体が興味深かった。ステラはそのファイルをいちばん上に載せた。

「検察官が誰だったたか、覚えている？」

ダンスがうなずく。「スローンだ」

さらなる追及を待つような表情だった。しかし、ステラは話題を替えた。「そちらは何か見つけた？　ジャックには、ほんとうにああいう変態趣味があったの？」

ダンスが両手を組み合わせる。「ノヴァクは、同性愛絡みのポルノ商品や緊縛趣味の雑誌を手に入れるための私書箱を持ってはいなかった。皮革製品を扱う店で目撃されたこともない。秘書や仕事仲間や隣人たちの誰ひとりとして、ノヴァクがああいう〝演出〟にのめり込んでいたとは考えていない」けだるそうに肩をすくめて、「のめり込んでいたのは、コカインとビデオだよ。部屋からも別荘からも、ごっそり出てきた。あらゆる種類の男と女が、集団であらゆる種類の痴態を演じるたぐいのものだ。ただし、同性愛者や子どもや動物は登場しない」

心ならずも、ステラはあの湖畔の別荘で過ごした最後の週末を思い返した。「ジャックが携わっていた案件については？」

「最近の案件か？　目新しい情報はない。大きな訴訟も厄介事もかかえていなかったようだし、垂れ込み屋からも、特に変わった話は聞けなかった。ヴィンセント・モロと揉《も》めていた節はない。動機が何であれ、あれが私的な殺人ではなかったことを示すものは見つかっていない」

「では、彼を殺す〝私的な〟動機を持っていたのは誰かしら？」

ダンスが鋭い視線を投げてよこした。「ミッシー・アレンのような人間のほかに？　さっき、ケイト・ミチェリと話してきた。ノヴァクのアパートメントで見つかった指紋は、ノヴァク、ミッシー、それとチェコ人の家政婦のものだけだった。片方のグラスも、睾丸《こうがん》を切り取ったナイフの柄も、きれいに拭《ぬぐ》われているらしい。ミッシー・アレンがやった可能性もあるが、だとすると、ノヴァクの協力を得たうえでスツールを蹴《け》飛《と》ばしたとしか考えられない」息を継いでから、おもむろにきく。「あのお嬢さんが、そこまでノヴァクを憎んでいたと思うか？」

答えずにいると、ダンスの視線が積まれたファイルのほうへ移った。「そこにあるのは古い事件だ」

「ここにあるのは、つぶされた事件よ。うち一件では、人が殺されている」

ふたりの視線がふたたび合う。ダンスが口を開いて、「ジャン＝クロード・デノアイエか。その魂に安らぎの訪れんことを。オノンダガ川でやつが発見された直後に、家族は街を離れた。もうやつのことを気にかける人間は、いや、思い出す人間さえ、スティールトンにはひとりもいない。あんたを除けば」

「あなたもそうでしょう」とステラは胸の中で付け加えた。「調べたのね」

ダンスがうなずく。「きのうだ。わたしもデノアイエのことを思い出した」

もう意外には思わなかった。積んだファイルに片手を載せて、「じゃあ、この五件を陰で操ったのは誰？　ジャックのほかに」

ダンスが膝《ひざ》を乗り出す。「共同謀議ということかな。ノヴァク、カラン、スローン、フリーマン判事、署の保管庫の人間、それにわたし。月に一度、集まって打ち合わせをした。そうそう、アーサーも出席していたよ」

ステラはざらついた笑い声をあげた。

「共同謀議の線は薄いだろうな」ダンスが表情も変えずに言う。「手がかかりすぎる。あんたは古いファイルを五冊手に入れ、うち三冊にチャールズ・スローンの名があった。だから、どうだというんだ？」

「わたしには偶然だと思えないの。五件続けての偶然なんて、少なくともありえない。誰かが悪事に加担している。そのおかげで、フラッドはいまだに商売を続け、ヴィンセント・モロのためにせっせと稼いでいるんでしょう」

ダンスの目つきが険しくなった。「あんたは殺人課の課長で、われわれは殺人事件の捜査をしているんじゃなかったのか。今の話は、私情というか、政治的なものが絡んでいるような気がする」

ステラは肩をすくめ、相手と目を合わせてじっと待った。その涼やかな沈黙が、ダンスに市警刑事部長という自分の立場を思い起こさせた。「カランはなんと言っているんだ？」ようやくダンスが尋ねる。

「警官である可能性はあるけれど、自分にはわからない、と」

何か別のことを考えるように、ダンスはステラの背後に目をやった。「思い当たるのは、ひとりだけだな。しかも、死んだ人間だ」

「誰？」

答えるべきかどうか、しばらく迷ったあと、「古株の刑事で、ステックラーという男だ。〝五セント玉〟と呼ばれていた」

「どうして、怪しいとわかったの？」

「複数の垂れ込み屋から情報が入った。五セント玉が売人を挙げて、その麻薬を自分でさばこうとしている、と」ステラに向き直って、「その後すぐに、売人がふたり、死体で発見された。それぞれの部屋は、市警が捜索にかかる前にくまなく家捜しされていた。

どちらも、モロとつながりのないフリーの売人で、報復される危険性は低かった。それに、警官の関与をにおわせる要素があった。記録や盗聴器や垂れ込み屋を利用できて、ほかの警官から情報を入手できる立場の人間ということだ。だが、五セント玉は尻尾《しっぽ》を出すようなばかじゃない。上司の警部としては、やっと誰かを組ませるぐらいしか、打つ手がなかった」

ステラはじっと相手を見つめた。ダンスの目がわずかにすぼまる。かつての緊張が胸によみがえり、危機感が再現されているらしい。

「あなたが組まされたのね」

ぼんやりとネクタイの結び目を絞るしぐさが、いつものダンスらしくなかった。「五セント玉のもとに、デヘーススという売人が大量のヘロインを扱っていると垂れ込みがあった。そこで、ある晩、わたしたちはふたりで出かけて、そいつを逮捕した。デヘーススが持っていたのは安手の小型拳銃《けんじゅう》と、ダウンタウンのバスターミナルにあるロッカーの鍵だけだ。五セント玉はデヘーススの頭に銃を突きつけて、ロッカーの中を〝見せていただけないか〟と言う。

令状は取っていなかった。だが、デヘーススに手錠をかけ、車の後部座席に押し込んだところで、五セント玉がこうつぶやく。『こいつは同意したよな、ナット。つまり、判事がおれたちとこのくず野郎とどっちを信じるか、ってことなんだが』

わたしは返事をしなかった。何が起きるか、もうわかっていたからだ。

真夜中過ぎで、ターミナルにはほとんど人がいない。五セント玉からデヘーススを見ていろと言われて、わたしは車に残る。痩《や》せこけたデヘーススの顔は、寒い晩だというのに汗だくだ。ロッカーから何か出てきたら、こいつはおしまいなんだとわかった」

ダンスの意識は、その現場に行ってしまっているようだ。「戻ってきた五セント玉が、不機嫌な声で『何もない』とだけ言った。それから、後部座席のデヘーススに、『ついてるな、ちんぴら。家まで送ってやるぜ』

デヘーススのほうは、ぽかんと口をあけて、五セント玉を見つめている。

通りには誰もいない。五セント玉がそれを確かめて、デヘーススの銃をわたしに突きつけたと同時に、わたしはやつの顔に銃弾を撃ち込んだ。

ロッカーの鍵はまだやつのコートのポケットにあった。わたしは、やっと、フロントガラスに飛び散った脳みそと、泣きわめくデヘーススを車に残して、ターミナルに駆け込んだ。

ロッカーには、百万ドル以上の現金が詰まったダッフルバッグがあった。

その金がわたしの命綱だ。車に戻って、五セント玉を助手席に押し込み、デヘーススを乗せたまま署に帰ると、部長の机にダッフルバッグを投げ出して、顔のない五セント玉が外にいると報告したよ」

ステラはみぞおちが締めつけられるのを感じた。「五セント玉は、あなたもデヘーススも殺す気だったのね。デヘーススの部屋で〝銃撃戦〟が起きて、あなたとデヘーススが相撃ちで命を落としたことにする。バッグは自分のもの」

ダンスがじっと見つめていた。低い声で、「なにしろ百万ドルだ。本署に着くまで、ずっとそのことを考えていた」

すぐにステラは、相手が自己弁護を意図しているのではないことを悟った。その話しぶりには、怒りより激しい感情が込められている。

「そういう警官が実在したのなら、ほかにもいる可能性があるわ。あるいは、いた可能性が」

ダンスのまなざしは揺るがなかった。「あの一件以来、状況は変わった。われわれはふたりひと組で動くことが増え、嘘《うそ》発見器や、心理テストまで導入された。内勤と外勤を交替制にして、署員の銀行口座をチェックし、モロ一味が所有する店の客も監視している。FBIがあちこちに盗聴器を仕掛けているから、悪徳警官はすぐ網にかかるだろう。それに、その最後のファイルの件は、十年以上前のものだ。今なら、麻薬課からわたしのところに連絡が入る」

「つまり、五セント玉以外に悪徳警官がいたとしても、今はもういない、と？」

ダンスの太い人差し指が、重ねたファイルを指す。「その五件が起きたとき麻薬課にいた警官のうち、今も市警にいるのはたぶん九人だ。もしそのうちのひとりがモロとつながっていて、なおかつまだ現役でいるとしたら、かなり特殊な能力の持ち主だろう。金を隠し、電話を一切使わず、誰にも本心を明かさない。孤絶した暮らしを営み、モロ一味との連絡ルートは一本だけ。嘘発見器にかけられても汗ひとつかかない。そして、冷血無比の殺し屋」声を落として、「カランが聞いたら、怒るだろうよ。自分みたいに性根のすわった人間がほかにいるはずがないと思っているからな。ヴィンセント・モロを別にすれば」

ステラは食い下がった。「でも、十年前は確かにいた。この五冊のファイルがそう言っているわ」

ダンスが眉根《まゆね》を寄せる。「麻薬課の人間とは限らない。出場選手一覧表に目を通したほうがいい。保管庫の件にしたって、警察官ではない人間も出入りできるんだ」

「例えば、スローンとか」

視線を離さずに、ダンスが肩をすくめる。「例えば、検事補なら誰でもだ。それ以外にも、選手はたくさんいる。スローンみずからノヴァクに手をかけたというなら、話は別だがな。ここでこうしているあんただって、選手のひとりだろう」

ステラは積んであるファイルに目を落とした。またしても、ダンスが検察局の介入を快く思っていないという感覚に襲われる。

「野球の話をしようじゃないか」と、ダンス。「そして、トミー・フィールディングの話を。ピーター・ホールのところへ、あんたもいっしょに行きたがっていただろう」

11

かつてステラの曾祖父《そうそふ》をワルシャワへ連れてきて住み着かせ、週七ドル二十五セントの仕事に就かせたのは、ピーター・ホールの曾祖父だった。今ではもう、製鋼所はステラの父のような人々の生計を支えておらず、錆《さ》びた煙突は無用の長物となった。しかし、ピーター本人の住まいは、煙突のことなど忘れてしまえる場所にある。

ピーター・ホールは不動産開発業者《デベロッパー》であり、その父親と同じく、郊外型のショッピングモールと複合オフィスビル、つまりスティールトンの市街が活気を失う一因となった施設から収入を得ている。ホール家の門衛詰め所を通って私道を走る車中、黒人刑事部長の隣りのシートで、ステラは、ホールがスティールトンの野球チームと都心部再生の守護神役を担《にな》うことの皮肉を噛《か》み締めた。

ホールが居を定めた〈ストーンブルック村〉は、ニューイングランドを模したテーマパークだ。分譲地は最小二ヘクタールの区画に分けられ、朝方の霜を残す丘陵の連なりのそこかしこに、葉を落として銀鱗《ぎんりん》をまとった樫《かし》や樺《かば》が密生していた。植民地時代を偲《しの》ばせる家々は、ニューイングランド風をめざしつつも、財力と見栄《みえ》のせいで原物より規模の大きいものになっている。見たところ四十ヘクタールは下らないホール家の敷地は、流れの速い小川に分断され、そこに架かる木橋を渡ったステラとダンスは、なだらかな起伏に囲まれた風景の中をさらに五百メートルほど進んだ。遠くに小さく見える白い厩《きゅう》舎《しゃ》、白い柵のある牧草地、大型の石を低く積んだ装飾用の塀、テニスコート、さらなる木々……。住居だけが、その牧歌的な雰囲気に背いている。フランク・ロイド・ライトの設計を彷彿《ほうふつ》とさせる石と木とガラスを使ったその邸宅は、現代化主義者ピーター・ホールがこの地に君臨していることを、近づいていくふたりに告げ知らせるように見えた。石を敷いた円形の車回しで停車すると、紺のブレザーの下にタートルネックを着た身ぎれいな若い男が出迎えた。二十一世紀仕様の執事といった体《てい》だ。

そつのない丁重な物腰で、男はふたりを巨大なリビングルームへ案内した。天窓と石の床、壁には鮮やかな色使いの抽象画が数点飾ってある。素人愛好家であるステラの目にも、ディーベンコーンとカンディンスキーの作品らしきもの一点ずつが見分けられた。丈の高いガラス窓から見える家の裏手には、覆《おお》いをしたプールを中心に、手入れの行き届いた中期ビクトリア朝ふうの庭園が広がっている。さらに奥へと進む長い廊下に沿って、昔の白黒写真が配されていた。製鋼所、ポーランド人労働者たち、そして正装の、あるいは家族とともに食卓を囲むアマサ・ホール……。その先の、広くて調度の少ない執務室が終点だった。窓外に広がる牧草地——三頭の馬が草を食《は》んでいる——を望む皮革張りの椅子《いす》に、ピーター・ホールが坐《すわ》って書類に目を通していた。そのホールが、目に真摯《しんし》な好奇の色を浮かべて立ち上がり、若い側近に労《ねぎら》いの言葉をかけてから、ステラとダンス、双方と握手を交わす。

ふたりは、ホールの椅子と斜めに向かい合うカウチに腰を下ろした。ホールがふたりのほうへ体を回して脚を組み、両手の指先を合わせる。磨きあげた黒い革靴に、きちんと折り目のついたチノパンツ、黒いカシミアのセーター。身に着けたものと同じ上品さが、本人の体にも生まれつき備わっているように見えた。白く整った歯並びと、小麦色に焼けた端整な顔立ちが、ほどよく気品を表わしている。茶色みの強い豊かなブロンドの髪には、ひと筋の白髪も見当たらない。澄んだブルーの瞳《ひとみ》は、たゆみのない光を放っていた。魅力的な男だ。掛け値なしの美丈夫に、これほどまっすぐな視線を向けられて、心騒がない女などそうはいないだろう。

「あなたの業績には感服しています」ホールがステラに言った。「敗訴なしの記録は、もう何年続いているんですか？　六年？」

その口調には、へつらいも、陋劣《ろうれつ》な意図も感じられなかった。当然の賛辞なのだから、ナサニエル・ダンスの面前をはばかることもあるまいと言いたげだ。自分がスティールトンの情勢に通じていて、政界であれほかの世界であれ、あらゆる人物の背景や動きを逐一掌握できるつてがあることをほのめかしている。ホールの関心を引いたとなると、ステラも、次期郡検事候補として、地元の名士に列せられたということだ。

ステラは笑みを浮かべて答えた。「六年と九カ月です」

ホールが笑みを返す。ステラは視界の隅に、ふたりを観察するダンスの目を感じた。ホールもそれに気づいたのか、姿勢を正し、真剣みを帯びた面持ちで、刑事部長と検事補を交互に見た。

「トミー・フィールディングの死は、わたしにとって受け入れがたいことです」

ダンスは押し黙っている。「あなたから見て、どんな人物でしたか」ステラはきいた。

ホールがじっと見つめ返す。「『リチャード・コーリー』という詩を覚えておいでですか? エドウィン・アーリントン・ロビンソンの書いた」

階層を超えて文化的なものを共有しているという前提に立つことで、その問いはステラに対する阿諛《あゆ》の含みを持っていた。「町じゅうの人たちに崇《あが》められる完璧《かんぺき》な男の話ですね。ある日、その男は自宅で、自分の頭に弾丸を撃ち込む。理由は誰も知らない」

ホールがうなずく。「トミーが娼婦《しょうふ》といっしょにヘロインを過剰摂取したと聞いて、あの詩を思い出しましたよ。わたしと同じで、そんなことをする男ではないですから」

ダンスは傍観する肚《はら》らしい。ステラは説明した。「すべての検査結果が出たわけではありませんが、ふたりの死因がヘロインであることは、ほぼ間違いないと思われます」

ホールが顔を曇らせ、床の敷物をにらんだ。「トミーのことは、よく知っていました。いえ、知っているつもりでした。同じ大学の出身で、所属していたクラブも同じ。ラケットボールでペアを組んだこともあります。何より、われわれは友人同士でした。わたしにとって、心から信頼できる相手でした。緻密《ちみつ》で、几帳面《きちょうめん》で、禁欲的なまでに健全で、平衡感覚に富み、きわめて有能な男です。トミーに任せたら、こちらは何も気に病まずにすむ。気に病むべき問題が生じたら、トミーがすぐに知らせてくれるでしょう」

ステラは口をはさんだ。「本人は、何か気に病んでいませんでしたか？　あるいは、特に何か重圧にさらされていたとか？」

顔を上げたホールがかすかに微笑《ほほえ》んで、「トミーは常に重圧にさらされていました。ただひとつ、わたしが気に病んだのは、彼に調節器が備わっていなかったことです。歩みを止めたらそこで倒れてしまうとでもいうように、働き続けていました。無理に休暇を取らせても、彼は砂浜まで携帯電話を持っていったでしょうね」言外に、それはホールの流儀ではないという訴えがあった。人生においては均衡を保つことが肝要だ、と。「あの球場の建設は、わが社にとって最大の、あらゆる意味で斬新《ざんしん》なプロジェクトであり、市のほうからも、つつがなく工事を進めるよう期待されています。トミーは全身全霊を捧《ささ》げていましたよ。そうせずにはいられなかったんでしょう」

ステラは感情を込めずに伝えた。「アマンダ・フィールディングは、何か問題があったと考えています」

ホールが首をかしげる。「どんな問題か、言っていましたか?」

「いいえ。ただ、トミーがひどく悩んでいるように見えた、とだけ」

眉《まゆ》を上げて、「いつごろからです?」

「亡《な》くなる前の数週間」

目をそらしたホールが、額の中の写真に目を凝らした。淡いブロンドの髪をした、三十代後半とおぼしき美しい女性。ステラは、ホールの妻が事故で亡くなったことを思い出した。その視線に気づいたらしく、ホールがふたたびステラのほうを向く。

ステラは言った。「トミーの仕事の内容を説明してもらえるとありがたいんですが」

ホールが椅子の腕に両肘《りょうひじ》を載せ、ステラとダンスに均等に顔が向くようにした。「トミーはわが社のプロジェクト・マネージャーでした。つまり、白人経営のゼネコンと少数民族経営のゼネコンとの共同事業を管理する役です」ステラに目をやって、「あなたは討論会の会場にいましたね。あのとき、市長がプロジェクトの取り決めについて説明しました。ホール・デベロップメントは、スティールトン二〇〇の建設を二億七千五百万ドルの工費で請け負っています。予算を超過した分は、金額にかかわらずわが社が負担し、予算以下に抑えた場合は、金額にかかわらず、節減分を市と分け合います。

ですからわれわれは、建設費を削る努力をします。それに対して建設会社は、当然、最大限の工賃を得ようとする。あいだに立って費用を切り詰めるのが、トミーの職務のひとつでした。うまく遂行できたときには、わが社の取り分の十パーセントがトミーへの報酬になる予定でした。そんなわけで、トミーと施工業者のあいだには、そしてたぶんトミー自身のなかにも、いい意味の——本来あるべき——緊張感があったはずです。節減と引き換えに工事の質を落とさないという課題もかかえていましたからね」

窓の外に、冬枯れの林のほうへに駆けていく鹿《しか》の母子の姿が見えた。ホールに向き直って、ステラは尋ねた。「具体的には、トミーは毎日、何をしていたんでしょう?」

間を置かず、ホールが指を折りながら列挙し始めた。「まず、施工業者からの請求書を承認、あるいは吟味すること。設計者やすべての下請け業者についても同様です。変更注文、つまり、当初の設計を変更せざるを得なくなったときに、経費増額の断を下すこと。そして、もちろん、少数民族系の建設業者と下請け業者が、トム・クラジェクの約束したとおりの比率で仕事を請け負えるよう心を配ること」ふたたび頬をゆるめて、「そうしながら、最終的には必ず利益が出るように取り計らうことです」

ダンスが初めて口を開いた。「それでもまったく問題はなかった、と」癖だとはいえ、あまりに抑揚を欠いた声のせいで、深い疑念を抱いているように聞こえる。

ホールが愉快そうにきき返す。「キッチンの改装を、業者に頼んだことはありませんか? 必ず問題が生じて、必ず予算を上回る額の請求が来ます」

かすかな笑いを含んだダンスの表情は、とても友好的とは呼びがたかった。「わたしにきかれても困ります。うちのキッチンは自分で改装しましたから」

ホールの目に宿った楽しげな輝きは消えていない。相手と自分の違いに対する認識が加わっただけだった。「変更注文が出ると、トミーはいつもこぼしていました。無理もない。節減分に関する条項に定められた自分の報酬に食い込みますからね。でも、それは問題とは呼べません。あえてそう進めたいというのが、わたしの意向であって――」

「女性に関してはどうですか？」ダンスがさえぎった。

「女性？」ホールが真顔になる。「わたしが知っているのは、別れた夫人だけです」

「彼が結婚したのは、意外でしたか？」ステラはきいた。「あるいは、離婚したのは」

「どちらも意外ではありませんでした」翳《かげ》りのないブルーのまなざしをステラに据えて、

「恋愛は人生最大の神秘ですよね。男女の営みで、わたしが意外に思うものは、もはや何もありません。ときに幻滅は感じますが、でも……」反射的に、口の両端が下がる。

「わたしが予想した女性像とアマンダに違いがあったのは確かです。年齢や外見や知性のことではありませんよ。アマンダは、トミーの関心を引くほどに頭がよく、教養のある女性です。でも、ふたりの離婚に面食らったりはしませんでした。神経過敏で激しいところのある女性が、仕事中毒の男と結婚したわけですから」

「同性愛者と結婚したのでは？」ダンスがきいた。

そちらを向いたホールの顔には、驚きも変化も表われていない。「わたしの知る範囲内では、そういう性向は見られませんでした。そもそもトミーは、男であれ、女であれ、他人に対する感情を、わたしに打ち明けるような種類の人間ではなかった」

気品を感じさせる話しぶりだった。落ち着きを失わず、理性的で、反応が速い。「プロの女性との交渉は？」ステラは問いかけた。

ホールが首を振って、「ないでしょう。ただ、トミーが金銭で女性を買うとしたら、ひと晩二千ドルの料金を取り、安全なセックスを実践するウェルズリー女子大出の娼婦を選ぶと思います」小さく口もとをゆるめて言い添える。「ついでに、パリジャン並みにフランス語の堪能な」

ささやかな皮肉に、故人への情愛と困惑がのぞいていた。やがて、その顔から笑みがかき消える。「あの球場をご覧になったでしょう」ステラに語りかける声に、新たな熱気が加わった。「われわれの目の前に、この国でも前例のないスポーツ施設が出現しようとしています。二〇〇一年四月からは、そこでブルーズの主催試合が行なわれ、われわれは、スティールトンの新たな顔の創造に着手することになるんです。

その業績は、誰をさしおいても、トミーのものになるはずでした。最愛の娘とともにわたしの特別観覧席に坐って、ラリー・ロックウェルが始球式を行なうのを目にするはずでした。なのに、すべてを無に帰する悲劇が起こってしまった」声を落として、「今、それを冷静に分析しようなどという気にはなれません」

「そこをあえて分析するとしたら……？」ステラは食い下がった。

ホールが吐息をつく。ためらったのちに、「トミーはたぶん、神に授かった本分以上の完璧さをめざすことに、人生を費やしたんでしょう。それが結果的に、人生の幕引きを早めてしまった……」

しばしのあいだ、室内が静寂に包まれた。それからふたたびホールが、温かみのないかすかな笑みを浮かべる。「こんなことを言うのは不謹慎かもしれませんが、いかなる理由があったにせよ、トミーは自分の仕事をやりかけのまま遺していったんです」

帰途についてからも、ダンスは口を閉ざしたまま、自分の世界とはかけ離れたピーター・ホールの住環境をじっと眺めていた。

「わたしが何に引っかかっているか、わかる？」沈黙を破って、ステラはきいた。

ダンスが冷ややかな笑みをこぼす。「スカーベリーをうろつくフィールディングを、カランが見かけたことか？　それとも、フィールディングがエイズ持ちの娼婦とヤクのやりすぎで死んだのは明々白々なのに、本人を知る人間が誰もそれを認めないことか？」

「フィールディングにとって、あの球場が命だったということよ。なのに、われわれはスティールトン二〇〇〇の内実をまったく把握していない」

ダンスの視線は、まだ窓の外に向けられている。「事業の中身に関係があるとしたら、会計士が必要になるだろうな」

わたしに必要なのは、マイケル・デル・コルソよ。胸の中でつぶやいてから、ステラは重い気持ちで、チャールズ・スローンに頼みごとをする場面を思い浮かべた。

自分のオフィスに入ると、ステラは建設中の球場に目を凝らした。鉄骨の骨組みが複雑さを増している。巨大な鉢の形を取り始めた黒く太い梁《はり》が、いずれピーター・ホールの思い描く緑のダイヤモンドを囲むことになるのだろう。ステラは、夜遅く働いている自分の姿を想像してみた。試合が、そしてスティールトンの再生が継続中であることを告げる白熱光を眺めているところを……。やがて、ふと思い当たった。これまで、球場が形を成すのを遠くから見守っていながら、現場にはまだ一度も足を運んだことがない。

送話器を取り上げて、ケイト・ミチェリに電話をかけた。

「フィールディングとティナ・ウェルチの件、鑑識の検査結果は出たかしら？」

いつもどおり、歯切れのいい声が返ってくる。「血液一ミリリットルあたり〇・八〇マイクログラムのヘロイン。典型的な過剰摂取。死に至る可能性はあるけれど、確実に死ねる保証はない」

ステラは先を引き取った。「でも今回は、ふたりが死んだ。注射器から指紋は？」

「出なかったわ。でも、あの小さいプラスチックの表面からは、そもそも指紋の採取はむずかしい。ただし、拭《ふ》き取った形跡もなし」短い間。「どうして？」

「はっきりした理由はないの。ひとつには、不慮の過剰摂取ではないという医学的な証拠がないから。それと、ジョニー・カランが以前、フィールディングの車をスカーベリーで見かけたと言っている――つまり、フィールディングが娼婦を探してうろつくのは初めてではないらしい――のに、ヘロインの使用や常用の前歴を示すものがないから」

「秘密をかかえて生きる人間は大勢いる。ある意味では、誰もがそうでしょう」

ほかの人間の口からも、似た言葉を聞かなかっただろうか。ステラは記憶をたどり、ジャック・ノヴァク死亡の報に接したアーサー・ブライトの、沈痛なつぶやきに行き着いた。『人はみんな、ほかの誰かについて、何をほんとうに知っているのだろうか？』

確かに、ステラ自身にも、けっして他人に知られたくない部分が少なからずある……。

「ステラ？」

相手のじれた口調で、ステラは現実に引き戻され、逆にミチェリを焚《た》きつけた。「でも、あなたはまだ、フィールディングに麻薬の前歴があるという証拠を、何も手に入れていないでしょう。それはこちらも同じだけれど」

一瞬口をつぐんでから、ミチェリが応じた。「フィールディングの毛髪のサンプルを採取してある。それを使った検査で、フィールディングが最後の一カ月ほどのあいだにヘロインを使用したかどうかがわかるはずよ。もちろん、死んだ晩以外に」

ステラは相手の話を反芻《はんすう》してみた。陰性という結果が出ても、フィールディングの直接の死因が変わるわけではない。しかし、陽性だとすれば、こちらの気は収まるだろう。フィールディングの内面にどういう謎《なぞ》が秘められていたにせよ、ヘロインに関して潔白ではなかったことがわかるわけだから。

「その検査をお願い」ステラは言った。

12

電話を切ったあと、ステラの思考はふたたびアーサー・ブライトに戻った。

内線でブライトの秘書ブレンダ・ウォーターズに都合を問うと、検事は選挙運動で外に出ていた。一時間ほどで戻るので、四時ごろになる。そのあと数分程度なら、時間を割けるだろうとのことだった。

ステラは送話器を置いた。それでもまだ、気立てのいいブレンダ――六十代を迎えたふくよかな黒人女性――の心地よい声音が胸にこだましていた。

ブレンダと初めて会ったのは、まだロースクールに通っていたころだ。当時も今と同じく、運のいい少数の管理職だけが受付スペースを持ち、自分の秘書を混み合った騒々しい部屋で働かさずにすんでいた。麻薬課長を務めていたブライトも、運のいいひとりだった。だから二十五歳のステラは、ブレンダのささやかな仕事場で、不安を覚えながらブライトを待っていたのだ。訪問の段取りをつけたのは、ジャックだった。

「あなたの下では働けない」ステラはジャックにそう伝えた。

ふたりで最後の週末を過ごした二日後のことだ。「なぜだい？」ジャックがきいた。

「なぜですって？」静かな怒りが湧《わ》き上がる。道義的には、もっと早く――ヴィンセント・モロと会ったあとでハイチ人が殺されたときに、辞めるべきだった。今のステラにとって、尊厳を保つすべは、沈黙を守り、しっかりと相手を見据えることしかない。

ジャックの両手が体のわきに垂れた。「わかったよ」いらだち交じりのあきらめの声。「つまり、先週末の自分は自分ではなかったと思っている。あるいは、そう思いたい。だから、今の境遇にいやけがさしたわけだ。でも、あのことは、仕事とは関係がない。この件に関しては、お互い大人になろうじゃないか」

この人はもう敵に回ってしまったのだ、とステラは思った。父と同じように。「そんな〝大人〟には、絶対になりたくない」硬い表情で言い返す。「仕事でも、人生でも」

震えがちではあったが、その声は有無を言わせぬ響きを帯びていた。アルマーニのスーツに青いポケットチーフでめかし込んだジャックが、こちらの表情を探りながら言う。「どうしたいんだい？」

自己の内面を仮借なく見つめ、眠れぬふた晩を過ごした末に、どんなことがあっても別れなくてはならないと決心がついていた。「郡検察局で働きたいの。ヴィンセント・モロのいるべき場所は、塀の中よ。あなたの〝依頼人〟を殺したり、あなたのスーツ代を払ったりできない場所」

ジャックが低い笑いを洩《も》らす。「そういうことか。『この両手は二度と清くはならないの？』。哀れなるマクベス夫人だ。きみは、ぼくをまったく信じていなかったんだね」

顔が熱くなるのがわかった。「単にそれだけじゃない。わたしには、信じられる仕事が必要なの」

手きびしい応答に、ジャックが真顔になる。「そうかもしれない。でも、いったいどうやって、そんな仕事に就くつもりだい？」

ステラにもわからなかった。「なんとか道を見つけるわ。クラスでも、模擬裁判でも、三番の成績を取っているんだから」

一瞬の間を置いて、ジャックが小さく微笑《ほほえ》む。「きみが望むなら、いつでもアーサー・ブライトに紹介してあげるよ。そうすれば、すぐにでもモロ追及に取りかかれる」

ステラは判断に迷った。アーサー・ブライトがジャックの口利《くちき》きで人を雇ったりするだろうか。後押しどころか、足枷《あしかせ》になりかねないし、もしうまくいったとしても、ジャックとの関係がさらに深まってしまうだろう。「自分でやるわ」頑として言い張った。

ジャックがかぶりを振って、「気を悪くせずに聞いてほしいんだが、郡検察局に入りたがっている少数民族系の優秀な若者は、ここからエリー湖まで行列ができるほどいる。その中で職を射止めるには、民主党の郡支部長か、あるいは、市会議員のうちで、アーサーの上司、フランシス・X・コナリー御大のために票を取りまとめた実績のある人間に、紹介状を書いてもらうしかない。こと採用に関しては、アーサーも自由裁量というわけにはいかない。きみには後ろ盾が必要だ」なだめるような声になって、「ぼくは、あの飲んだくれフランシスの資金調達に協力してきた。それと同じくらいものを言うのが、ロースクール時代に培《つちか》われたぼくとアーサーの友情だ。あの男の野心がどんなものか、ぼくはよく知っている。向こうは向こうで、コナリーが悠々自適の身になったあかつきには、ぼくの支援を当て込んでいる」

離れていこうとする恋人の鼻先に、新たな餌《えさ》を差し出しているのだ。フランシス・コナリーの職場で慣例化している採用の実態を、辛辣《しんらつ》に要約してみせた言葉には真実味があった。ステラの胸中を見透かしたかのように、ジャックが畳みかける。「もうひと口だけ〝禁断の木の実〟をかじれば、きみは自由の身だ。ぼくはもう恋人ではなく、雇い主でもなくなるんだから、きみを縛るものはない」

ステラは姿勢を正した。「職を得た経緯が、ずっとつきまとうことになるわ」

「職を得られたとすれば、それはきみが優秀だからだよ。ぼくはただ、アーサーがその優秀さを見定めるための場を設定するだけだ」声になれなれしい温かみが表われ、視線はステラから離れない。「今どれほど誤解されていようと、きみを失なうのはつらいよ、ステラ。この件を任せてもらえたら、ぼくたちはいい終わりかたをしたと、自分に言い聞かせることができると思う。あとは、きみが本領を発揮すれば……」

声が小さくなり、言葉が途切れる。不覚にも、ステラは視界が曇るのを感じた。それを見て、ジャックが微笑む。にわかにステラは不安に襲われた。ここで手を借りれば、今後の人生にもジャックという刻印が押されるだろう。そうやってステラの意識に生き残ることを、ジャックは求めているのではないか。

床をにらんで、ステラはゆっくりと首を振った。

ジャックが立ち上がり、机の横を回ってくるのが、目ではなく耳で感じられた。両手をそうっとステラの肩に載せて、額にくちづけをする。「頼むから、最後に一度だけ、ぼくのわがままを聞いてくれないか」

一週間後、ジャックからオフィスに呼び出された。「アーサー・ブライトと話をしたんだ。きみの履歴書が気に入って、会いたいと言ってきた」

ステラは、自問自答を繰り返して数夜を過ごしたこと、煮えきらぬ妥協に行き着いてから、ようやくこの提案を受け入れる気になったことには、触れなかった。「ほんとうに雇ってもらえるかしら」疑問を声に出す。

ジャックが小さく口もとをゆるめた。「もちろんさ。きみがどれほど資質に恵まれているかも、アーサーに話しておいたよ」

湿っぽい声音。片肘《かたひじ》をついて、未練のにじむまなざしを注ぎながら、「会えなくて寂しかったよ、ステラ」

ステラは目をそらした。そしてぽつりと言った。「もう終わったのよ。永遠に」

抗議の声はなかった。そのときも、その後もずっと、ステラに触れようとするときに、ジャックが敬意を——法律家が、好意を寄せる法律家に対して払う礼儀を——忘れることはなかった。しかし、その一瞬に黙り込んだジャックの顔には、あとにも先にも見たことのない柔和な表情が浮かんでいた。

ジャックがようやく小さな声を出した。「ぼくはきみをいつまでも忘れない」

わたしも、いつまでもあなたを忘れない。声に出さずに答えたステラには、それが真実だとわかっていた。

13

四時四十分にブレンダから連絡が入った。ブライトの時間が五分あいたので、急いで来るように、と。

タイル張りの廊下を急ぐステラには、さまざまな気がかりがあった。ところが意識にのぼったのは、今と十三年前の違いだった。ブライト配下の殺人課長としての今の立場と、十三年前、不安と焦燥《しょうそう》に駆られながら、みずからの先行きも相手の出かたも不確かなまま、祈るような気持ちでここを訪れたときの心境……。

あのとき、ふたりの背後でドアを閉めたのはブレンダだった。一張羅の紺のスーツを着込んだステラは、しゃちこばってブライトの前に坐《すわ》り、聡明で活気ある志願者に見えるよう努めたが、ブライトはよそよそしく、履歴書の内容を事務的に確認した。

ステラは法廷でブライトの姿を目にしたことがあった。弁舌さわやかで説得力に富み、自己演出の才に恵まれた人物だという印象を受けた。ところが今ここにいるブライトは、気もそぞろで、会いたくもない人間の相手をさせられていると言わんばかりだ。ほんとうに人を雇う気があるのだろうか。それとも、ジャックからふたりの関係を打ち明けられて、義理でしかたなく、空く見込みもない椅子《いす》を待てというような形ばかりの希望を与えようとしているのか。

ブライトが履歴書から目を上げた。学者を思わせる繊細さに加えて、強い警戒心が顔に表われている。用心深さを通り越して、不信感の域に達するような……。ようやく口を開くと、「なぜジャック・ノヴァクのもとを離れて、正義の味方の仲間入りをしたいのかね？　経験のため？」

ステラは首を振った。「ジャックの下で二年近く働きました。仕事はおもしろく、知識もたくさん身につけました。でもわたしは、弁護士向きではありません」

「というと？」

ステラはためらった。ブライトは、この訪問に果たしたジャックの役割を承知していながら、その名前を口にするとき、特別の親しみを込めようともしない。しかし、差し当たりステラには、愚直に真実を告げるのがいちばん安全な策に思えた。「ジャックの依頼人の大半は有罪です。裁く側にも、裁かれる側にも、それは自明のことでしょう。法制度は依頼人に弁護を受ける権利を保証し、弁護士はその弁護を提供します。わたしはその制度の正当性を信じます。でも、みずから実践するにはあまりにも観念的で、それに対して、薬物のもたらす害はきわめて現実的です」

ブライトの反応はかんばしいものではなかったが、それでも、ステラの表情をじっとうかがい、かすかに懐疑の混じった声で言う。「つまりは、麻薬課を志望している、と」

ステラは息を整えた。「いいえ。ほかの部署に推薦していただければと思っています」

情味を欠いた小さな笑みを浮かべて、ブライトがじっとにらむ。「わたしの下では働きたくないということかね？」

避けては通れない瞬間がやってきた。怖くもあったが、振り切るようにステラは言った。「働きたいです。でも、働くべきではないと思っています」正面から相手を見つめて、「この二年間の大半、ジャックとわたしは男女の関係にありました。そして、ジャックの口添えがなければ、今ここにいることもなかったでしょう。違いますか？」

ブライトの両眉《りょうまゆ》が上がる。「そのことにやましさを感じるのかね？」

「ここへ来てしまった以上、もう気にはしていません。ジャックの推薦状に書かれただけの能力はあるつもりですし、学校での成績も、職務適性を裏づけてくれるでしょう」早口になっているのに気づいて、ペースを落とそうと努めた。「でもわたしは、ジャックに複雑な感情を持ち続けるかもしれません。あなたの課に配属されれば、そのことに負い目を感じるばかりか、法廷であの人と敵対することになります。倫理上の問題にはならないにしても、検察官にとって望ましい状況ではないでしょう。

わたしは、検察官になることだけを心から望んでいます。その道のりがどこから始まろうと構いません」

ブライトが両手を組んだ。意外そうな表情のせいで、これまでになく和らいだ顔つきに見える。ややあってから、「ふむ。きみの正直さは賞賛に値するね」

どうせ真実を告げるのなら、包み隠さず話してしまったほうがいい。「もうご存じかと思っていました」

「そういう話はまったく出なかった」いったん言葉を切って、「紳士の中の紳士、ジャック・ノヴァクか」

これほど用心深そうな人物の口から、皮肉めいた言葉が出るとは意外だった。初対面の人間が相手なのだから、なおさらだ。ステラは素直に伝えた。「ジャックからは引き止められたんです。でも、とどまることはできませんでした」

ブライトのまなざしが鋭さを増した。この人物の下で働く人間は、沈黙に耐えることを学ばされるのだろう。「きみの選択は正しかったと思うね」口調がさらに和らぐ。「全面的に正しかった。残念だよ。わたしの課には空きがあるのに」

固い決意で臨んだにもかかわらず、ステラは失望に押しつぶされそうだった。懸命に搔《か》き集めたなけなしの自尊心が、あだになってしまったようだ。両手を膝《ひざ》で重ねて、

「わたしも残念です。でも、しかたありません」

ブライトが目をすぼめた。今度の沈黙には、評価し、判断し、結論に至ろうとする動

きが感じられる。「そうでもないかもしれん。軽犯罪課で人手が足りないと聞いている。信号無視の歩行者を撲滅する闘いに乗り出す気はあるかね？」

今度の笑顔は心からのものに見えた。どうやら本人の意に反して、ステラに好感を抱いたこと、ジャック・ノヴァクとは関係なく力になろうとしていることがうかがえる。

ステラは毅然とした声で言った。「信号無視の歩行者を野放しにしておいたら、次の日にはごみの投げ捨てを始めますからね」

完全にステラの虚を突いて、アーサー・ブライトが声をあげて笑い始めた。

その十三年後、ステラは検事室のドアをあけた。ブライトが窓際《まどぎわ》に立って、冬の夕陽に染まる球場に目を凝らしている。もしかすると、敵対する立場にありながら、ホールとクラジェクの記念碑が眼前で立ち上がっていくようすに、ステラと同じく魅了されているのかもしれない。やがて振り向くと、「ノヴァク殺害犯を見つけてくれたかね？クラジェクに先んじて公表できれば、得票率が三パーセントは伸びる」

ステラは腰を下ろした。「進展はありません。けれど、ジャックの過去のファイルに目を通しました。彼が裁判で不正を働いていた節があります」

ブライトが見つめ返して、「どういう不正を……？」

「わかりません。でも、掘り当てた事件のすべてが、東地区でモロに仕えるジョージ・

フラッドに、あるいはフラッドの部下に関わるものでした」

ステラは一連の事件について簡単に説明した。ブライトはまじろぎもせず、ステラに目を据えている。話が終わると、そっけなくきいた。「それが、ジャック殺害とどう結びつくのかね？」

「まったく結びつかないかもしれません。でも、ジャックが緊縛や自己窒息などのＳＭ行為に、危険なほどのめり込んでいたという証拠も、何もないわけですから……」

「しかし、集団での行為にはのめり込んでいた。そうだね？」口調は穏やかだが、鋭い指摘だった。ダンスと話をしたのだろうか。「そして、見知らぬ人間を相手にし、絶えず新たな興奮を求めていた。そこまで常軌を逸する前に、どんな行為にも必ず初めてのときがあるのだ。ミッシー・アレンの件もある」さらに声を和らげて、「きみは運よくそんな目に遭わずにすんだ。当時のジャックが、どんな人間だったとしてもね」

確かにそのとおりではあったが、ステラは、うまく言いくるめられたような、過去を不当に利用されたような気がした。返答は求められていなかった。

ブライトが自分の机まで歩を進めて、ステラに付き合いすぎたとでもいうように、どさりと椅子に腰を沈める。「できることなら、ジャックがあんな最期《さいご》を迎えるいわれはないという話だけが聞きたい。唾棄《だき》すべき人物ではなかったと、言ってほしいのだ」

「無理です。ジャックが裁判で不正を働いたと話したばかりでしょう。そのことについて、何か感想はないんですか、アーサー？」ブライトが顔を上げた。「どれも、わたしが手がけた裁判だろう。その当時は、いろいろ〝感想〟もあった」

「なのに……？」

「不正の要素は至るところにある。悪徳判事、保釈中に行方をくらます証人——」

ステラは言葉をはさんだ。「安すぎる保釈金は？　死んだ証人はどうなんですか？」

ブライトが腕を組んで、「証人が消えてしまう——ときには死んでしまう——のは、麻薬絡《がら》みの事件ではよくあることだ。一貫した手口のようなものは見出せなかったし、今も見出せない」ふたたび穏やかな語調になる。「ダンスの言うとおり、もし構造的な不正が行なわれていたとしたら、かなりの数の人間が関与していたはずだ」

やはり、ふたりはすでに話をしていたのだ。「あなたが率いていた麻薬課の人間も含めて？」

ブライトは身じろぎもしなかった。「麻薬課にもし、わざと敗訴する人間がいたら、わたしにはすぐにわかる」指をぱちりと鳴らして、「即刻、その部下は罷免《ひめん》され、服役することになっただろう。わたしは当時の訴訟のすべてを把握し、どんな苦しい決断も、自分で下した」ひと息ついて、声に力を込める。「くだんの被告が確実にこの街を出ていけるよう、保釈金を低く設定したのも、わたしだ」

不意を突かれて、ステラは相手を見つめ返した。「その男は司法取引を……」

「ああ、わたしと取引をした。おじけづいて、逃げ道を用意してくれとすがりついてきたよ」自嘲《じちょう》めいた笑みを浮かべて、「麻薬戦争における倫理規範に照らして、わたしはあの男に借りがあった。だからチャールズ・スローンにも、ジャックの保釈申請に反対しないよう指示した。しかし、その理由は誰にも、ダンスにさえ明かすわけにはいかなかった。モロが警察とつながりを持っているのではないかと、被告がひどく恐れていたのだ」

ステラは意気をくじかれ、徒労感に襲われた。「それは一件だけの話でしょう。少なくともあと四件あります。あなた以外に、訴追を故意につぶせた人間はいなかったんですか？」

「麻薬課に限れば、そうだ」鋭い一瞥《いちべつ》を投げて、「まあ、チャールズ・スローンは例外だろうがね。しかし、きみの頭には、初めからそのことがあったのでは……」

スローンを疑っていることを暗に指摘されて、ステラは黙り込んだ。宵闇《よいやみ》が足早に忍び寄る。頭上にある蛍光灯のせいで室内が黄色みを帯び、ブライトの目の下の隈《くま》がいっそう濃く見えた。しばらくしてから、「わたしが何にいちばん引っかかっていると思う？　きみの選び出したその五件は、どれも大昔のものだ。古すぎて、ジャックの殺害とは結びつかない。だが、きみがジャックとともにした月日となら結びつく。

きみが自分の時間を割いてみずからの良心を慰めようとするのは構わない。しかし、死者に執心するその言動は、現在のこの職場に、すなわちわたしに累《るい》を及ぼしかねないのだ」身を乗り出して、「きみは、わたしの有力な支援者のひとりが麻薬絡みの事件で不正を働いたと考えている。そのことが公になった場合、クラジェクやマスコミが、それを市長選とは無関係な捜査上の仮説として扱ってくれると思うかね？公職にある者として、わたし個人の財政状態は隅々まで明らかにされているし、チャールズ・スローンがわたしよりさらに少ない資産しか持っていないことも知られているが、そんな潔白さは身を守る盾にはならない。クラジェクやマスコミは、収賄《しゅうわい》を立証する必要などないのだからね。わたしを叩《たた》きつぶすには、ジャックが資金を調達していたという事実だけで事足りる」ブライトの独白が、あからさまな叱責《しっせき》の言葉で締めくくられる。「この件に関しては、まったくチャールズの言うとおりだ。いつもながら」

ステラは身をこわばらせた。それは、忘れているなら思い出せという警告だった。ステラが政治的野心を達成するには、スローンに競《せ》り勝ってブライトの恩顧を得なくてはいけないということ、そして、今のステラの動きは、その恩顧をみずから遠ざけようとするものだということを……。声を落として言う。「ジャックに手を貸した人間が、まだ在職しているかもしれません。局として、無視するわけにはいかないはずです」

「無視しろと言っているのではない。事の優先順位と、意図せざる結果というものにも心を配ってもらいたいのだ。付き合っていたころのノヴァクの行動に日がな頭を悩ませても、殺害犯に近づけるわけではあるまい」温和な笑みを浮かべて、「犯人捜しに頭を悩ませるのは、単にきみの職務上の本分であるばかりではない。それこそが、われわれ互いの利益に資する行為なのだ」

笑みが消えた。ブライトに忍耐を強いてしまったことは明らかだ。事あるごとにステラの功績を褒めたたえてきた上司を、失望させてしまった。これで、もうひとつ心に決めていたことが言い出せなくなった。球場の取り決めに関する調査にマイケル・デル・コルソの手が借りられないか、スローンではなくブライトに打診するつもりでいたのだ。自分の志気が揺らいでいるときに、人事的な駆け引きを弄《ろう》するのはむずかしい。時間を割いてもらった礼を言って、ステラはその場を辞した。

スローンのオフィスを訪ねたのは、六時近くになってからだった。階全体が静まり返って、秘書室に人けはなく、ほとんどの検察官たちのオフィスはもう暗い。しかしスローンは、あと数時間は働いているはずだ。それが、ステラとスローンの数少ない共通点のひとつだった。

「お願いがあるんだけれど」ステラは切り出した。

控えめな懇請の口調が、相手の意表を突いたらしい。前回の辛辣《しんらつ》な応酬を思い返せば、無理もないことだった。常備品の缶コーラをひと口飲んでから、スローンが慇懃《いんぎん》に応じる。「球場の取り決めについて調べるのに、デル・コルソをもう一度、かな」

この職場では、秘密というものが持てないのだろうか。自分の考えはまだ誰にも話していない。けれど、スローンにとって情報は力なのだ。ステラに関する情報なら、なおさらだろう。ホールとの面談の内容をダンスから聞き、ステラの出かたを予測したうえで、持ち前の妄執じみた警戒心が健在であることを暗に示そうとしているらしい。ステラはあえて力を込めずに言った。「フィールディングの元の妻は、スティールトン二〇〇〇に何か問題があったと考えている。たいした問題じゃないのかもしれない。ホールもそう言っていたし、フィールディングは病的なくらいに心配性だったようだから。でも、それがどういう種類の〝問題〟だったかを知るためには、事業の詳細をちゃんと押さえておかなくてはいけないと思うの」

スローンがまたひと口、コーラを飲む。「あるいは、なぜスティールトン二〇〇〇がやっこさんをヘロインの過剰摂取や売春婦漁《あさ》りに駆りたてたかを知るためにね。ジョニー・カランが車のナンバーを覚えていれば、手間がひとつ省けたろうに」

ノヴァクへの疑惑に対する反応とは違って、その言葉には、いやがらせではなく穿鑿《せんさく》の含みが感じられた。「フィールディングに関しては白紙状態よ。死因がヘロインの過剰摂取であることは確かだけど、そこに至る経緯も理由もまだわからない」

スローンが眉《まゆ》をひそめる。「医学的な証拠はどうなんだ？」

ステラは首を振った。「ケイトに明言できるのは、事故の可能性を否定する証拠は何もないということだけ。例えば、強制された痕跡《こんせき》がない。だからといって、強制がなかったとも言い切れない。それに、カランがスカーベリーでフィールディングを見かけたとはいっても、その二日後にふたりが死んだこととどうつながるのかはわからない」いったん言葉を切って、窓越しに球場をじっと見つめた。スティールトンの街明かりを背景に、円形の建造物がぼんやりと浮かび上がっている。「確実にわかっているのは、トミー・フィールディングがわが野球場を建てていたということだけ」

探るような笑みを浮かべたスローンが、「きみはあの事業に好感を持っているんだと思っていたが」

「持っているわ。でも、それはフィールディングの事件とは無関係でしょう？」

スローンが露骨に疑わしげな表情をする。ステラの真意を測ろうとしているらしい。これがこの人の弱点だ、とステラは胸の中でつぶやいた。自分自身を知り抜いているがゆえに、ほかの誰に対しても、同じ尺度を当てはめようとする。ここでステラは、ブライトの主張に部分的に同意した。金銭がチャールズ・スローンを腐敗させることはないだろう。しかし、野心と名誉欲のせいで、とうの昔に道を踏みはずした可能性はある。

意を決したように、スローンが言った。「デル・コルソに何をさせたいんだ？」

どうやら利を見出《みいだ》したようだ。ステラと同様、この男の大望はブライトの当選にかかっている。スティールトン二〇〇〇に何か問題があるとすれば、それを突き詰めることは、政治的な動きと見られないかぎり、クラジェク市長の足もとを切り崩す材料となりうる。「財政面の分析ね。ピーター・ホール以外に、球場の建設と運営で得をしたり損をしたりしそうなのは誰か。それと、フィールディングが手がけたファイルや、認可を出した書類の調査」

スローンが口をすぼめ、音を出さずに息をついた。「裏目に出るかもしれないぞ」

「慎重にやればだいじょうぶ。そして、政治色を出さずにやれば」

考え込んだスローンが顔をしかめる。しばらくしてから、「ふむ。きみの案としては、この前のやつより気に入った」

ステラは頬をゆるめた。「光栄の至り」

抑えた皮肉につられて、スローンが吠《ほ》えるような笑い声をあげた。「デル・コルソには、こちらから伝えよう。喜んで手伝うだろうよ」

男同士のひそかな意思の通い合いをにおわす口調には、優越感が漂っていた。それが一種の予定調和であることを、ステラは願った。マイケル・デル・コルソと夕食をともにすることになっていたからだ。

14

リトル・イタリーは、東地区内の飛び地となる白人の居住地だった。花水木の街路樹に縁取られた煉瓦《れんが》道が縦横に走り、整った生垣に囲まれた煉瓦造りの二階家が軒を連ねている。ワルシャワよりはるかに活気を感じさせる一帯だ。ナポリ大通りと呼ばれる最大の商店街では、移民たちの故郷への思いを反映して、南イタリア風の装いを凝らした商店やレストラン、軽食堂《トラットリア》、菓子屋《ドルチェリア》、惣菜屋《デリカテッセン》などが妍《けん》を競っていた。この地の住民たちが旧来の犯罪に悩まされることはあまりない。ヴィンセント・モロが、ピーター・ホールと同じく郊外に居を定めながら、依然としてリトル・イタリーに権勢を振るっているからだ。モロが見かじめ料を取り立てているかぎり、あえてその和を乱そうとする者はいない。二〇年代や三〇年代からほとんど変化していないように見えるこの町が、マイケル・デル・コルソの両親が移住してきた場所であり、今はマイケルが娘のソフィアと暮らす場所でもあることを、すでにステラも知っていた。

そのソフィアが理由で、夕食をともにすることになったのだ。昼過ぎに、マイケルがノヴァクの事務所から電話をよこした。ステラの指示どおり、ノヴァクの帳簿や業績報告書――国税局の査察を受けないよう綿密に記録されたもの――を細かく調べたところ、不審な点が見つかったという。そのあとマイケルは、今は説明している時間がない、と謝罪もせずに事情を述べた。七歳になる娘の、ダンスの発表会があるのだ。だが、今夜は週に一度ソフィアが祖父母の家で食事をする日なので、マイケル自身はリトル・イタリーで食事をする時間が取れる。ステラのほうに異存がなければ、合わせてもらえるとありがたい、とのことだった。

ステラにとっても好都合だった。今後もこちらの仕事に時間を割いてもらう気でいるのだから、前回感じたぎこちなさを解消して、円滑な関係を築いていく必要がある。これまでにもステラは、公判との関わりの有無を問わず、かなりの数の男性局員と食事をしたが、ジャックとの経験から得た教訓に従って、同僚とは恋愛関係に陥らないという鉄則を守り、思わせぶりな態度すら厳に戒めてきた。

マイケルが指定したのは、ナポリ料理店〈グアディーノ亭〉だった。現在の経営者である元ボクサーのフランキー・スカヴーロが、いかつい体軀《たいく》を黒いタキシードに包み、入口に立って客を出迎えている。その服装からステラが連想したのは、落ち着きのない年配の父親が、五番目の末娘の結婚式に出席し、参列者に向かって過剰な笑顔を振りまきながら、業者からの請求金額を心配している場面だった。その本人が朗らかな笑みを投げてよこし、真っ白な被せもので完璧《かんぺき》に整えた歯並びをのぞかせて、初めて来店したステラに、その美しいお顔をまた拝見できて何よりです、と言った。

「覚えていてもらえて光栄です」ステラも調子を合わせた。マイケルの連れだと知ると、すぐさまスカヴーロが礼儀正しくステラの腕に手を添えて、恭《うやうや》しく丁重に奥の席へと案内する。すると、この騎士道ごっこの仕上げとばかり、マイケルが立ったまま腰をかがめて、わずかに頭を下げた。

「実におきれいなお連れ様で」マイケルにそう言うと、店主がすばやくその場を離れた。ステラは、明らかに愉快げな表情をした同僚を見て、スカヴーロの大仰な世辞のどこがマイケルの心を刺激したのかといぶかった。

向かいに坐《すわ》ったマイケルが言う。「おもしろい男でしょう？　店と同じで」

確かにそうだった。ウェイターは揃《そろ》ってタキシード姿、起毛加工を施した赤い壁紙はステーキハウスか娼家《しょうか》に似合いそうな感じだ。派手なシャンデリアの下方にあるバロック様式の噴水の中で、ルネサンス調の小便小僧が巨大な鉢に少しずつ水を注いでいる。

「〝おきれい〟は返上したいけど、好奇心は旺盛よ」ステラは言った。

ほんの一瞬、マイケルが困惑の表情を顔によぎらせた。そして、肩をすくめる。その態度が、職場でのステラの評判を物語っていた。情味のない、実務本位の女。「例の五件ですが」マイケルが淡々と切り出す。「事件当時、異常な金額の収入や支出がなかったかを調べました。ノヴァクが誰かを買収したとすれば、現金の動きがあるはずなので」

「それで？」

髪を赤褐色に染めた血色のいいウェイターが来たところで、マイケルが話を中断して顔を上げた。「お飲み物は？」ウェイターがステラにきく。

「ペリエを。ライムをつけて、氷なしで」

マイケルがこの対応を胸に銘記するようすがうかがえた。アルコールを避けるのが、ステラの行動規範のひとつなのだ、と。実際、そのとおりだった。

「キャンティを頼むよ」マイケルが注文する。

ウェイターが離れたのを確かめてから、マイケルが抑えた声で話を再開した。「一件ずつやりましょうか。まずは殺されたハイチ人、デノアイエの件。

死体の発見は火曜日。木曜に、ノヴァクは五万ドルを受け取ってます。現金で」

予期していなかったわけではないが、ステラの体に衝撃が走った。「誰から？」

「クラウン・リムジン社」いったん言葉を切って、「モロの隠《かく》れ蓑《みの》です。ノヴァクの帳簿によると、その金は〝相談料〟ということになってる」

ステラは大きく首を振った。「ありえないわ。ジャックは麻薬犯罪専門の弁護士よ。リムジンに関する知識といったら、空港までの交通手段ということぐらいでしょう」

マイケルがうなずく。「粉飾くさいですね。調べたかぎりでは、ノヴァクの職務上の助言を必要としてるのはクラウン一社だけでした」

飲み物が供された。ステラは周囲に目を配ってから、「その〝料金〟のことだけど、そのうちのいくらかを、ジャックがよそに回していたということは？」

「大きな額の引き落としはありません」身を乗り出したマイケルの顔に、関心の強さが表われている。「それに、この殺人に関しては、トンネル役を置く意味がないでしょう。ノヴァクが誰に金を流すんです？　モロが殺し屋を雇うとしたら、ノヴァクを通す必要はない。ノヴァクが自分の手でハイチ人をかたづけるということもありえない」

ステラはテーブルをにらんだ。しばらくして言う。「心付けだったのかも」

「何に対する？」

「自分の依頼人を売ったこと」

マイケルが自分のワイングラスに目を凝らした。考え込むような、笑みともつかない笑みが目もとに浮かぶ。けっして楽しげではない。長年モロのような男たちを追い続けて徒労を重ね、内通の威力と醜さを身をもって味わってきたせいで、ステラの説を言下に否定できないのだろう。

やがてマイケルがふたたび話し始めた。「次の事件では、ノヴァクが保釈金の設定を低くするよう申請して、検察側はこれに反対しなかった。そして、フラッド配下の売人が街から消えた。被告の名はモーガン・ビーチ」

ステラはうなずいた。「この前あなたと話したあと、その件をアーサーにきいたわ。ビーチは情報を握っていた。それを検察側に売って、身の安全を確保した」

しばらく口を閉ざしたあと、マイケルが正面からステラを見つめた。「その数日後、ノヴァクは二万ドル受け取ってます。やはりクラウン・リムジンからで、やはり支出はなし。そっくり銀行に預金してます。十セント単位で申告する正直な市民みたいに」

今度はステラもかなり驚いた。「どうして？　ジャックは何もしていない。便宜を図ったのは、うちの局でしょう」

「あなたの説の裏付けになりますね。つまりその現金は、何かの心付けとしてノヴァクに支払われた」ワインをひと口飲んで、「ひとつ確かなことがあります。これらの支払いは買収のための資金ではなかった。もし賄賂《わいろ》なら、金の支出先があるはずです。いや、もっと現実的に考えれば、その収入自体を帳簿に載せなかったはずだ」

ステラは飲み物に手をつけなかった。「好都合な結果がふたつ。死んだ男がひとりと、消えた証人がひとり。その二件にまつわる不可解な〝相談料〟」

「ただし、支出はない。二番目の件では、ノヴァクは単に運がよかっただけかもしれません。彼としても、ビーチに消えてほしくて、だけど、ビーチとアーサーが取引をしたことはまったく知らなかった。もし知ってたら、モロがビーチを始末させたでしょう」

「もちろん、モロは知らなかったでしょうね。ジャック・ノヴァクがまた奇跡を起こしてくれたと思っていた。ジャック自身も、そう信じていたんじゃないかしら」

物憂《ものう》げな動作で、マイケルが折れた鼻に触れる。「つまりモロは、特別サービスに特別料金を支払う上得意だった」

「モロが〝上得意〟だった事件は、ほかにもある？」

「あと二件」さりげなくメニューを開き、ステラにだけ聞こえる声で先を続ける。「一件は、カランが令状の捜査範囲を逸脱したときのもの。フリーマン判事は再任によって審理を担当――当初の判事は、偏見があるという理由でノヴァクに忌避されたんです。フリーマンが起訴を棄却し、ノヴァクはクラウン社から新たに三万ドル受け取りました」

「そのお金も、そのまま口座に？」

「残ってます」メニューを目で追いながら、「最後の支払いは、フラッドの手下であるルイス・ジャクソン絡《がら》み。ジャクソンの二度目の事件ですね」

チャールズ・スローンが担当した事件だ、とステラは思い返した。「ジャクソンは司法取引を行なって、一年と経《た》たずに出所した」

「そうです。相談料の実体があなたの言うとおりだとすると、ノヴァクはこの件でさらに四万ドル相当の働きをした」

ステラはしばし考え込んだ。「残る一件は？　五キロのコカインが警察署の保管庫で

〝うっかり〟廃棄されたあと、フラッドとジャクソンに対する起訴が取り下げられた件」

マイケルが首を振った。「その件では、ノヴァクは何も受け取ってません。通常の弁護料だけです。もちろん現金で、ジャクソンから」

ステラはグラスを手に取って、炭酸水をひと口飲んだ。「ジャックが勝訴したほかの事件は？　ボーナスが支払われたことはないの？」

マイケルが初めて確信に欠ける表情を見せた。「そこが腑《ふ》に落ちないんです。約二年分の記録を見ると、ノヴァクは陪審裁判に何度か勝ってる。ボーナスはありません」

ステラはグラスを置いた。「ところが、通常とは違う経緯をたどった裁判のときは、必ず〝ボーナス〟を手に入れている。証人が死んだとき、保釈金がとても安かったとき、寛容な司法取引が行なわれたとき、犯罪者にいちばん甘い判事が再任されたとき……」

「そのとおり」

ステラは周囲を見回した。ほかの客たち――老夫婦、家族連れ、三世代揃ったイタリア系アメリカ人とおぼしき団体客――は、食事を楽しむのに余念がないようだ。「それらの記録からは、ジャックがモロの金の〝運び屋〟だったという事実は出てこないかもしれない。でも、賄賂をよそに回していなかったという証明にもならないわね」

マイケルがうなずいた。「おそらくノヴァクは、そういう金の出入りを帳簿につけたりはしないでしょう。監査が入れば、不自然に思われるだけでなく、支出先を言わないかぎりは納税義務が生じますからね。あるいは、ノヴァク以外の誰かが運び屋を務めたのかもしれない。あるいは、運び屋などいなかったか」顔をしかめてメニューを閉じる。「でも、考えてみてください。モロが誰かを買収するとして、なぜノヴァクを運び屋に使う必要があるのか。あるいは、なぜ他人の働きに対してノヴァクに特別料金を支払うのか。そして、もうひとつ。ヴィンセント・モロが、ひとりの人間にそこまで多くの情報を握らせる危険を冒すだろうか。それも、ノヴァクみたいな小心な男に」

ステラは沈黙を通した。分析を終えたマイケルの声には、意気阻喪の気味があった。こういう試みはおもしろい、とその態度は語っている。理論的には、意味のあることかもしれない。しかし、ヴィンセント・モロの手の内は、明らかにならないままだろう。

すべてはジャン・クロード・デノアイエから始まったことだ。ステラはそう判断した。ノヴァクはデノアイエの件をひそかにモロに知らせ、ほかの誰かがハイチ人の死体を川に投げ込んだあとで、報酬を受け取ったに違いない。あとの三件に関しては、ジャックの果たした役割も、モロに手を貸してジョージ・フラッドを守った〝ほかの誰か〟の正体も、いまだ定かではない。そして、答えがわかったからといって、それがノヴァクの死とどうつながるのか。ブライトもスローンもダンスも、口を揃えてそう指摘することだろう。

「わたしにはわからない」ステラはぽつりと言った。

15

ウェイターが食事の注文を取った。マイケルがカルパッチョとサルティンボッカを、ステラはガーデンサラダと野菜のパスタを選んだ。「ワインは？」マイケルがステラにきく。

ステラはためらった。「一杯なら」

マイケルが頬をゆるめて、「車で送ってもらえますね」と言うと、キャンティのボトルを注文した。

ウェイターがふたりのグラスを満たすあいだ、マイケルが満足げに店内を見渡した。席はすべて埋まって活気があふれ、話し声と笑い声の音量が上がっている。ウェイターがテーブルを離れるのを待って、マイケルがきいた。「クラウン・リムジンの話が出ましたけど、金の洗浄《マネー・ロンダリング》について、どこまで知ってますか？」

ステラは付き合いでワインをひと口含んだ。苦みはあるが、舌に残るあと味は悪くない。「モロが自分の利益を合法的なものに見せかける手口、ということぐらいかしら。

具体的な行為まで追いかけたことはないわ」

「なるほど」喧騒《けんそう》が増すなかで、マイケルは普段どおりの声量と穏やかな口調を保っていた。「ノヴァクが受け取った〝料金〟は、クラウン社から支払われていますが、出どころが組織犯罪であることは間違いありません。

麻薬、売春、賭博《とばく》は、莫大《ばくだい》な額の金を生み出します。そういう金をマスターカードで使うわけにはいかないし、モロの部下たちが、売人の振り出した小切手を受け取ることも考えにくい」

「不渡りの可能性が大きすぎる」

「ええ。それに、跡が残ってしまいますからね。しかし、現金でもやっぱり跡は残る。マットレスの下に隠せるような額じゃないし、それに、モロみたいな暮らしをしてると、国税局から絶好の標的にされる」笑みを浮かべて、「アル・カポネも、結局はそれで捕まったんです。シカゴ川に浮かんだいくつもの死体ではなく、脱税のせいだった。

モロも同じ問題をかかえてます。一般人と同様、銀行に金を預けて投資をする必要がある。すると、今度は金融機関のほうに申告義務が生じる。国外へ金を持ち出すにしても、全額は無理でしょう。申告した収入と生活水準に開きがあってはまずいですからね」

言葉を切ったマイケルが、ワインをぐっと飲む。「そこでモロは、合法企業の株主になる。手を出せる現金商売ならなんでもいい。仕出し屋、リムジン・サービス、自動販売機、駐車場、酒場、レストラン。違法な稼ぎを、そういうもろもろの事業に投入して、十セント単位まできちんと申告する。もちろん帳簿には細工をしておいて、ヘロインの売上高を、例えば、数千万皿のサルティンボッカを売った金に見せかける」

瞳《ひとみ》に忍び笑いの光が散っていた。ステラは身をこわばらせ、ワインのグラスを持った手を止めた。「この店は……」

マイケルがうなずく。「モロのものです。でも、料理はいけますよ」

平然とした態度に腹が立った。「いったい、どういうこと?」

マイケルがあわてたふうもなく、なおもおもしろがるような表情で見つめ返す。「実例として、これ以上のものはありませんからね。〈グアディーノ亭〉とフランキー・スカヴーロはこの界隈《かいわい》の名物で、住民にとってはなくてはならない存在です。だから、麻薬絡みの金を楽に隠せるぐらいの実利をあげている。

フランキーはリトル・イタリーが誇る料理店主です。フランキーの店はカトリックの慈善団体に寄付をし、カトリック青年会を後援し、寝たきりの病人に食事の差し入れもしてる。誰もフランキーをゆすったり、困らせたりしようとは思わない。そして、フランキーは、何があっても、絶対に、モロの機嫌を損ねるようなことはしない。

これが、われわれが対峙《たいじ》してるものの、もうひとつの側面です。実に大勢の人間が、実にたやすく、すんなりと受け入れる。事実上、唯一《ゆいいつ》の安全な枠組みと言っていい」

ステラはグラスを置いて、繰り返した。「いったい、どういうこと？」

マイケルが笑みを引っ込める。「ぼくは子どものころからここに出入りしてます。フランキーがやってることをぼくは知ってるし、ぼくが知ってることを、向こうも知ってる。ぼくらのあいだには、だいぶ前から取り決めがあります。ぼくはただで食事はしない。フランキーは、モロに害が及ばない範囲で、有益な裏の情報を流してくれる。あなたは気に入らないかもしれない。でも、これが現実であり、ぼくにできる最善のやりかたなんです。フランキーの帳簿に何カ月も取り組んで実態を暴くような組織力は、ぼくにはない。フランキーが捕まることはおそらくないでしょうが、摘発できるとすれば、それはわれわれではなくＦＢＩです。ここにいるウェイター全員のほかに、たぶん、幽霊社員がひとりいます。職場にまったく顔を出さずに、フランキーから給料をもらってる社員がね。実際は、ヴィンセント・モロの下で働いてるんです」

「かつてのモロのように、〝兵隊〟として？」

マイケルが肩をすくめる。「兵隊、使いっ走り……。ことによると、例のハイチ人を消した人間の名が、ここの従業員名簿に載ってるかもしれない。だとしても、フランキーはまったく知りません。それも、モロの天才的なところですよ」

ステラは相手をにらみながら、憤《いきどお》る気持ちを整えようとした。不意打ちに似た独善的なやりかたで、立場を危うくされてしまったのだ。マイケル本人は、この店で食事をとるというたぐいのささやかな堕落に慣れているのだろう。たとえ現実的ではあっても、モロに対するマイケルの姿勢は、最初から勝負を降りている人間のものだ。

ステラの沈黙に、マイケルが表情を引き締めた。「頭にきてるみたいですね」

「ご明察よ。ここにいると、雇われた敵役みたいな気分になる」声を低くして、「この席が盗聴されていないという保証があるの？」

じっと動かないマイケルのまなざしに、今度は憤りの火がともる。今にも反駁《はんばく》の言葉が出そうなところで、最初の料理が運ばれてきた。

マイケルがことさら念入りな手つきでカルパッチョにマスタードを塗り、それから顔を上げて、「ぼくだってばかじゃない。この店に盗聴器が仕掛けられてないことはFBIに確かめてありますし、ヴィンセント・モロがそんなことをさせるわけがない。そもそも、電子機器による盗聴は違法です」穏やかではあるが、棘《とげ》を含んだ口調だ。「ノヴァクの下にいたといっても、あなたは犯罪組織がどう運営されてるかを知ったばかりだ。だから、義憤に燃えてるんです。それも結構。モロをぶち込む方法を教えてくれるなら、一日じゅう付き合ってもいい。でもそれまでは、少なくとも自分の理解の及ばない部分については謙虚に構えてください。ぼくらは〝雇われた敵役〟なんかじゃありません」

ステラは唇を噛《か》んで見つめ返した。マイケルには内に秘めた矜持《きょうじ》が――少なくとも男としての自尊心が——ある。そこに配慮しなかったのは迂闊《うかつ》だった。しかも、自分のことを棚に上げていた。殺人課の長として、殺人犯を捕らえるために別の殺人犯と取引をしたり、有力な証言を得るために、普段なら軽蔑《けいべつ》しているはずの人間に追従《ついしょう》を言ったこともあるではないか。なんといっても、今はマイケル・デル・コルソが必要なのだ。

「ごめんなさい」感情を抑えて言った。「きょうのあなたの働きには、感謝しているわ。ただ、マフィアの息のかかった店にいることを、食事中に知りたくなかっただけ」

マイケルが両手を組む。「わかりました。ここには二度と連れてきてあげません」

本来の関係をひっくり返してみせたその辛口の冗談が、ステラの頬をほころばせた。マイケルの沈黙を重く感じながら、サラダをつつく。遠慮がちに口を開いて、「じつは、あまりうまく運んでいないの。ほかのことでも、あなたの助けを借りることになりそう」

カルパッチョを食べ終えたマイケルが、敵意も熱意も感じさせない視線を投げてよこした。「どんなことです？」

「スティールトン二〇〇〇。統括責任者のトミー・フィールディングが、どうにも納得できないヘロインの過剰摂取で死亡し、元の妻が、球場のことでトミーが悩んでいたと主張している。でもわたしは、工事に関する取り決めの内容も、それによって利益を得る人間も、フィールディングの仕事の実態も、きちんと把握しきれていないの」

マイケルの表情が変わり、軽い興味を示し始めた。「球場を商売の種にするといっても、さまざまな業種があります。会計士、投資銀行家、建設業者……。まずはそこから始めるべきでしょう。そのあとでなら、例えばぼくみたいな人間が細かく調べることもできる」

ここは強く出ないほうがいい、とステラは判断した。「わたしが出向く必要のあるところを、絞り込んでもらえるだけでもいいの」

マイケルがしばし考えて、「もうスローンに話を通してあるようですね」

「ええ」

束《つか》の間《ま》、マイケルの顔に愉快げな表情が戻った。スローンとステラが緊張関係にあることは、ブライトとクラジェク市長とスティールトン二〇〇〇をめぐる複雑な政局と同様、すでに局内には知れ渡っている。マイケルがぶしつけにきいた。「郡検事に立候補するつもりですか？」

その直截《ちょくせつ》さがステラの虚を突いた。「なぜ、そんなことを……？」

マイケルがステラの顔をうかがう。「スローンはそのつもりです。おおぜいの局員が神経をとがらせてますよ。新検事のひと声で、首が飛びかねない。どちらの候補に味方して、どちらに背けばいいのか……。どう立ち回れば、今の職にしがみついていられるのか……。スティールトンにはそうそう、新しい就職口は転がってませんからね」

特に、七歳の娘を持つ独身男にはね、とステラは勝手に相手の身の上を推し量って、胸の中で言った。「アーサーの勝利が先決よ。そして、それは有権者がスティールトン二〇〇をどう見るかによって大きく左右される。チャールズ・スローンも、そこを見落としたりはしないでしょう」

マイケルが笑い声をあげる。「じゃあ、ぼくの身は安泰だ」

本気で懸念《けねん》しているとは思えなかった。仕事に失望したように見せかけながら、確たる自信を胸に秘めていることが、ステラにもだんだんわかりかけてきた。「ごく安泰よ。ただし、スローンの関心は政治に、わたしの関心は職務にある。彼は球場の威信を失墜させてアーサーを勝たせたい。わたしは、アーサーが勝ったうえで、自分が八十になってもこの街でブルーズの試合を観ていたい。その前に、フィールディングがなぜ死んだのかをちゃんと知りたい」

ウェイターが戻ってきた。不備がないかを愛想よく尋ねたあと、主菜《アントレ》を食卓に並べる。サルティンボッカから漂うチーズと仔牛《こうし》の肉の香りをかいで、ステラは、体重の増加にもっと鈍感でいられたら、と思った。

「野球が好きなんですね」料理をひと口味わってから、マイケルが言った。

当り障《さわ》りのない雑談。この場には必要なことだ。それに、少々個人的なことを話しても害にはならないだろう。「〝好き〟ではすまないわ。ハイスクールではずっとソフトボールの選手だった。ピッチャー兼センター。十四歳までは、ラリー・ロックウェルの後《あと》釜《がま》にすわることを夢見ていた。ブルーズに入団できないという事実を、なかなか受け入れることができなかった」笑みを浮かべて、「今でも、受け入れていない気がする」

マイケルの目に好奇の色が宿った。「郡検事なら、転向先として悪くないでしょう」

ステラの笑みがしぼむ。「かもしれない。でも、まずはアーサーが勝たなくては」じっと見つめるマイケルの視線が、不意に腕時計に向けられた。「九時だ。電話を入れとかないと」ポケットから携帯電話を出して、小声で言う。「ソフィアがいないころは、こういう機械は大の苦手でしたよ」メモリーボタン、次いで数字の1を押した。

ステラはパスタに意識を向けた。「母さん？」と、マイケルの声。「もうちょっとで行くから。ソフィアはどう？」黙って耳を澄ましたあとで、「よかった。風呂《ふろ》に入れてくれたかな。髪がよごれてたから」

電話の向こうでは、肯定の返事に続いてデル・コルソ夫人のひとり語りが始まったらしい。マイケルは母親に結論を急かすように、ひたすらうなずいている。「ありがとう、母さん。よろしく」そして電話を切った。

ステラはフォークを置いた。「だいじょうぶ？」

「ええ」携帯電話を折り畳んで、「母はときどき、孫を男親には任せられないと思うようです。ぼくには娘を歯医者に連れていく遺伝的能力が欠けてるらしくて」

やはり、子持ちの独身男なのだ。「発表会はどうだったの？」

マイケルがふたたび頰をゆるめる。「タイツ姿の二年生の一団が、懸命に振りを揃《そろ》えて踊るのを見たことがありますか？　まあ、ぼくの目に映ったのは、うちの〝砂糖菓子の妖精〟だけでしたけどね。かわいかったですよ」真剣みの増した顔で、「ソフィアにとって大事なのは、自信を持つことなんです。ぼくも常々、それだけを気にかけてます」

最後の言葉から、実際には支障があること、少なくとも過去にはあったことがうかがえる。しかし、立ち入った質問をするのはためらわれた。

食事はまもなく終わった。「送りましょうか？」ステラはきいた。

「迷惑でなければ……。両親の家に車を置いてきたんです。ここからすぐですから」

ステラが譲らずに割り勘で代金を支払ったあと、ふたりは足早に店を出た。暖かく騒がしい店内に比べると、夜気は肌寒く、デル・コルソ家に向かう車中は静かだった。

目当ての家は質素な二階建てで、造りこそちがうものの、ステラは二十三年を過ごした実家を思い浮かべて感傷に襲われた。一階のリビングルームの窓から、薄明かりの中にいる黒っぽい髪の少女が見える。ソファの背に両腕を掛けて、父親を待ちわびている姿……。きっとあの子の母親は、とても美しい女性だったに違いない。

助手席のマイケルがステラのほうを向き、「助かりました」と言ってから、ソフィアを迎えに行った。

16

金曜の朝、ステラは忙しかった。予審が一件、係争中の事件を見直す殺人課の会議が一件、ロースクールの三年生との就職面接が数件、今後支持者になってくれそうな人物から話を聞きたいとの電話が二件。十一時を回ってようやく、ダンスに電話をかけて、トミー・フィールディングとともに死んだ売春婦ティナ・ウェルチのことを聞き出せた。どうにかウェルチの母親と連絡がついたという。母親は東地区で家政婦をしながら、ウェルチの五歳になる息子の面倒を見ているらしい。娘の生きかたを恥じ、娘の死には当惑している。娘がヘロイン中毒だったことも、その生業《なりわい》も承知していた。しかし、五歳になる孫の父親について知らないのと同様、トミー・フィールディングについても、何も聞かされてはいない。ある晩家に帰ってこなかった娘が、翌日には死んでいた……。ダンスの声にはうんざりした響きがこもっていた。この手の話はさんざん耳にしてきたが、何度聞かされても気が重くなることに変わりはない、と言いたげだ。

ステラはきいた。「スカーベリーのほうは？　何か進展があった？」

「フィールディングやその車を見かけた者はひとりもいない。今のところ、カランだけだな」

「ティナはどうなの？　娼婦《しょうふ》には縄張りがあって、同じ街区で客引きをすることが多いでしょう。あの晩、ティナを見かけた人間がいるはずよ」

「だとしても、素直に話すとはかぎらない。風紀課にティナを知っている警官が何人かいて、縄張りはくまなく当たった。だが、たいていの娼婦は警官を、特に風紀課のおまわりを毛嫌いしているからな。誰も何も思い出さない——ゆうべも今夜も似たようなもの。十ドルもらって口でサービス。その繰り返しさ」

一瞬、その低い声に、スラム街で暮らす倦《う》んだ売春婦の口真似《まね》が聞き取れた。「写真入りのちらしは配ったんでしょう？」

「フィールディングとティナ、両方配った。反応はない」

ステラは未処理の伝言メモをめくった。6チャンネルのジャン・ソーンダーズから一件、〈プレス〉のダン・リアリーから二件。「でも、ノヴァク殺害犯は突き止めたんでしょう？」

ダンスがうめきとも笑いともつかない声を出した。「いつでも差し出せるよ」もどかしげな口調。「ミッシー・アレンを再尋問して、私生活も徹底的に洗った。血痕《けっこん》のついた服はなし。クリーニング屋からもごみ箱からも何も出てこない。誰にきいても、彼女に人殺しができるはずがないと言う。本人はひたすら、あの謎《なぞ》の電話をかけてきたのが犯人に違いない、そして恋人を失って死ぬほど悲しい、と言うばかりだ」

「あなたはどう思う？」

送話器の向こうで、また同じざらついた声がする。「蓼《たで》食う虫も好き好きだと思うよ」しばらく黙り込み、それから、「衝動的な殺人なら、なんらかの痕跡が現場に残るはずだ。指紋とか、あわてて逃げるところを見られるとか、音をたてるとか……。そういう取り乱した事件にしては、すべてが整然としすぎている。見せ物のようにノヴァクをクロゼットに吊《つ》るして、睾丸《こうがん》を切り取り、まったく跡を残さず消えているんだから」

ステラはごみ箱からのぞいている〈プレス〉にもう一度目をやった。『ノヴァク事件に手がかりなし』という見出し。クラジェクと球場建設を支持する新聞社らしく、ノヴアクのことを『アーサー・ブライトの無二の親友』と書いてある。

「痴情絡《がら》みでないとすると、犯人はどうやってジャックを従わせたのかしら？」

「頭に銃を突きつけて、か？」

半信半疑の口調。ステラも同じ気持ちだった。「ケイトと話してみるわ」

ケイト・ミチェリは、母親が酒場で飲んでいるあいだに犯されて殺された六歳の少女を剖検中だった。ステラに返事の電話をかけてきたのは、昼休みに入ってからだ。

「銃で脅されて？」ミチェリがきき返して、考え込む。「ありそうにない筋書きね。そこまで従順な人間はいないでしょう。犯人が足もとのスツールを蹴ったとたん、ノヴァクは抵抗し始める。いくら撃たれるのが怖くても、反射的にそうなる。とすると、縛《いまし》めに抗《あらが》った跡が手首に残り、首の擦過傷ももっと多く……」

ステラの頭にある疑問が浮かんだ。ふいに黙り込んだミチェリも、同じことに気づいたのだろう。ステラは言った。「セックスの相手がやったとしても、そういう状態になるわね」

やや間があいて、「なるでしょうね」

「ジャックの血中アルコール濃度は？　コカインについてはどう？　アレンの話だと、ふたりはワインをたっぷり飲んでから、ジャックの部屋でコカインを吸ったらしいわ。それと、現場に残されたカクテルグラスから、ジャックが最後に誰かとスコッチを飲んだことも判明している。アレンは、その相手は自分じゃないと言い張っているけれど」

「自分を殺そうという相手に、飲み物を出す？」疑わしげにミチェリがきく。

ステラは椅子《いす》に背を預けた。「知っている相手なら、おかしくないわ。アレンの話では、ジャックは電話を取って、それから急にアレンを帰らせたということだから」

「アルコールについて言うと、ノヴァクの血中濃度は法定限度を優に上回っていた。〇・一六パーセント。でも飲酒歴と体格からして、泥酔はしていなかったと推定される。

アレンもそう言っているんでしょう？」

「信じていいのかどうか……」

「べつに信じる必要はない。ノヴァクはコカインの作用で正気を保てたはずだから」

ステラは、クロゼットの戸に吊るされたジャックの姿と、その醜くゆがんだ顔を思い浮かべた。「そちらの質問が終わりなら」検屍《けんし》官が言う。「今度はこちらの話」

「何？」

「フィールディングの頭髪検査。ノヴァクとは正反対ね。一カ月相当の成長分を調べた結果、麻薬の使用は一切認められなかった。血液検査でも、気にするほどのアルコール濃度は出ていない。流しに残っていたグラス半分のビールで説明がつくぐらい」

ステラは立ち上がって、部屋の中を歩き回り始めた。「たとえ中毒になったばかりでも、ヘロインに溺《おぼ》れた人間がひと月も我慢できるかしら？」

「無理でしょうね。それに、どんな中毒者にも必ず初めて麻薬を摂取するときがある。断言はできないけれど、フィールディングにとっては今回が初めてだったように思える」

ノヴァク、フィールディング、ティナ・ウェルチ。疑問ばかりで答えが出ない。受話器を置いたステラは、習慣的に、建設中の球場をじっと見つめた。

「どうしろっていうの」胸中の思いが声に出た。

ふと気づくと、鋼鉄の梁《はり》を凝視したまま窓辺で三十分を過ごしていた。囲い込むような鉢形の一部に打設されたコンクリート。曇り空の下、鈍く光るヘルメット姿の作業員たち。その三十パーセントが少数民族系の人間だと、市長は有権者たちに喧伝《けんでん》していた。多彩な人種から成る〝虹の連合〟だと……。そして、この三十分間、ステラは決断を先延ばしにしていた。

そういう自覚はあった。思いどおりにいかないことが多すぎ、未処理の懸案と未解決の問題が山積みになって、前に進めないのだ。そこを打破するすべは、わかっていた。どこからでも、どんなに些細《ささい》なことからでも手をつけて、実行に移せばいい。勢いさえ戻ってきたら、次の道が開けるはずだ。

自分でも意外なことに、ステラはエレベーターで地下室に――使用ずみの書類が保管された部屋に向かっていた。

資料室は建物の奥まった場所にあり、風通しも日当たりも悪く、ほこりの多い湿っぽい部屋だった。ドアのわき、シンダーブロックの壁に、照明のスイッチがある。ステラは自分の鍵《かぎ》を使ってドアをあけ、明かりをつけた。

格子《こうし》状の網に覆《おお》われた蛍光灯が頭上で瞬《また》き、室内を照らす。

汚れたリノリウムの床に、高さ三メートルほどのスティールの棚が何列にも並んでいた。底なしの静けさ。ここは失効した訴追が集い眠る場所だ。却下された案件や、被告が有罪を認めた案件。勝った訴訟、負けた訴訟、論じ尽くされた上訴審。そして、過去の遺物が現在に光明をもたらす可能性が生じないかぎり、ここを訪れる者はない。

ステラは墓守のいない墓地を連想した。新たに加わった書類については、目録を管理する文書係がひとりいて、七〇年代から使用している分厚いバインダーに記録を残しているが、ほとんど利用者がいないこと、アーサーが限られた予算でやりくりしていることから、さらなる人員がここに割り振られる見込みはない。ファイルの持ち出しは局員の自己管理に任され、出納簿に自分の名前、ファイル名と番号を書き入れることになっている。記録によれば、ジャック・ノヴァク殺害以来、ここを訪れた者はいなかった。

この洞穴じみた部屋にステラの足を運ばせたのは、ノヴァクのファイル――ジョージ・フラッドに関わる五冊のファイルだ。そこからは読み取れることも多かったが、読み取れないことも多かった。もしかするとこの部屋に、消えた密告者モーガン・ビーチについての記述や、その男とアーサー、もしくはスローンとの関わりを記した覚え書きがあるかもしれない。あるいは、なぜアーサーもしくはスローンが、フラッドの部下でコカイン所持の罪に問われたルイス・ジャクソンと、わずか一年の刑期で有罪答弁取引に応じたのか、その理由を明かす記録があるかもしれない。あるいは、グリーン事件――ジョニー・カランによるコカイン押収《おうしゅう》が、令状の範囲を逸脱していた事件――が、どういう形で当初の判事から検察に辛いフリーマン判事の担当へと移されたのか、その経緯が書類に残されているかもしれない。あるいはまた、運がよければ、警察署の保管庫からどうやって五キロのコカインが消えたのか、その足跡を示すメモがあるかもしれない。あるいは、ジャン＝クロード・デノアイエがフラッドを売りたがっていたという事実を、検事が――スローンが知っていたのかどうか、明らかにするものが何かあるかもしれない。自分の手で〝司法取引？〟と書いた面談録を読み返したとき、死んだハイチ人の悲願が、まるできのうのことのように生々しくステラの心によみがえった、あの事件だ。

ステラは目録を端から見ていった。五件すべてが載っている。州対フラッド、州対デノアイエ、州対グリーン、州対ジャクソン、二回目の州対フラッド。モロの組織を追い詰めようとするむなしい努力の繰り返しだ。

なぜここに来たのか、自分でも明確に把握しているわけではなかった。単に直感が告げているだけなのかもしれない――ジャックが手がけた事件のうち、誰かがうそをついているか、少なくとも真実を話していないものがある、と。あるいは、知るべき事実はここにはないことを、確かめたかっただけなのかもしれない。

ファイルの番号を書き付けたメモを片手に、ステラは棚を捜し始めた。

棚は旧式の図書館のようなやりかたで配列されていた。それぞれの棚に、日付と番号の範囲を記した細長い紙片が貼《は》り付けてある。ステラは脚立を持ち出して、州対デノアイエのファイル番号が含まれる棚の前で立ち止まった。

いちばん上の段だ。脚立《きゃたつ》をのぼりながら、それらしき場所に目を凝らした。ほかの段にはファイルがぎっしり詰まっているが、その段には細い隙間《すきま》があり、そこから光が洩《も》れて、ファイルが一冊傾いている。ステラは、その番号と隣りのファイルの番号を確かめた。

州対デノアイエのファイルが抜けている。

手を止めて、ほこりと古い書類から漂うかびくさい空気を吸い込んだ。各々のファイルの位置を整えながら、自分に言い聞かせる。何もおかしなことはない。何もおかしなことは……。

脚立から降り、棚のあいだを移動して、州対フラッドのファイルを捜した。証拠のコカインが消えた最初の事件だ。今度は簡単だった。該当する段が目の高さにある。

また一冊傾いたファイルがあって、また光が洩れていた。めざすファイルがないと見定めるまで、おそらく一分とかからなかった。

身じろぎもせずに、手の中のメモをじっと見下ろす。

目録によれば、この隣りの棚に州対ジャクソンのファイルがあるはずだった。しかし、それも見当たらなかった。

部屋は息苦しかった。古びた空調装置が、過剰に蒸し暑い空気を無理やり吐き出している。おぞけにも似た不快感を覚えながら、残りの二冊も紛失していることをもはや疑わずにファイルを捜し、推測が正しかったことを確かめた。

ステラは出納簿のところに戻った。ページを繰ると、記帳が一九九六年から始まっていることがわかった。同僚の名前が並ぶなか、有罪となった横領犯に関するファイル名の横に、マイケル・デル・コルソの名がある。しかし、アーサー・ブライトやチャールズ・スローンの名前はない。出納簿によれば、目当てのファイルを持ち出した者はいなかった。

その場に立ち尽くし、腰に両手を当てて、ほの暗い室内に目を走らせる。その静けさに押しつぶされそうな気がした。

ドアをあけて、ステラは資料室をあとにした。

マイケルは自分のオフィスにいた。

ステラは戸口で立ち止まった。相手が書類の山から顔を上げる。

「ソフィアは元気？」

「ええ、おかげさまで」苦笑しながら、「ただ、ゆうべはぼくのベッドに潜り込んできて、眠らせてくれませんでした。ぼくが家を空けた晩は、ときどきそうなるんです」

ソフィアの母親はどこにいるのだろう？　死んだのか、出ていっただけなのか。マイケルの言葉からは、娘が不安を、ことによると突然の喪失感をかかえていることがうかがえる。だから昨夜窓越しに見た少女は、父親の帰りを待ちわびていたのかもしれない。

「捜し物をしているの」ステラは言った。「例の麻薬絡みの事件に関する、うちの局のファイル。あなたは持っていないわね？」

マイケルの表情は、軽い興味を示す程度のものだった。「見当たらないんですか？」

「出納簿にも記入がないのよ。何年も前に誰かが持ち出して、戻していないだけかもしれないけど」

「五冊全部を？」マイケルが真剣な目つきになり、やがて肩をすくめた。「いずれにしても、ぼくを疑うのはお門ちがいです。図書館の返却遅れの前科すらありません」

ステラは小さく口もとをゆるめた。「遅刻したことは？」

「一度もない」

「わたしもよ」

ステラは背を向けて、オフィスを出ようとした。「メガプレックスという社名に聞き覚えはありますか？」マイケルがきく。「スポーツ施設の建設では、アメリカでも指折りの企業です。今ちょうど、副社長のポール・ハーシュマンと話をしたところです」

この男は確かに手際《てぎわ》がいい。あるいはただ、検事候補の女性に好印象を与えておくのが得策だと思っているだけか。「その副社長は、協力してくれそうなの？」

「オフレコでなら。ハーシュマンは、スティールトンの政治には巻き込まれたくないと思ってる。でも、スティールトン二〇〇については詳しく知ってるみたいです。ニューヨークに行って、直接話を聞くのがいいでしょうね」

しばし考えを巡らしてから、「あなたが行ってくれない？」

マイケルの顔にとまどいがよぎった。「話の内容を伝えることはできますけど、理解しなければならないのはあなたですよ」

ステラはためらった。「ふたりで行ってもいいわ。一日ですむことだから」

相手が机をにらむ。「ソフィアがいますからね。何か手を考えないと」

ステラは気まずい思いにとらわれた。いっしょに行きたいとも、拒否したいとも思っていない相手を、自分は追い詰めているのだ。七歳の娘の養育の任を負った父親を。

「ソフィアのことを忘れていたわ」

「スローンのこともでしょう」マイケルがそっけなく応じる。「エコノミーの航空券二枚なんていう法外な出費が認められるかな」

「スティールトン二〇〇の調査に行くのに？　スローンは郡検事になりたがっているんじゃなかった？」

この言葉でマイケルの顔がほころんだ。「両親に頼んでみますよ。スローンのほうは、よろしくお願いします」

「ありがとう」

ステラはスローンのオフィスへ向かった。しかし、意識は、ノヴァクの死にまつわる証拠が消えていた事実へとふたたび戻っていく。ノヴァクの不正の陰にひそむ事情のもつれが不安をそそった。ファイルの紛失には触れないことにして、スローンを訪ねた。

要求を聞いた首席検事補の目に、思わせぶりな光が宿る。「きみとデル・コルソでか」

「一日だけよ、チャールズ」

スローンが腹の上で両手を組み合わせた。「あの球場のお粗末さを暴くには、じゅうぶんな時間だな」

17

ステラは隅のテーブルから、あわただしいソーホーの風景を眺めた。スローンの承認が得られたその日に、マンハッタンまでやってきたのだ。メガプレックスのポール・ハーシュマンの予定が、翌朝を逃すと数週間は空かないからだった。そして今、〈ラウール亭〉で夕食をとっているところ。雑多な層の客がおいしい料理を求めて集う、感じのいい小さなレストランだ。マイケルは舗道を行き来しながら、携帯電話でソフィアと話していた。

ようやくマイケルが戻ってきて、ぼんやりとワイングラスをいじり回す。ステラは言った。「悪いことをしたみたい。あなたを連れてきてしまって」

マイケルが顔を上げた。自嘲《じちょう》ぎみの照れがよぎる。「うまくやれないときがあるんです。大事にされてない、とあの子に思わせてるみたいで……」

声が途切れた。ステラの心は、私生活に踏み込むまいという気持ちと、無関心な態度は冷たさの証《あか》しに映るという恐れのあいだで揺れた。「失礼だとは思うけれど」思いきって尋ねる。「ソフィアのお母さんがどうしたのか、気にせずにいられなくて」

死んだという言葉を、半ば予期していた。しかし、答えは「オーストラリアに住んでます」というものだった。

漠然とした返答に、ステラはぎこちなく黙るしかなかった。マイケルの視線はテーブルに注がれている。きかなければよかった、とステラは悔やんだ。やがて、マイケルが口を開く。「予知能力というものを信じますか？　なぜかわからないけど、初めて会ったときに、この女性《ひと》が自分の人生を変えることになる、と確信できるような」

その声音には、記憶に刻まれた畏怖《いふ》の念と、破局への経緯を悄然《しょうぜん》と認める気持ちが入り混じっている。ステラは正直に答えた。「そういう経験は一度もないわ。なくてよかったと思う。そういう力を持つ人が相手だったら、恐怖を感じたでしょうから」

マイケルがうなずく。「夜眠っているソフィアが、ひどくマリアに似て見えるとき、ぼくはそういうことを考えるんです。そして、娘にこう言うところを想像する。『しょうがないさ。すべてきみのせいなんだから』」

父と娘が背負うには、重すぎる荷だ。「何があったの？」ステラはきいた。

マイケルが口の端に笑みを浮かべる。「ほんとうに聞きたいですか？」

「わたしのほうから尋ねたのよ」相手の目に疑念を読み取って、静かに言い添えた。

「ええ、ほんとうに聞きたいわ」

マイケルが窓の外に目を向けた。意を決したように、「初めて会ったとき、ぼくたちは六年生でした。それから二十二年間、一瞬たりともマリアを愛してなかったときはありません。時代錯誤と思われるかもしれませんが、ほかの誰も目に入らなかった。マリアを見つめてれば、それで幸せだったんです。

ぼくらの両親は同じ地方の出身で、ぼくらは同じ友人を持ち、同じ教会に通ってた。お互いのことを、ひとつ残らず知ってました。マリアが初潮を迎えたときのことも、それをどんなに恥ずかしがってたかも覚えてるほどです」いったん言葉を切って、思いにふけるように首を振る。「たいていの人は、結婚相手といっしょに育つなんて想像できないでしょうね。ぼくらには、それ以外の道が想像できなかった」

かつてはこのせりふにも、自負の響きがあったのだろう。今耳にしたような、純真なふたりが破滅に向かうという哀切さではなく……。「でも、あなたは、それ以外の道を想像し始めた」

「マリアが想像し始めたんです」近隣のヤッピーや若い男女が集まった騒がしい店内で、隅の席という位置――プライバシーの繭《まゆ》――に守られて、マイケルは回想に浸りきっているようだった。「ぼくらには計画がありました。マリアは経営学の学位を取ると、ブリティッシュ・ペトロリアムに就職して、ぼくを大学院に通わせてくれたんです。そのあとはふたりで家庭を持ち、快適な家といい学校が揃《そろ》った郊外に住むつもりでした。それでも、子どもはリトル・イタリーの聖ペテロ・アンド・パウロ教会のミサに通わせて、日曜日は祖父母と夕食をとらせよう、と。ぼくらの両親がぼくらにそうさせたように」

ステラは微笑《ほほえ》んだ。「『人生とは、せっせとほかの計画を立てているあいだに起こること』と言ったのは、ジョン・レノンだった？　わたしは絶対に信じたくなかったわ」

マイケルが好奇のまなざしを注ぐ。「いつも計画があったということですか？」

「今もそうやって生きている」

マイケルがナイフやフォークをもてあそび始めた。意味もなく一列に並べたり、また元に戻したり……。「ぼくらもそうでした。ぼくは学校を卒業し、経験を積もうと思って、アーサーの下で働き始めた。マリアはソフィアを産んだ。それから、マリアが仕事に復帰したいと言い出したんです。

問題はありませんでした。ふたりで頑張れるし、両親たちも協力してくれる。それに、マリアに息苦しい思いはさせたくなかった。でも、少し心配でした。ぼくにはソフィアがとても大事だった。マリアのほうは娘に、あるいはぼくらの暮らしに、そこまでの喜びを見出《みいだ》していないように思えました。自分が知り尽くしている人間が――陽気で愛情深い女性が――どこか遠くへ行ってしまったような感じでした。

マリアは、ぼくとの生活に飽き始めてたのかもしれません。赤ん坊が生まれても思ったほど愛情を持てず、ふと気づいたときには三十を迎えてて、なのに、十二歳のときに選んだ人生を過ごしてる……。ぼくに対しては、すべて順調だと言い続けてました。そうするほかなかったんでしょう。

ぼくには、マリアが以前と違ってしまったことしかわからなかった。そして、ある晩、家に帰ってきたマリアが、同僚の男を好きになったと言うんです。オーストラリア出身の男で、自分もオーストラリアに行くつもりだ、と。

ぼくはただ坐《すわ》ったまま、吐き気をこらえてました。仕事を兼ねた夕食だとか、泊まりがけの出張だとかいう口実を、迂闊《うかつ》なぼくは疑ってもみなかった。ぼくが六年生のときからずっと知ってた娘は、どんなときも、一度だってぼくにうそをついたことがなかったんですから」声を落として、「ぼくは自分に言い聞かせました。マリアは今も善良で、こんなふうに変わってしまうはずがない、と。でも、目の前にいるのは見知らぬ他人のようだった。ぼくが愛したマリアは、もう存在しなかったんです」

穏やかではあったが、その言葉は、ステラの胸の芯《しん》にじかに触れる感じがした。死んでしまった愛の、いわば喪に服しているマイケルは、愛する娘以外の人生のすべてを、価値あるものと感じられなくなったのだろう。

「その後、奥さんとは？」

「会ってません」さらにワインを飲んで、「マリアにとって、選択肢は出ていくことしかなかったんだと思います。夫と子どもばかりでなく、互いの両親や、それまでの人生で知り合ったすべての人たちと、顔を合わせられないようなことをしたんですからね。シドニーでも、じゅうぶんに遠いとは言えないかもしれません」

整然とした吐露のなかに、マイケルが数カ月を費やして理解するに至ったその筋道が示されていた。「ソフィアの反応は？」

しばし、マイケルが目を閉じる。「十一カ月経った今も、ママがいつ帰るのかときます。ママはほかの人を愛してるから二度と帰らないなんて、とても言えません」

「なんと言ってあるの？」

テーブルに両肘《りょうひじ》をついたマイケルの体が、心棒を失ったようにたわんで見えた。こめかみに白いものが混じってはいても、じゅうぶん若い容貌《ようぼう》なのだが、時折、盛りを過ぎたと自認する男性に特有の翳《かげ》りを見せることがある。「マリアは仕事で遠いところに行って、いつ帰ってくるかはわからない、と言ってあります」抑え込んだ憤《いきどお》りをにじませて、「ぼくが釘《くぎ》を刺したので、マリアはほぼ毎月、ソフィアに葉書をよこします。しゃべるような調子で、あれこれ書いてある。あまりよく知らない姪《めい》に宛てた、叔母さんからの手紙みたいに。ただし、最後には『じゃあね。ママより』と書いてありますが」

どう応じればいいのだろう？　黙り込んでいるところへ、料理が運ばれてきた。ワインを二杯飲み終えていたステラは、安堵《あんど》を覚えて黒胡椒風味《オ・ポワブレ》のステーキに目を向けた。ウェイトレスがまたワインをグラスに注いだときには、ほのかな酔いがさらに増すのがわかった。特別親しくない他人と過ごす際の心理状態としては、いつになく開放的だ。控えめな口調で、「わたしには子どもがいない。甥《おい》と姪がひとりずついるだけ。その子たちをあまりよく知らない伯母さんね。だから、経験者として語る言葉は持たないけれど……」

マイケルが顔を上げる。「けれど？」

「ちょっと気になるの。子どもの前から姿を消すのが母親のありかただという観念を、ソフィアの頭に植えつけるのはいいことなのかしら。あるいは、あとになって、父親が母親の行動を隠していたことを知られるのは……」

マイケルが仔羊《こひつじ》料理の初めのひと口を食べ終えた。「あなたなら、どうします？」

ステラは、自分の家族を支配していた沈黙を、そして、胸の内に深まっていった孤独感を思い返した。「真実を語るべきかもしれない。できるだけゆるやかに」

マイケルが強い視線を返す。「母親が家族を捨てて、ほかの男のもとに走った、と？」

マリアへの恨みとステラの助言に対する反発がマイケルの中でひとつに混じり合ったのを、ステラは瞬時に感じ取った。「賢い選択肢などないのかもしれない。でも、ソフィアから見た母親が、いつか現われるおとぎ話の登場人物になってしまっている。そして、あなたはそれが真実ではないことを知っている。

ソフィアの目にあるがままの現実が映るのが、いちばんいいんじゃないかしら。もっと大きくなれば、母親の行動は自分のせいではないと理解できるでしょうし、そうしたら、その事実と距離を置くことができる。それ以上を望んじゃいけないのかもしれない」

口に出してから、その言葉がどれほど自分について語っているかに気づいた。マイケルがその夜初めて、鋭く探るような視線を向けてくる。「経験があるみたいですね」

秘匿《ひとく》の本能が働いて、ステラは言葉に詰まった。けれど、今夜は少なくとも、自分の過去が誰かの役に立つかもしれないのだ。ためらった末に言う。「わたしの家族は、大事なことを何も口に出さなかった。父は挫折《ざせつ》を味わって不満をかかえ、お酒に溺《おぼ》れていた。母はひどく怯《おび》えていて、何にも気づかないふりをした。わたしも妹のケイティも、母に合わせるのが習いだった」

わたしは子どものころから、人類学者みたいに家族を観察していた。でも、ケイティはストックホルム症候群にかかった」首を傾けて、「どんな症状か、知っているでしょう？」

「ええ。誘拐された人間が、誘拐犯と同化するというやつですね。相手の実像と向き合うのが怖いから」

ステラはうなずいた。「ケイティは架空の家庭をでっちあげた。マーズ家ならではの表現方法で示される温情と感傷に充ち満ちた家庭。そして、わたしは家を出た。

妹は、わたしが虚構に付き合わなかったことと、父が父でなくなったことに、今でも腹を立てている。けれど母は、死ぬことによって、妹の空想の中で聖人に祭り上げられた」ワインをひと口飲む。「つらかったけれど、ケイティになるよりは自分でいるほうがましだった。だからソフィアも、あくまで親同士の問題だと納得できれば、たぶん切り抜けられる。現実を否定するより、現実と向き合うほうが、害は小さいと思うの」

マイケルの表情が翳りを帯びた。しばらくしてから、「お父さんがお父さんでなくなった、というのは……？」

「アルツハイマーを患っているの」

同情を誘う口調ではなかった。「それはつらいな」ぽつりとマイケルが言う。

「本人はつらくないわ。少なくとも、今以上につらくはならない」

マイケルの視線が強くなった。「あなたにとってつらい、という意味です」

ステラはいつもの重苦しさを胸に感じた。「ショックだったわ。ある日、父が突然、職場に電話をかけてきて、わたしに体面を汚《けが》されたと文句を言い始めたの。でも、電話を受けたのは三十四歳の女で、父が文句を言っていた相手は、二十三歳の娘だった。そして、父にはその違いがわかっていなかった」

マイケルの口もとがすぼまり、低く小さな音が洩れる。ステラは、その記憶がきのうのことのように鮮やかによみがえるのを感じた。車でワルシャワに向かったこと。そこを出ていった晩と同様に、激しい鼓動を感じながら家に入ったこと。最後に父の声をじかに聞いてから十一年後に、自分とアーミン・マーズがどんな言葉を交わすのかを想像したこと。しかし、その男の腰は曲がり、黄ばんだ白髪は薄くなって、体は骨から垂れ下がった皮のようだった。甲高い声で笑いながら、テレビで裁判ドラマを観ている。そのうつろなまなざしに、ステラは寒気を覚えた。

そして、叫びたかった。十一年間、父さんはわたしと口を利《き》こうとしなかった。あげくに、自分でそのことを忘れてしまうなんて……。

「ひと目で病名がわかったわ。病状はそれから悪化する一方だった。母は、自分の体が弱っているというのに、死ぬ間際《まぎわ》まで父の世話を焼いて、昔のように体裁を繕っていた。母の葬儀のミサのとき、本気で悲しんでいる父を見たときは、ほっとしたくらいよ。式が終わってから、近所の人たちといっしょに家に戻ったの」

父の目が焼き切れた電球のように生気を失っていたのを思い出す。「近所の人たちがいなくなるのを待って、父はわたしの手首をつかんでこう言った。『母さんにかつがれたな』」

マイケルがテーブルに片肘をついた。いかつい造作の奥の茶色い瞳《ひとみ》に、外見と対照的な柔らかい情味が宿っている。しかし、ステラには話せないことがあった。母が癌《がん》で死んだことをもう一度言い聞かせると、アーミン・マーズが切りつけるように言ったのだ。

『母さんがいなくなったのは、おまえがノヴァクに股《また》を開いたせいだ』

「で、お父さんを療養施設に？」

「ケイティはそれでも、父を家に残そうとした。父さんの記憶の拠《よ》りどころだから、と言ってね。でも、家の中を見回す父は、写真に写った人たちが誰なのかも、何がどこにあるかもわからずに、脅えて、腹を立てていた。自分の家を忘れてしまうなんて、拷問《ごうもん》みたいなものよ」言葉を切って、窓の外に視線を据える。「ケイティは納得しなかった。しまいにわたしは、もう看護師を雇うお金はないと説明して……」

『姉さんは血も涙もない人でなしよ』というのが、ケイティの返事だった。

「療養施設の費用は？」マイケルがきく。

「わたしが払っているわ」

「妹さんの援助はないんですか？」

ステラは店内を見渡した。近くのテーブルのうちふたつが新しいカップルの客に入れ替わっていて、時間の経過を気まずく思い知らされる。「そんな余裕はないと言うの。でも、ケイティから見れば、自分を置き去りにして勝手に家を出た姉が、当然負うべき賠償なんでしょうね。空想の家族に対する反逆の罪を、お金で贖《あがな》っているというわけ」

マイケルが首を傾けた。「お父さんの具合は？」

「何も、そして誰のことも覚えていない。この前会ったときは、ほかの患者たちと輪になって坐って、黒人の患者と手をつないでいた」思い出し笑いをして、「とても驚いたわ。あとで気づいた。父は、自分が人種差別主義者だったことを忘れているのよ」

マイケルが頬をゆるめた。ステラは言えなかった――日曜日になると、抜け殻となった父の隣りに坐り、そのまやかしの平穏に乗じて、とうとう和解のときが訪れたという夢想に浸っているなどとは。何よりつらいのは、自分にとって父がいまだに大きな存在であるのに、父はもう娘を認識すらできないという事実を認めることだなどとは……。沈黙のあとに、ステラは言った。「これで、お互いに話し残したことはなさそうね。あとは、あすの訪問の件だけ」

マイケルはコーヒーカップをいじっている。「そうですね」

「まず始めに、わたしの方針とスローンの方針が違うことを言っておくわ。わたしは、スティールトン二〇〇〇のお粗末さを立証するためにここに来たわけではない」

坐り直したマイケルが、好奇の色を浮かべた。「アーサーの役に立つことなのに？」

「自分の職務をまっとうすることが、アーサーの役に立つのよ。わたしの目標は、フィールディングが仕事のうえで何に重圧を感じていたか、反目していた人間がいたとすればそれは誰かを特定すること」

マイケルが周囲に目を配る。疑わしげな口調で、「他殺と決まったわけじゃないでしょう？　ヘロイン中毒の娼婦《しょうふ》を刺客に雇う人間がいるとは思えないし、第一、ウェルチ本人が死んでますからね」

「いいところを突いているわね」そっけなく応じて、「では、どういう経緯でウェルチがトミー・フィールディングとともに最期《さいご》を迎えることになったのか」

「まったく見当もつきません」

「それがわれわれの課題よ。あなたを連れてここに来た理由もそこにある。アーサーも承知のうえなんだから、ほかの人間のことを気にする必要はないわ」

マイケルが小首をかしげ、わずかに目をすぼめる。「スローンのことも？」

ステラは、相手が娘と住宅ローンをかかえていることを思い出した。そして、局内の権力争いで反主流派に身を置けば、そのふたつが危険にさらされかねないことを。「スローンもばかじゃないわ」さりげない口調で、「努力しなくとも、優秀な部下が自分を優秀に見せてくれることを知っている。そして、わたしの知るかぎり、スローンがステイールトンの正義を担《にな》うに足る人物かどうか、あなたは一度も疑ったことがない」

マイケルが真剣な目でじっとステラを見た。瞬間、それは友誼《ゆうぎ》を希《こいねが》う者の目つきに見えた。「でも、あなたは疑ってる。それなら、なぜ立候補しないんです？」

父がいるからよ。父が生きているかぎり、毎月毎月、わたしの貯金が——選挙運動の資金を借りるための担保となる蓄えが——少しずつ減っていく。それにつれて、わたしの希望もしぼんでいくの。党への献金者の大半は、スローンの味方だもの。

「謙虚だからよ」ステラは答えた。

コーヒーを飲み終えると、ふたりはタクシーを拾って、東五十丁目通りにある地味なホテルに向かった。ニューヨーク・ヤンキースの帽子をかぶった運転手はロシアからの移民で、何かに憑《つ》かれたように車線変更し、黄信号では減速もせず、赤信号になると急ブレーキをかける。ステラは気を紛らわせるため、マンハッタンの夜空に滑らかに描かれた摩天楼の稜線と、とぎれることのない街の脈動に意識を向けた。

ようやく目的地に着いて、タクシーが停まった。

ホテルに入り、エレベーターで六階に向かう。ふたりの部屋は、通路をはさんで向かい合わせになっていた。

ステラの部屋のドアの前で、ふたりは立ち止まった。両手をポケットに突っ込んだマイケルの動きが、急にぎこちなくなる。今夜、仕事からそれてかなり個人的な話をしてしまったことに対し、何か言いたいのに、言葉を捜しあぐねているらしい。

ようやく口を開くと、「さっきの話、とてもためになりました。思ってもみなかった収穫です」

思ってもみなかったという点では、ステラも同じだった。出張とワインのせいで、浮き足立っていたようだ。なんとか笑みを浮かべて、「普段のわたしは、マーズ家の歴史を他人にふるまうようなことはしないの。たいしたご馳走だとも思えないし」

口に出したとたん、後悔した。相手は部下だというのに、それなりの好意を感じるがゆえに、あるいはそれなりのことを話してしまったがゆえに、つい確証を求めるような言いかたになった。マイケルが穏やかな声で言う。「いえ、ご馳走でした」

さっきより互いの距離が近づいていることに、ステラは気づいた。マイケルの顔をのぞき込む。

ごく軽く、ためらいがちに、片手がステラの肩に置かれた。「とにかく、ありがとうございました」

「どういたしまして」ステラは背を向けると、自分の部屋のドアをあけ、暗がりの中へ足を踏み入れた。肩にはまだマイケルの手の感触が残っていた。

その晩、ステラは、局の地下の資料室にいる夢を見た。

洞穴のような空間は暗く、怖気《おぞけ》をそそった。しかし、立ち去ることはできない。ジャック・ノヴァクとそこで会って、ついに真実を聞かされることになったからだ。それがすむまで、ステラは自由になれない。

手探りで棚から棚へと移動する。

ジャックは殺された。ステラはそのことを知っている。だが、最後にここで会おうと、ジャックが約束したのだ。

ある棚に手が触れて、そこに隙間《すきま》があるのがわかった。ジャン＝クロード・デノアイエ殺害のあと審理が打ち切られた一件の、ファイルが置かれていた場所だ。死《デッド》んだ記録、死《デッド》んだハイチ人、袋小路《デッド・エンド》。死《デッド》んだジャック。

聞こえるのは、耳障《みみざわ》りな自分の息づかいだけ。肌はじっとりと汗ばんでいた。

背後に誰かがいる。

ぞっとして、ステラは目を閉じた。それは男で、知っている相手だった。さもなければ、これほどすぐに親密な感覚は湧《わ》かないはずだ。ただし、安心感は伴わなかった。

ジャックだとしたら、なぜ黙っているのか？　首筋に相手の息がかかる。

「たいへんきれいなお嬢さんですな、ステラ・マーズ」

冷たい指がステラの腕に触れて……。

はっと目が覚めた。よじれて湿ったシーツが体にまとわりつく。

部屋は暗かった。しかし、自分がどこにいるかはわかった。資料室ではなくニューヨークで、悪夢の余波にとらわれているのだ。もつれた髪が額に貼《は》りついている。

周囲を見回して、自分の居場所を確かめ直した。

ステラは夢をあまり重要視するたちではなく、記憶に残った断片をつなぎ合わせたり、強引な解釈を試みたりすることはない。けれど今は、途中で覚醒《かくせい》したおかげで、この夢を紡ぐ糸をたやすく名指すことができる。孤独と妄想だ。あのささやき声がモロのものだとすると、なぜ腕に触れた指を、誰かほかの人間のものだと思ったのか……。

光を求めて、ふらふらと窓辺へ体を運んだ。けれど、眼下には、細いコンクリートの奈落が横たわっていた。曙光《しょこう》を灰色に受け止める東五十三丁目通り。聞こえてくるのは、金属のぶつかり合う音、ごみ収集車の油圧装置がうなる音だけだ。

ステラは向き直り、ベッドのへりに腰を下ろした。

パターンがあるはずだ、とステラは考えた。審理の不正操作のパターンに続く、ファイル紛失のパターンが。法執行に携わる誰かが、モロとノヴァクに手を貸し、なんらかの手段を使って地下の資料室に出入りした可能性がある。しかし、あの部屋の鍵《かぎ》を持っているのは、検察局の人間だけだ。

ステラの前にあそこを訪れたのは誰か？　そして、今夜の夢に登場した人物は誰か？　自分の心を占めているのが孤独感なのか、それとも失われた平衡感覚なのか、ステラにはわからなかった。誰も信用できず、だからこそ夢の分析を始めてしまったのだ。

翌日、訪問の直前、ステラはナサニエル・ダンスに電話をかけた。ノヴァク事件の捜査には、なんの進展もないという。ステラは、紛失した記録のことには触れなかった。

18

「お断わりしたように」ポール・ハーシュマンが言った。「こういうささやかな講義は喜んでやらせてもらいますが、わが社の名前を書類に残していただきたくありません」

「承知しています」ステラはそう答えると、マイケルの隣りに腰を下ろした。

ハドソン川を眺望できるとはいえ、ハーシュマンが机を構える役員室には、彩りというものがなかった。弁護士や投資銀行家とは違って、自分の商売には垢《あか》抜けた装飾など不要と考えているらしい。実際に目に見える商品を扱っているせいだろうか。通路には幾何学的な簡潔さが漂い、むき出しの白い壁に嵌《は》め込まれたガラスの中に、唯一《ゆいいつ》飾りと呼べるカラー写真――メガプレックス社の施工例――が掲げてある。ボルティモアのカムデン・ヤーズ、クリーヴランドのジェイコブズ・フィールド、アトランタのターナー・フィールド、そして最新の物件、サンフランシスコのパック・ベル・スタジアム。各球場は、それぞれの街で現代のピラミッドと化し、地方自治体の新たな矜持《きょうじ》と、竣工《しゅんこう》に費やされた何億ドルという金とを象徴するだけでなく、住民の多大な血と汗が、コンクリートや鉄鋼に劣らぬ必須の建材であることをも示している。怒りの住民投票、利権のぶつかり合い、区画整理、立《た》ち退《の》き訴訟、雇用創出の要求、教育の荒廃、階級闘争、勝者と敗者、公人としての出発あるいは終焉《しゅうえん》……。収益は大きいが浮き沈みも激しい業界だ。そういう企業の副社長が、ふたりの検事補のために時間を割いてくれるのは、それだけでありがたいことだった。

ハーシュマンが社名入りのマグカップにコーヒーを注いで、会議用テーブルの向こうから押してよこした。五十がらみの大柄な男で、白い髪と垂れたまぶた、中西部のアクセントを併せ持ち、とても血色がいい。戸外で過ごすのを好み、なおかつ酒もたしなむらしい。風貌《ふうぼう》に見合う俊敏で率直で剛毅《ごうき》な物腰は、上品ぶった言葉などめったに口にせず、自分の目で見た物事しか信用しない人物であることを物語っていた。「愚痴は商売に響きますから」ぽつんと言い添える。

コーヒーをひと口飲んだあと、マイケルが質問した。「スティールトンに、何か愚痴の種があったんでしょうか？」

ハーシュマンが声をあげて笑う。「取り付く島もないというやつです。入札さえさせてもらえなかった。こんなことは十七年ぶりですよ」

「その理由を、ご存じですか？」

「政治です。おたくの市長は、すべての契約を地元業者と結ぶと言いたかったんですね。

ステイールトンの住民でない者は締め出される」口と目の周りを笑みがよぎった。「クラジェクのように二億七千五百万ドルの市債を発行するとなると、完済に四億ドル近い金がかかる。それだけの大金を動かすには、最大限の売り口上が必要になる。かくして、専門技能より地元住民の雇用が優先されるというわけです」

「それでもあなたは、ステイールトン二〇〇〇の仕組みをご存じなんですね？」ステラはきいた。

「ええ。政略的に見ると、この手の事業は地雷原のようなものですからね。次なる入札に備えて、ひとつ前の事業の実情を把握しておく必要があるのです。どこで予算を超過したか、住民とのあいだにどういう摩擦が生じたか、なぜ成功したか、あるいは失敗したか。それに、ステイールトン二〇〇〇は、ここ五年ほどの潮流のなかでは変り種です。時代の趨勢《すうせい》は、公共投資より民間の融資のほうを向いていますから」

ステラは窓外のハドソン川に目を据えた。見るからに冷たそうな紫色の川面《かわも》を、一月の朝陽が照らしている。感情を込めずに、「市は切羽詰まっていたんです」

ハーシュマンの笑みはもう消えていた。「それはそうでしょう。悪《あ》しきイメージに、小さなメディア市場。球場に棲《す》みついた鼠《ねずみ》の数が、有料入場者の数を上回っている。球団の本拠地を移すことさえできれば、ピーター・ホールは新しい球場と大層なご祝儀——大枚五千万ほど——を手に入れ、晴れてシリコンヴァレー・ブルーズだかラップトップスだかのオーナーに納まれるんですがね」

「つまり、本拠地を移さなかったら、ホールは損失を被《こうむ》るということでしょうか？」マイケルがきいた。

「長い目で見れば、そうでもない。そこが賢いところですよ」マイケルからステラに視線を移して、「そこからお話しするべきでしょうな――ピーター・ホールの目に、世界がどう映っているか。そうすれば、死んだフィールディング氏に行き着くはずです。まず認識しておかねばならないのは、ピーター・ホールが巨額の金を失いつつあるということです。

球団のオーナーが赤字を嘆くときは、ほんとうに懐《ふところ》が苦しいのです。大リーグで昨年利益を出したのは、わずか四球団。選手は法外な年俸を取り、テレビ放映権などの稼ぎを残らず吸い上げる」皮革張りの椅子《いす》に坐《すわ》ったハーシュマンが肩を丸めて、コーヒーを飲む。「だからこそ、マードックやらターナーやらディズニーやらが興行権を買い占めるんですよ。けたはずれの資金力の持ち主たちが。

ホールからすれば、そこが付け目です。野球は商売にはならない。しかし、巨大なエゴを持つ資産家にとって、スポーツチームは究極のおもちゃです。特に野球のチームは供給不足の状態で、三十しかない。それを億万長者たちが奪い合って、値がどんどん吊《つ》り上がる。

そういう買い手の面々に比べたら、ホールはただの貧乏人です。資金源がテレビや映画やマルチメディアの帝国ではなく、鉄鋼とショッピングモールですからね。現金をつくるには、球団の本拠地を富裕な都市に移すか、高い値を付けてくれる複合企業《コングロマリット》に売り渡すかしかない」

マイケルがカップを置いた。「どちらにしても、ブルーズはスティールトンを離れることになりますね」

「スティールトンがホールに球場を建ててやれば、話は別です」にっと笑ったハーシュマンの口もとから、驚くほど整った白い歯がのぞく。「九〇年代になると、球団の収入は、テレビが普及する前と同様、観客数に左右されるようになりました。球場はもはや野球の試合場ではない。テーマパークです。往時を偲《しの》ばせる造りになってはいても、場内には豪華な特別席やビデオゲーム、仮想現実《バーチャルリアリティ》センター、特殊な視覚効果、便のいい駐車場、気《き》の利いた飲食物があふれている。つまり、ビール片手に観戦する野球ファンではなく、団体客と裕福な消費者の受けを狙《ねら》ったものばかり。昔ながらの球場にはないものばかりです」

ハーシュマンがふいに立ち上がり、両手を首の後ろに当てて背伸びをした。「市がピーター・ホールに球場を建ててやれば、ホールは、アフリカ系アメリカ人の新オーナーであるロックウェル氏と組んで、うまく運営していくことでしょう。少なくとも、第二のルパート・マードックに売り渡せる程度にはね。ホールが黒人票集めの広告塔を探す際、そういう見込みをロックウェルに耳打ちしたのは間違いない。ロックウェルのような表看板はとても大切です。スティールトンみたいに財政の逼迫《ひっぱく》した街で、二億七千五百万ドルと利息を投じてホール級の金持ちを救済するとなれば、住民の反感を買うのは必至ですから」ふたたびにんまりして、「気を悪くなさらないでください。一方でクラジェクは、ブルーズを失った市長と呼ばれたくない――いずれ上院選にでも打って出るつもりでしょう。じゅうぶんな数の有権者を説き伏せて、自分の使う公費がすべて街に留まるだけでなく、いっそう多額の金を生むのに役立つと信じ込ませたいところです」

仮借ないこの概説に、ステラは自尊心を烈火で焙《あぶ》られる思いがした。わが街の復活を、そして住民の胸に宿る矜持の復活を、この目で見たいと願ってきたのだ。生まれ育った街を、低価格帯の不動産――億万長者専用のモノポリー・ゲームにおけるバルティック通り――に見立てる気にはなれなかった。ハーシュマンが先を続ける。「こういうときの決まり文句が、ダウンタウンに梃《てこ》入れをして一流《ビッグ・リーグ》の面目を保つ、というものです。ところが、ホールとクラジェクは、もう一歩先まで踏み込みました。

ふたりはまず、この事業によって潤《うるお》う立場の人間全員に目を向けました。地主、整地を行なう業者、建築家、デベロッパー――これはまあ、ホールのお手盛りというところですね、それから建築総監督、元請け、下請け業者、会計士、弁護士、市債の取扱銀行、駐車場や飲食物やチームブランド商品、ビデオゲームなどを扱う業者……。次に、そういう人材をすべて地元で調達しようと決めました。そしてさらに、好感度を高め、ブライト氏の支持層を切り崩す策として、球団オーナーに少数民族をひとり加え、ホール・デベロップメントにも少数民族の共同経営者を迎え、少数民族系の元請け一社と下請け数社を指名し、少数民族労働者の雇用を確保するという方針を打ち出した」

「頭数はみごとに揃《そろ》ったようですが」マイケルが言った。

「まあね」ハーシュマンがコーヒーを飲む。「ひとつ問題なのは、建築家から建設会社、ホットドッグの店に至るまで、ほとんど名前も聞いたことのない業者ばかりだということです。球場というより、アマチュアだらけのクリスマスツリーですよ。だから、おそらく、競争入札がまったく行なわれず、結果として、納税者が法外な額の負担を強いられることになったんでしょう」

「金額には上限があります」ステラは指摘した。「費用が二億七千五百万ドルを超えた場合は、超過分をホールが負担することになっているんです」

ステラに向けられたハーシュマンの顔には、善意から来る根気のよさが表われていた。「それを先に説明しておくべきでした。それが、スティールトン二〇〇〇が大金を食うふたつ目の理由――つまり、ホールが一セントも支払わずにすむ仕組みなんです。

〝保証最高額〟のことはお忘れなさい、マーズさん。〝保証最低利益〟に目を向けるべきです。そうすれば、この申し合わせの巧妙さが見えてくるでしょう。本件に携わるスティールトンの人間は、全員が利益を保証されている。ただし、市当局は例外です」

ステラは口をはさんだ。「ピーター・ホールは、『節減分に関する条項』を強調しています。球場の建設費が市債による二億七千五百万ドルを下回った場合は、その節減分の半分が市のものになり、残りの半分がホールの会社のものになるという取り決めです。つまり、ホール・デベロップメントに建設業者のお目付け役を任せることで、スティールトンも予算を節約できるわけでしょう」

ハーシュマンが立ったままで腕を組む。「それもまた、ホールとクラジェクのセールスポイントですね。しかし、承知しておいていただきたいのは、本来なら、あれが二億ドルですむプロジェクトだということなんですよ。

すなわち、七千五百万ドルの水増しがある。そのうちのいくらかは、現場経験のない作業員の人件費や、さまざまな減損、超過、結果的に生じた空費分の補塡《ほてん》に充てられます。仮に、その数字を二千五百万としましょう。すると残った五千万を、ピーター・ホールとスティールトンで折半することになる。

建築総監督が受け取る報酬は、四パーセントが相場です。総工費が二億なら、八百万ドル。悪くない金額だ。しかし、『節減分に関する条項』のおかげで手に入る二千五百

「万ドルほどではない」ここでまた頰をゆるめて、「なんという取引でしょう。スティールトンは、そもそも調達する必要のなかった資金のうち二千五百万ドルを取り戻すのと引き換えに、ホールの会社に二千五百万ドルのボーナスを与え、金利まで負担させられるのです。わが家の財政管理をおたくのクラジェク市長に任せなくて幸いでしたよ」

マイケルがステラを横目で見た。ホールが街を食い物にしたことを立証しに来たわけではないが、ブライトとスローンにいい手みやげができたと言いたげだ。しかし、ステラはふと、思わぬ落とし穴がありそうな気がしてきた。

ハーシュマンに疑問をぶつける。「おっしゃるとおり、あれが二億ドル相当のプロジェクトで、浮いた五千万ドルをホールがスティールトンと山分けすると仮定しましょう。あとの二千五百万ドルから最も大きい利益を得るのは誰ですか？」

上体をそらしてステラを見下ろすハーシュマンは、もう微笑《ほほえ》んでなかった。おもむろに窓辺へ歩いていく。エリス島と自由の女神をめざす観光船に関心を引かれたような動きだが、目つきは鋭く、口もとは引き結ばれていた。どう答えるべきかを吟味しているらしい。こちらを向いた顔と声に、これまでにない真剣みが表われていた。

「わたしは人種差別主義者ではありません。建築業界はＭＢＥ——少数民族経営の事業《マイノリティ・ビジネス・エンタープライズ》体《イゼズ》——に、常に門戸を開いておくべきだと思っています。彼らの専門技能を伸ばし、仕事を公平に配分する唯一の道は、長期的な雇用の確保ですからね。わたしは一流のＭ

BEと仕事をする機会が多かったので、その実力にはなんの疑いも抱いていません。

ところが、この業界には嘆かわしい隠し事があります。誰もが知っていながら、差別主義者の烙印《らくいん》を恐れるあまり、触れないでいることが……。それは、MBEへの割り当てが、政治上の建前で雇われた無能な連中の儲《もう》けになりかねないということです。クラジェクとしても、少数民族経営の元請けや下請けに一定量を発注すると公言したからには、逃げ場がない。三十パーセントの仕事を地元の業者、それも黒人かヒスパニックかアジア系に割り振る必要があったんです。業者は実力を問われることすらなかった」

ひと息つくと、ハーシュマンは席に戻り、ステラの真向かいに腰を下ろして、まっすぐに見据えた。「スティールトンはアメリカン・ドリームを体現したと言えるかもしれません。人種や肌の色や宗教を問わず、無能な連中に――法外な値の球場と引き換えに次々と市から金を搾《しぼ》り取る連中に――公平な機会を与えたんですから。しかし、あの球場に相場以上の値がつくのは、ひとつには、クラジェクがブライトの地盤を揺るがすのにMBE枠を利用したからです」醒《さ》めた笑みをよぎらせて、「選挙が近いそうですね」

なにげない口調に、ステラの質問の意図を察した響きがあった。ホールとクラジェクが、スティールトン二〇〇〇と反対派のあいだに少数民族系の企業を介在させたせいで、建設費に対する批判はブライトにとって両刃《もろは》の剣となったのだ。ステラは言った。「政治は肉弾戦ですから。それで、フィールディングはどこに登場するんですか?」

「舞台の中央です。統括責任者として、元請け及び下請け業者からの請求書のすべて、変更注文書のすべてに認可を下す。それと、工事が請求書の内容どおりに正しく、遺漏なく仕上がるよう目を光らせる。

フィールディングの最終目標は、できるかぎり節減分を増やして、ホール・デベロップメントに多額の金をもたらすことです。しかし、少数民族系も含め、その金を狙う建設会社や下請け業者を相手に、毎日やり合わねばならない。そして何週間かに一度は、業者の仕事ぶりにかかわらず、工事の三十パーセントがMBEに割り当てられていることを市に証明する必要がある。それを怠ると……」言葉を途切らせ、思わせぶりに肩をすくめる。「政界が大混乱をきたして、誰がとばっちりを食うかわからない。ホールとクラジェクも例外ではありません」

「つまり、フィールディングは送水管の調整弁を握ってたわけですね」マイケルが言う。

「誰もが、そこから流れてくる水を待ってる。水を流したり止めたりできるのは、フィールディングだけだった」

「たとえるなら、送水管より火薬庫でしょう。彼は懸命に発火を防いでいた」

耳を傾けながら、ステラはトミー・フィールディングに課せられた想像上の重圧のほどを推し量ってみた。数百万ドルの金だけでなく、ある街の未来と、その街を治めようとする人物にまで影響を及ぼすプロジェクトに、職務が命という完璧《かんぺき》主義者が携わったのだ。ことによるとその重圧に押しつぶされ、やみくもに逃避しようと、不似合いな手段を選んだのか……。しかし、敵を作ることからは逃げきれなかったはずだ。「誰かがフィールディングを殺したがっていたとお考えなんですか？」ハーシュマンがきいた。

今度はステラが肩をすくめた。「動機が必ず実行に結びつくとは限りません。事故死の公算も大ですし」ここまでの話を思い返し、一瞬迷ってから、「フィールディングはすべての請求書に目を通すということでしたが、そこから何か、問題が生じる可能性はありますか？」

「いくらでもありますよ。例えば、変更注文が濫発《らんぱつ》されたり、不要なものだったりする場合。あるいは、作業人員の水増しや、建材費の過剰請求」コーヒーに口をつけてから、冷めているのに気づいたらしく、やや不機嫌な顔でカップを置く。「MBEの側から見れば、稼ぐチャンスは随所に転がっています。フィールディング、それにホールとクラジェクの首根っこを押さえてあるんですからね。MBE規定の遵守《じゅんしゅ》報告書を市に提出できなくなるように、仕事をしないと言って脅すこともできる。あるいは、実際にやっていない仕事の請求書を出してもいい。フィールディングとしても、争うよりは、支払って政策基準を満たすほうを選ぶ。そのうえでほかの建設会社に金を払って、仕事の穴を埋めるわけです。そもそも業務遂行能力を持たない会社が、架空の少数民族系作業員の分まで労賃を請求することだって考えられます。可能性は何千通りもある。しかし、ご自分の手を汚さないかぎり、実態を知ることはできません」

マイケルがうなずく。「フィールディングが残した記録を徹底的に洗って、問題のある業者を突き止める。現場に出向いて、誰が働いてるかを確かめる」

ハーシュマンの顔に笑みが戻った。「別の言いかたをすれば、人目につくような行動を取るということですが」

その口調に込められた疑念の意味を、ステラは知っていた。ブライトによるスティールトン二〇〇〇批判は、あくまで観念論だ。本気で裏づけ調査を始めてしまうと、抜き差しならなくなる危険がある。向かいで、ハーシュマンが腕時計に目をやった。「あと三十分で、出かけねばなりません」

ステラは側面からの支援を求めてマイケルに目をやった。マイケルがハーシュマンにきく。「全員が利益を保証されていて、市だけは例外だというお話でした。しかし、市は無条件で球場を所有するわけですから、施設の運営で稼げるでしょう。ロック・コンサートや、もしかするとローマ教皇の再訪など、催し物も期待できる。その辺のところを、噛《か》み砕いて教えていただけませんか。ホールと建設業者のほかに、誰が儲けるのか。そして、球場の運営がなぜ市債の償還に役立たないのか」

見直したというように、ハーシュマンがマイケルの顔を見た。「ひとつめから行きましょう——誰が儲けるのか。

傍目《はため》にも明らかなのは、申し上げたとおり、スティールトン二〇〇〇の敷地の所有者たちです。球場そのものの敷地はもちろん、近隣の土地は必ず値上がりします。実際にダウンタウンが復興を遂げれば、地価は急騰するでしょう。

次に、建設絡《がら》みです。建設業者、ＭＢＥ、なかでもホール・デベロップメントがぼろ儲けをすることは、もうお話ししました。先ほど触れなかったのは、ブルーズのオーナーとしてのピーター・ホールが、新球場からさらに儲ける仕組みについてです。

第一に球場の命名権。これがあるから、サンフランシスコの球場に電話会社の名前がついたり、デンヴァーの球場にビール会社の名前がついたりします」椅子《いす》に背を預けたハーシュマンの表情は、ホールの見事な手並みを鑑賞しているかのように見える。「ブルーズは命名権を保持していましたが、あるとき、長距離電話会社のＭＣＩにその権利を売りました。今後二十年間で四千万ドルがブルーズに支払われ、スティールトン二〇〇〇の正式名は〝ＭＣＩスタジアム〟となります。〝ベルかあちゃん（訳注　米国電信電話会社ＡＴ＆Ｔの愛称）球場〟に匹敵するほどの、心温まる名前ですね」

ここで、マイケルが思わず笑い声をあげた。ハーシュマンが淡々と話を続ける。「第二に、豪華な特別席からの実入りがあります。百席用意されていて、一席あたり十万ドルの前納。合計一千万の追加です。

さらに、場内営業からの収入が加わる」言葉を切って、ステラのほうを向いた。「これが、普通とは少々趣きを異にします。ブルーズは、駐車場や飲食物やチームブランド商品を供給する権利を業者に譲って、年間一律の料金を受け取るつもりでいるんですよ。これは、場内営業をする企業、とりわけ名の通っていない業者からすれば、かなりの好条件です。場内営業というのは、さして経費もかからず、現金収入があるし、通常なら球団と利益を分け合うものですからね。しかし、ブルーズが受け取ることになる年間料金もなかなか悪くない。駐車場で二百五十万、飲食物で二百万、チームブランド商品で百万。締めて五百五十万ドルが球団の懐に入るというのに、市には一セントも入らない。しかもそれは、まだ入場券を一枚も売っていない段階での話です」念を押すように、話す速度を落とす。「シーズンの通し券を売り出すと、本格的な稼ぎが始まる。そして、球団を競売にかけるころには、ホールの言い値が大いに釣り上がるというわけです」

「市のほうには？」マイケルが尋ねた。

「名ばかりの使用料が入ります。年間百万ドル。クラジェクは、球場のおかげで——入場券の課税分などで——税収が増え、それを市債の利息支払いに充当できると唱えている。しかし、市は土地代も負担せねばなりません。さらに球場までの新たな道路の敷設《ふせつ》、バス路線の増設、警備にも費用がかかり、電球一個に至るまで、球場全体の維持費も当然ながら必要です。クラジェクの株が上がるはずはないんですがね」

ステラはハーシュマンをじっと見つめた。「あのプロジェクトがそんなに穴の多いものだとしたら、どうして誰もそれをつつかないんでしょう?」

「ブライトのように、ですか? 誰がブライトの肩を持ちます?」人差し指でテーブルをつついて、「こういう取引について熟知している人間――われわれの同業者や、資金調達に携わる者、目もくらむようなグラフや収支予想をホールとクラジェクに差し出すコンサルタントの面々――のほぼ全員が、まさにこういう取引から糧《かて》を得ているんです。わざわざ自分の首を絞めるようなまねをする者はいないでしょう」

ふたたび唐突に立ち上がり、両手をポケットに突っ込んだ。「斜に構えているように聞こえるかもしれませんが、そんなつもりはありません。球場建設には政治が絡みがちで、わたしが今論じているのは、あくまでその政治的な側面です。少数民族の受ける恩恵は本物なのか、市は支出に見合う収入を得るのか、今後スティールトンの消費傾向は高まるのか。こういう問いは、政治家の票集めのための売り口上であって、いずれもその場かぎりの話だったり、ときには単なるほら話だったりする。しかし、わたしに言わせれば、それは本質的な問題ではありません」

ハーシュマンがステラをにらみ下ろす。「金銭だけの話ではないんですよ、マーズさん。あなたたちがどう感じるか、一都市がどう感じるかの問題なんです。例えばクリーヴランドという都市にとって、全国的なイメージ、住民自身の持つイメージが、もはや荒れた街並みではなく、新しい建物を背にした美しい球場であることに、どんな価値があるのか。今、若者たちがダウンタウンに足を向けることに、どんな価値があるのか。スティールトンで同じ現象を目にすることが、あなたたちにどんな価値をもたらすのか。そして、あなたたちの子どもの世代に、どんな価値をもたらすことになるのか。

世の中は完璧ではありません。あのタージ・マハルだって、おそらくは、浪費と腐敗、それに、貧民を真の意味で救済できたはずの巨大な財貨の上に建てられたのでしょう。ところが、大都市が助成金を出す対象はといえば、美術館や演奏ホール、その他、公共の記念建造物です。そういう建物は、魂に善を施すことがなく、人の心に触れることもない。スティールトン・ブルーズの復活が果たすような力を、持っていないんです」

ハーシュマンが仕事へのこだわりの源となる情熱をあらわにするのは初めてだった。突然、ステラの脳裡《のうり》に、失意のさなかにあった父の、めずらしく上機嫌なある夜の姿がよみがえった。いつもの就寝時間を過ぎたのに、父の膝《ひざ》に乗ってラジオで対ヤンキース戦の中継を聞いていたら、ラリー・ロックウェルが決勝ホームランを打ったのだ。ハーシュマンが言う。「金銭面に関しては、ブライト検事が正しい。ご本人が意識する以上に、あるいは意識したがっている以上に、正しいかもしれません。そして、フィールディングの死因については、まったく見当もつかない。しかし、ひとつの街がどうやって死に至るか、どんな夢を見るかということに関しては、クラジェクが正しいんです。政治理念はともかく、あの男が当選に値する理由は、そこにあります」

互いにあまり言葉を交わさないうちに、ふたりはラ・ガーディア空港に着いた。しばらく経ってから、マイケルが口を開く。「で、どう思います？」

ステラは出発便の案内板に目をやった。「トミー・フィールディングがヘロインを過剰摂取した経緯と理由は、いまだに説明がつかない。わたしはこの問題に専念しなくてはいけないでしょうね。ほかのことは後回し」

「市長選もですか？」

ステラはマイケルのほうを向いた。通常なら部下の口から出るような質問ではないが、ことによるとステラの接しかたが、相手を対等に近い立場に押し上げているのかもしれない。マイケルのまなざしにも口調にも、純粋な関心以上のものはうかがえなかった。

「スローンとアーサーは政治にかまければいい。わたしたちのほうは、ハーシュマンが示してくれた道筋をたどるべきだと思うの。何かに、または誰かに止められないかぎり」

「例えば、アーサーに？」

「あるいはスローンに」ステラはひと言断わると、公衆電話を探した。

まだ午後一時前だ。土曜日だというのに、朝の八時三十分を始めとして、すでに七件の伝言が残されていた。もう間に合わないものが一件、ダンスから一件、報道関係者からノヴァクとフィールディングの双方あるいは一方についての問い合わせが二件、法学部の学生から日程の調整について一件、選挙運動の相談役候補から一件。最後に、聞き取りにくい単調なメッセージが流れた。若い黒人女性とおぼしき声。ステラは受話器に耳を押しつけた。

「テレビであなたを観たの。ティナのことで……」しばしの沈黙、「あとでまたかけ直すかもしれない」

通話の切れる音。

19

ステラが検察局に着いたのは四時過ぎだった。十五分と経たないうちに、帰着を知ったチャールズ・スローンから連絡があった。ブライトと三人で打ち合わせをしたいという。それから十分間、ステラは検事の机の前に坐《すわ》って、メガプレックスでの話の概略を伝えた。スローンがぞんざいな口調で次々と質問を浴びせてくる。ブライトは聞き役に徹していた。学者にも似たそのよそよそしさ――ステラは常々、これを〝保護色〟の一形態と考えていた――には、いつにも増して、人を寄せつけない雰囲気がある。

ようやくブライトが口を開いた。「それらのMBEがクラジェクと通じていることは、いずれ明らかになるはずだ」あっさりした語調で、「なかには、何もせずに金を受け取っている業者もいるだろう。入札なしだから、クラジェクは自分の息がかかった少数民族系企業をピーター・ホールに推すことができ、ホールとしても従わざるを得ない。ただひとつの疑問は、どれだけの公金がクラジェクの選挙運動に回されたか、だ」

あからさまな結論に、ステラは虚を突かれた。「ご存じだったんですか？」

「つじつまが合うのだよ」ブライトが両手を組んだ。「わたしの耳にもいろいろと入ってくる。あの球場の仕事を受注したがっていた有能な少数民族系企業は何社もあった。いずれも受注には至らなかった。数百万ドルの心付けが、ホールを黙らせたのだろう」

「フィールディングも、ですか？」

ブライトが小さく微笑《ほほえ》む。「あの男の職務は、現実を受け入れることだった。そして、工事を完成させること」

ステラはスローンを横目でうかがいながら言った。「シカゴのように」

ブライトが揶揄《やゆ》めかして、「シカゴは単なる地名ではない。精神状態を表わす用語だ」

スローンが早くも焦《じ》れた態度を見せ始めていた。ブライトのほうを向くと、ステラをのけ者にするかのように声を低くする。「あなたの支持基盤はどうなります？　〃無能な〃黒人たちをだしにクラジェクを非難したりすれば、日ごろ少数民族優遇制度を目の敵にしている白人政治家と同じになってしまいます。それで白人票が急激に増えるというわけではない。白人たちのご贔屓《ひいき》は相変わらずクラジェクで、その大多数が球場建設に好意的なんですから。棄権する黒人も出てくるかもしれない」さらに声を落として、「これまでどおり、ピーター・ホールを攻めるのが上策でしょう。お飾りの少数民族系企業の非をあげつらってもしかたありません。狙《ねら》い目はホールです。金持ちは常に、もっと金持ちになる方法を見つけるもので、今、ホールとクラジェクは、億単位の公金から私利をむさぼろうとしている。票を掘り起こすなら、そこです」

ブライトが口をはさむ。「その票を掘り起こすため、ホールとクラジェクは、ブルーズ史上最高の黒人選手であるラリー・ロックウェルに分け前を与えたわけだ。〝褐色の爆撃機〟ジョー・ルイスにカジノの呼び込みでもやらせるように」

苦々しげな声音は、クラジェクの政治的手腕に対する畏怖《いふ》の念を隠しきれていなかった。その思いはステラも同じだ。クラジェクは人種問題という切り口を巧みに利用して、黒人票を吸い上げると同時に、ブライトの最大の強みをそっくり自分の武器に転用したのだ。とはいえ、ふたりの会話は、ステラの嗜好《しこう》からすると現実離れしすぎていた。

「この件では、ふたりの死人が出ているんです。そちらはどうすれば……？」

片手で顎《あご》を支えたスローンが、やや不機嫌な面持《おもも》ちでステラをにらむ。「死因はどちらも薬物の過剰摂取だろう。ティナは常習者だし、フィールディングはスカーベリーをうろついていた。ある晩、ふたりは出会い、そして……」

言葉が途切れた。人間の脆《もろ》さを示す事例としては、あまりに凡庸で、口にする値打ちもないと言いたげだ。「そして？」ステラは問い詰めた。「次に何が起きたの？　その理由は？　殺人課という狭い世界には、そういうことを重大に考える人間もいるのよ」

ブライトはやや恥じ入るような表情を見せた。しばし考え込んでから、スローンのほうへ顔を向ける。「ナサニエル・ダンスを呼んでくれ」

六時四十五分。日が暮れて一時間が経ち、ブライトのオフィスの窓から見る球場は、街明かりの中の黒い影になっている。ステラは三人の男とともに会議用のテーブルにつき、白い紙の容器に入った中華料理をつついていた。ダンスが箸《はし》を使うのを見て、意外な気がした。

「トミー・フィールディングの住まいは」ダンスが概説を始める。「スティールトン・ハイツにあるタウンハウスだ。同じ通りにたくさんの人間が住んでいる。だが、フィールディングをよく知る人間はひとりもいない。いつも、朝早く出かけて夜遅く帰宅していたらしい。近所の住人たちの記憶に残っているのは、娘のことだけだ」もどかしさと自嘲《じちょう》が混ざり合った声。「フィールディングはよく娘を肩車していたと、複数の女性が言っている。なけなしの確証として、金庫に保管しておいたほうがいいだろうな」

ステラと同様、ダンスも困惑しているようだった。ごく乏しい情報から成る人物像の中に、被害者が切迫していたことを示すものが何もないのだ。「仕事についてはどう？」ステラはきいた。

ダンスがステラに顔を向ける。答えるかわりに、意表を突く問いを返してきた。「ジョニー・カランの話を信じていないんだな？」

ステラはあらためて、この刑事部長の勘の鋭さを実感した。「フィールディングの車をスカーベリーで見かけたという話は信じている。死ぬ二日前の姿を、確かにカランは見たんでしょう。でも、フィールディングが偶然に通りかかったとすれば――」

「スティールトン・ハイツに帰るのに、スカーベリーは通らない」ダンスが鋭くさえぎる。

ステラは肩をすくめた。「わたしが言いたいのは、薬物の使用歴も、習慣の変化も、女性の影も見出せないということよ。そんな人物が、ある晩突然、娼婦《しょうふ》と一本の注射器とともに死んだ。そして、手がかりといえばジョニー・カランの目撃証言だけ」

ステラの固執ぶりに、ダンスは引っかかるようなそぶりを見せた。ブライトとスローンは情報をふるいにかけながら、ふたりのやり取りに聞き入っている。ダンスが言った。

「ホール・デベロップメントの従業員全員に話をきいた。夜勤の用務員も含めてだ。フィールディングには、常軌を逸した行動も、普段と違うところもなかったらしい。ただ、ぴりぴりしているように見えたという。秘書の話では、偏頭痛に悩んでいたようだ」

「薬を飲んでいたの？」

「タイレノール。処方箋《しょほうせん》の要らない薬だ」椅子《いす》に深く坐り直して、ダンスが三人の注意を引き寄せる。「フィールディングはいつも、遅くまで仕事をしていた。駐車場の記録を調べたところ、ほぼ毎晩、十一時過ぎに駐車場を出ている」

「スカーベリーでカランに目撃された晩は？　九時から九時半のあいだだったというこ

とだけど」

ダンスの表情が読めなくなった。「八時三十六分。帰る前に、気分が悪いと言っている」

つまり、ダンスもそこに疑問を感じたということだ。「死ぬ当日の夜は？」

「七時十分。秘書によると、一日じゅう疲れたようすで、頭痛と睡眠不足を訴えていた。翌朝、空になったタイレノールの瓶がフィールディングの机の上にあった」

スローンがプラスティックのフォークを炒飯《チャーハン》の山に突き刺して、言った。「フィールディングはおかしくなりかけていたわけだ。ある晩、ティナと、救急箱に入っていない〝痛み止め〟を求めて、街を徘徊《はいかい》した。次の晩には、望みどおりのものを手に入れた」

ダンスが無言で、ステラの出かたをうかがう。ステラはスローンに言った。「かもしれない。あるいは、フィールディングに支払いを拒まれた怠け者のMBEが、逆上して、大量のヘロインをフィールディングに注射したうえで、ウェルチを隠れ蓑《かくみの》に使ったのかもしれない。あなたの言う〝お飾りの少数民族〟ね」ひと息ついて、さりげなく言い足す。「とどのつまりは、あなたにはなんにもわからない、ってこと。誰にもまだ真相はわからないの」

ステラらしくない、がさつな物言いに、ダンスが笑い声をあげた。その響きが、ブライトを考え事の淵から引き戻したようだ。「ノヴァクの件はどうなっている？」

ダンスが答えた。「容疑者なし。動機なし。次々と人が死ぬばかりで、その理由を語ってくれる者はいない」

その口調には皮肉以上のものが込められていた。ステラとは共有できても、おそらくあとのふたりには理解が及ばない知識だ。それは、最も粗野な犯罪である殺人というものの輪郭が、これほど不鮮明なことは稀《まれ》で、その稀な例においては、往々にして原因が深くもつれ合っているという経験的事実だった。不正審理とヴィンセント・モロに対するステラの疑念は、話題にのぼっていない。ステラは新たな不安とともに、この三人のうち、自分より先に資料室に行った人間がいるとしたら誰だろうかと思いめぐらした。スローンが沈黙を破る。「何もわからないほうがよさそうな気がしてきたな。ジャック・ノヴァクを安らかに眠らせておいてやれ」

政治的な意味で、アーサーにこれ以上の痛手を与える事態など想像しにくかった。腐敗の迷宮のなかで、あるいは激情に姿を変えたSM遊戯の果てに、友人が命を落としたのだ。しかし、答えを突き止めるのがステラの職務であり、この件では、個人としての必要にも迫られている。「マスコミにそう伝えるといいわ」

スローンが頬を膨らませた。押し黙ったブライトのまなざしは、奈落をのぞき込んでいるようだ。ノヴァクを憐《あわ》れむその心の奥底で、いっそ友情を結ばなければよかったと悔やんでいるのだろう。「フィールディングの件は、どうします？」ステラは尋ねた。

またも追想を破ってしまったようだった。「焦《あせ》らずに進めてもらいたい。クラジェクがまやかしにMBEを使っているという話は、もちろん気に入らない。しかし、優先すべきは二件の殺人の捜査であって、対立候補のあら探しではないのだ。

きみとデル・コルソがホールの会社に探りを入れるのは構わない。だが、フィールディングの死と業務との関わりが明らかにならないかぎり、深入りは禁物だ」スローンの顔をうかがいながら、やんわりと結ぶ。「票集めのための工作だと思われかねんからね」

それから一時間、ステラは漫然と机上の書類を繰って過ごした。逮捕の報告書、最近の事件に関するコンピュータのデータ、読む気にもなれない大陪審の宣誓証言。ノヴァク殺害の現場写真を収めた封筒は、手つかずのまま――あまりに多くのことを語りながら、何ひとつ語らない証拠物件だからだ。オフィスを出ようとしたとき、電話が鳴った。

「ステラ・マーズです」

沈黙に近いひそかな息づかいが聞こえる。「おまわりは絶対だめ」女性の声が言った。

あのときと同じ声だ。ステラの神経が震えた。「ティナを知っているのね」

またしても沈黙。「話したいの。おまわりじゃない人に」

相手の声に決意の脆さを聞き取って、ステラは一瞬言葉に詰まった。「わかったわ。どこに行けば会えるの？」

さらにためらいの間があく。採るべき道を——それぞれの道の行き着く先を——吟味しているらしい。「〈アルの店〉。花屋通りの」

スカーベリーだ。未解決の疑問が自然に解けた。相手は娼婦で、ティナ・ウェルチを知っているが、警察とは関わりたくないのだ。「どうすればあなただとわかる？」

最後の短い沈黙。「こっちがあんたを知ってるから、だいじょぶ。テレビで観た」

20

スカーベリー地区は、寒々しく陰気で、殺伐としている。車を駐《と》めると、カナダ側から湖面を渡ってきた寒風が、オノンダガ川沿いの〝花屋通り〟と呼ばれる薄汚い一郭を吹き抜けていった。この地名は一世紀以上前のスカーベリーの風物に由来するもので、当時は、ステラの曾祖父《そうそふ》キャロル・マージェフスキーのような製鋼所の労働者たちが、歩道に並んだ露店で、さまざまな野菜や、ときに薔薇《ばら》などを買っていたらしい。

その情景もたちまち時流の波間に消え、いわれをなくした地名だけが、土地柄の繁き変遷《へんせん》を生き延びてきた。はかなくも派手やかに過ぎた二〇年代には、もっと高級な劇場街の添えものとして、バーやナイトクラブが軒を連ねていた。次いで、もぐりの酒場が集まる怪しげな一帯となり、闇《やみ》の蔵元から仕入れた密造酒が供されるようになる。四〇年代に入ると、酒と喧噪《けんそう》の日々は最後の隆盛を経て終焉《しゅうえん》を迎えた。そして戦後、郊外への人口大移動が始まるとともに、スティールトンの中心部、とりわけ歓楽街が空洞化していく。バロック様式の大劇場の明かりが消えると、娯楽を求める人々はスカーベリーに見向きもしなくなった。麻薬が酒に取って代わり、もともと格式の低かったわずかな軒数のホテルは簡易宿泊所に姿を変える。スカーベリーは、落書きだらけの吹き溜《ふだ》まりとなり、そこにぽつぽつと住み着いたのが、娼婦《しょうふ》や麻薬の売人、絶え間なくしゃべり続ける、半ば気の触れたホームレスなどの、都会の幽霊たちだった。それに引き寄せられるように、土地に似合いの陰鬱《いんうつ》な異端者が、ひとり、またひとりと流れ込んでくる。

ステラは花屋通りを端から端まで見渡しながら、トミー・フィールディングの真っ白なレクサスがすべるように通り過ぎるところを想像してみた。うまく像が結ばない。今、この街区には三人の人間の姿があった。ショッピングカートを押すホームレスの男と、派手な服と安っぽいビニールのブーツを身につけた娼婦がふたり。ひとりは暗がりのなかで紫煙をくゆらせ、もうひとりは両手で口もとを覆《おお》って指を温めている。まばらな看板はどれも、色あせたり、ネオンが明滅したりしていて、ホテルもバーもコインランドリーも、あえてそれを修復する気がないらしい。〈アルの店〉に向かう途中の路地で、もうひとり、ごみ収集容器にもたれて坐《すわ》る男の姿が目に留まった。ここスカーベリーは、ヘロインさながら、エキスにまで煎《せん》じ詰められている。

〈アルの店〉は、いわば煎じる過程で生じた残滓《ざんし》だった。バーとレストランと雑貨屋が渾然《こんぜん》一体となった店で、売り物は煙草《たばこ》、スナック食品、コレステロールと脂《あぶら》を主成分とする三度の食事。バーで出されるのは、水も氷も加えない安酒と、どこでも手に入る国産のビールだ。客はほんの数人だった。そのうちのひとり、痩《や》せこけた若い黒人の女が、隅のテーブルから顔を上げて、警戒のまなざしをステラに向ける。

ステラは思わず足を止め、ダンスの同行がかなわなかったことを心細く思い返した。

それから、女に近づいていく。「車で来た？」女がきいた。

ステラはうなずいた。

「あっち向いて、店を出て。車までついてくから」

夜ごと繰り返される手順をなぞっているらしい。男がこの女に目をつけ、取引が成立すると、女が男のあとについて車まで行く。たぶん今夜は、五時少し前から商売を始めているのだろう。仕事を終えた男たちが、景気づけに一杯飲んだあと、家族が待つ自宅に帰る途中でスカーベリーに立ち寄り、手か口で楽しませてもらう……。けれど、警戒心がステラの歩調を鈍らせた。この女がどういう処世の術を身につけてきたか、知るよしもないし、娼婦のなかには常々ナイフを持ち歩く者もいる。その疑念を察したのか、女がぼそっと言った。「この店、風紀課のおまわりがただで食事をしてくんだよ」

ステラは両手をレインコートのポケットに入れたまま、相手を見下ろした。ストレートパーマをかけて鳶色《とびいろ》に染めた髪が、かつらのように不自然な印象を与える。小麦色の顔は妙に表情に乏しく、アーモンド形の目が、ステラと同じユーラシア大陸の血を感じさせた。しかし、瞳《ひとみ》そのものは、円い焦《こ》げ跡のように、鬱屈をくすぶらせている。

肚《はら》を据えるしかなかった。ステラは無言で出口のほうを向き、ドアから出た。背後に誰もいないことを、振り返らずに耳で確かめる。通りのようすが先ほどと違う点は、娼婦がひとりいなくなっていることだけだった。

ほんの一週間余り前、ティナ・ウェルチがこの通りから姿を消したのだ。おそらくその人生は虐待《ぎゃくたい》に始まり、十代での妊娠、売春、ヘロイン中毒、エイズを経て、袋小路へ行き着いたのだろう。短い生涯に、かかえきれないほどの波乱。

ステラは足早に車へ戻ると、助手席のドアをロックせず、運転席に乗り込んだ。フロントガラスを、影法師のように女の姿が横切る。左右に目を走らせてから、車の中へすべり込み、そっとドアを閉めた。と、いきなり、超自然的な本能で危険を察知したかのように、身をすくませる。バックミラーを見ると、大きな光の輪がふたつ映っていた。巡回中のパトロールカーのヘッドライトだ。通りから急に人けがなくなった。

女が助手席で背を丸める。ワゴン車が速度を落として、一街区ずつ〝人間のくず〟を探しながら、ゆっくりと通り過ぎていった。

女が頭をもたげた。「この中、寒いね」

不平というより感想に近い素朴な言葉に、ステラの緊張がゆるんだ。エンジンをかけて、ヒーターのスイッチを入れる。

「ティナのことを話して」

暗がりのなかで、女の細長い顔があたりを見回した。「あたしたち、このブロックで仕事してたんだ。ほとんど毎晩、同じ時間にここにいるようにしてた」

殺人課で働いているおかげで、ステラは、大半の人間が知らないようなことも学んできた。勤めはじめのころ、場末の娼婦を立て続けに殺害した大工の事件を手がけたことがある。後日、その大工の母親も娼婦だったことが判明した。「身を守るためね」

「あたしたち、用心してるんだ」唐突に低く笑って、「体を売る女より結婚してる女のほうが殺されやすいっていうのは、ほんとかもしれない。でも、スティールトンじゃ、そう安心もしてられないからね」

「あなたたちが特に恐れている相手がいるの？」

闇にライターの火花を散らして、女が薄荷《はっか》煙草に火をつける。許可は求めなかった。ホームレスの男が信号を無視するのと同じ、ささやかな権利の行使なのだ。ゆっくりと煙を吐き出してから、「お客、強盗、人殺し。それと、おまわり」

最後の言葉に、鋭い棘《とげ》が感じられた。「風紀課の？」

女が視線を窓の外に据える。「あいつらのこと、どれだけ知ってる？」

ステラは窓を細くあけながら、どういう趣旨で答えるべきかを考えた。「血の気が多すぎて麻薬課にはいられないような警官たちが所属する部署。婦人警官の手を借りるのをとてもいやがる」

偏《かたよ》ってはいるが、真実が含まれた答えだった。女が初めてステラに顔を向けた。

にべもない口調で、「逮捕しないおまわりたちだよ。パトカーの後ろの席で女を犯してから、金を巻き上げるやつ。垂れ込みさせるために、ヤクを没収するやつ。しゃぶってやるまで、運転免許証を返してくれないやつ」声が甲高くなる。「ひどいのになると、夜中にパトカーでスティールトン・パークまで連れてって、殴って、犯したあげく、道ばたにほうり出してく。なにしろ、おとがめなしだからね」

「あなたが、そうされたの？」

ばかげた質問だと言わんばかりに、女が歯をむき出し、けものじみた笑みの形に唇をゆがめた。「あいつらはやりたい放題さ。なんて言ったっけ――けんぺい……？」

「権柄《けんぺい》ずく？」

「権柄ずくで、商売女を拾って、切り刻んで、ドラム缶に詰め込んで、川に捨てるんだ。あの娘《こ》もあたしの友だちだった。あんたたちは、あの娘を殺したやつをまだ捕まえてない。そうでしょ？」

ステラは相手を見据えた。それは十五年を経た今も、人の口にのぼる事件だった。この女は十代のころから体を売っているらしい。「ええ。捕まえていないわ」

「殺《や》ったのがおまわりだからだろ」

「そんなことが、あなたにわかるの？」

「あの娘はふっと消えちまった」声が曇る。「いかれた客なら、あたしたちにゃわかる。そんなやつの車に乗ったりはしないさ。でも、相手がおまわりだったら、話はべつだ」

「心当たりのある名前を教えて」

車内は薄暗く、表情も読み取りにくかったが、女の黒い瞳がくすぶっていることはわかった。「無理だよ、検事さん。あたしがスティールトン・パークに連れてかれた日は、運がよかったんだ。そいつは、その心尽くしを〝ありがたく〟思わないとどうなるか、教えてくれた。だからあたしは、ありがたく思うことにしたの」

ステラは胸に怒りが湧《わ》き上がるのを感じ、来訪の目的をあらためて自分に言い聞かせた。「ティナはどうだったの？　知らない男の車に乗るようなタイプだった？　相手が警官ではないときに」

女が深く煙草を吸うと、先端が闇の中でオレンジ色に光った。しばらく間をおいてから、「ヤクのためなら、そうしたかもね。ティナはひどい中毒だった。断ち切ろうとしてたんだろうけど……」声が途切れ、弔辞にも似た響きを帯びる。「ティナはルールを知ってたし、子どものことを愛してた。自分のことより、ずっとずっと愛してた」

「〝ルール〟？」ステラは相手の言葉を繰り返した。「どんなルール？」

「ホテルを使うこと。二十分で五ドル。でなけりゃ、狭い通りですること。なかには、ヤク中に金を取られないように、車のドアをロックして、後ろの席でやるほうが落ち着くって客もいる。でも、知らない相手の車でどこかに行くのは厳禁なんだ」淡々とした簡潔な説明が、こういう女たちを取り巻く環境の過酷さを際立《きわだ》たせた。沈黙と闇、そして、法と無法のあわいに漂う荒涼とした空気……。目の前で、ひとり残っていた娼婦が、足を引きずりぎみに歩く痩身《そうしん》の男と連れ立って、横丁へふらりと入っていく。麻薬と体、どちらを売るのかはわからない。なぜ、ここには街灯が一基もないのだろう？「ティナにはひもがいたの？」

「身を守るために？」口調に侮蔑《ぶべつ》がにじんだ。「スカーベリーで商売する女は、たいていが運任せだよ。互いに目を配り合うのもいる。あたしとティナみたいにね」

それでも万全ではない、と言いたいらしい。「どんなふうにしていたの？」

女が煙草を吸い終えた。「ふたりで、よくおまわりのことを話したよ。連中の狙《ねら》いは何か、誰がどの覆面パトカーに乗ってるか。あとは、新顔の客の見分けかた――危険信号がないかどうか」助手席のドアをさっとあけ、すばやく吸い殻を投げ捨てると、またすぐに閉める。しかし、冷気に触れて外の世界の感覚が戻ったのか、表情が落ち着いたようだ。「やばいのは、ティナみたいにヤク漬けになって、勘が鈍ることだね。ヤクをやりすぎて、頭がいかれて、殺される。あの娘はもう、死ぬ前に死んでたんだ」

ステラは女の顔をうかがった。「ジョニー・カランという警官を知っている？」

反応がない。記憶をたぐっているのだ。

「麻薬課の刑事よ」ステラは待てずに付け加えた。「何年か前は、風紀課にいたわ」

女が黙って、通りに目を走らせる。「背格好は？」

ステラは頭に浮かんだ印象をまとめた。「五十代半ばで、体格がよくて、ふさふさした白髪に、白い口髭《くちひげ》、赤ら顔。冷たいブルーの目。一度見たら、忘れられないと思う」

女がまた煙草に火をつける。慎重な口ぶりになって、「会ったことがあれば、忘れないだろうね。どうやら、あたしの時代より前のおまわりみたいだ」

この女の時代とはどんな時代で、それをどう生き延びてきたのか。女はティナより年上に見えたが、三十を大きく超えてはいないはずだ。なのに、表情に乏しいその顔には、悟りきった趣きがある。女がぼそりと言い足した。「あたしたちは必ず顔を覚える。車も覚える。ティナとあたしはナンバーを記憶してた。そのことを話したかったんだよ」

それから数分間、ステラは耳を傾けた。聞き終えたところで、ようやくティナ・ウェルチが死んだ夜の心象が、幻影のように、なおかつごく鮮明に、頭に像を結んだ。

女はすでに五人の客を取っていた。最後の客とは、〈ロワイヤル〉の一室、照明が割れて壁紙の剝《は》がれた部屋で、仕事をすませた。ロビーに戻って、フロントの男にそっと金を手渡したとき、男の背後の時計は十時三十分を指していた。

外はひどく寒い。そこにティナがいた。物陰から出てきて、〈ロワイヤル〉のネオンサインが放つ青白い光のなかにすべり込む。瞳孔《どうこう》は針穴のように細く、汗の薄い膜が肌を覆い、組んだ両腕で――見るからに麻薬常用者のしぐさで――自分の体をきつく抱いていた。ほとんど口を利《き》こうとしない。

ティナはもうおしまいだ、と女は思った。そして、ティナの五歳になる子どものことに思いを巡らした。十年か十五年経てば、その子もおしまい。女は、人の命の終焉を感じ取れる自分に、ときどき嫌気が差した。それは、花屋通りのこの街区から受ける感覚――終焉に向かう世界で暮らしている感覚――に似ている。

「あんた、だいじょうぶなの？」女はティナに尋ねた。

歩道を見つめながら、ティナが首を振った。目に涙を浮かべている。しかし、言葉は出てこなかった。無言の同意を得て、ふらつきながら自分の受け持ち区域に歩いていく。赤いビニールのブーツが運ぶ痩せた体は、亡霊のようだった。

数分が過ぎた。隣りの街区から、ヘッドライトの黄色い明かりがふたりに向かってくる。女はいつもの流れを感じた。近づくにつれて速度が落ちるヘッドライト。闇に光る目のように、何かを求め、探しているのだ。明かりがティナに向かい、やがて止まる。ブレーキの音もエンジンの音もしない。

まぶしさに顔をしかめながら、女は車の品定めをした。花屋通りという冥府《めいふ》の闇にあっても、車が白いこと、なんのマークも付けていないこと、高級車らしいことがわかる。

安定した、節度ある暮らしを示す車だ。

両腕を胸にきつく巻きつけたティナは、動こうとしない。

少し間があった。車の窓があいていたのか、ティナが上体をかがめて、車内をのぞき込む。しばし迷いを見せてから、前に二歩進んだ。

ひとつひとつの動きがためらいがちで、慎重だった。相手の話を聞いているのかもしれない。距離を保ったまま、首をかしげている。やがて、うつむいた。

中から助手席側のドアがあく。

初めのうち、ティナは動かなかった。そして、目に映った何か、あるいは耳に入った何かに引きずられるように、おずおずと車に近づく。見守っていた女は、顔がこわばり、胃が引きつるのを感じた。そのうち、ティナの姿が黒い影になり、車の中に消えた。

音もたてずに、車が動き始める。あまりに静かな排気音が不気味だった。

ヘッドライトの明かりが広がる。女はナンバープレートに目を凝らし、文字列を頭に刻みつけた。車が通り過ぎるとき、こちらを見つめるティナの顔が、ほんの一瞬だけ目に入った。車は角を曲がり、走り去った。

女は大きく息をついた。とにかく、あのナンバープレートなら、簡単に思い出せる。

ステラもまた、みぞおちがぎゅっと縮むのを感じた。そのドライブの終着点を知っているからだ。証《あか》しとなる写真も、手もとにある。

「以前に見かけたことのある車？」

女が首を振った。「ティナも初めてだったと思う。態度を見てて、わかったよ」

「運転していた男が、ヘロインで誘ったのかしら？」

女が煙草を吹かしかけてから、吸い口を唇に当てたまま動きを止めた。「たぶんね。でなけりゃ、ヤクを買うお金か。あの晩はまるっきり稼げなかったから」

「ティナはいつも、誰から買っていたの？」

女がうんざりした顔をする。「誰からでも。スカーベリーにも、お金さえ出しゃ、売ってくれる男がいたよ。でも、あの晩は、そいつを全然見かけなかった」

「車の男の顔は見えなかったのね？」

「すごく暗かったから」深く吸った煙草の、煙と薄荷の渦のなかから、次の言葉が現われた。「あのナンバープレート。あの娘といっしょに死んでた野郎のだろ？」

「ええ」

女がおもむろにうなずく。小さく洩《も》れた声音に、疑問が解けたこと、結末を確信したこと、すべてが悲しい必然だと悟ったことが示されていた。自分の身に降りかかっても不思議はない出来事なのだ、というように。

女が吸い殻を窓から投げ捨てた。

ステラは黙って考えに沈んだ。女がコートのポケットに手をすべらせる。その手がふたたび外に出たとき、開いたてのひらに、爪切《つめき》り用の鋏《はさみ》がさりげなく載っていた。ステラははっと息をのんだ。反射的にその手首をつかみ、力が強すぎて、女が小さく悲鳴をあげる。しかし、鋏はてのひらにしっかり留まっていた。女が苦笑を浮かべ、くすぶったまなざしを向けてきた。

「護身用だよ」ざらついた声。「これで目を狙うんだ」言葉を切り、ふたたび平静な口調になって、付け加えた。「まだ、たいしたことはわかってないんだね？」

ゆっくりと、ステラは相手の腕を放した。「あなたの名前は？」

女がかぶりを振る。「仕事に戻りなよ、検事さん」そう言って、車のドアをあけた。声をかける前に、女は外に出ていた。数秒後、通りには誰もいなくなった。女がいたことを示すものは、去り際に起こった小さな風と煙草の匂《にお》いだけだった。

Title : DARK LADY (vol. I)
Author : Richard North Patterson

Japanese translation published by arrangement
Alfred A Knopf, a division of Random House
through The English Agency (Japan) Ltd.

ダーク・レディ（上）

新潮文庫　ハ－37－5

Published 2004 in Japan
by Shinchosha Company

平成十六年九月一日発行

訳者　東《あがり》江《え》一《かず》紀《き》

発行者　佐藤隆信

発行所　株式会社 新潮社

郵便番号　一六二―八七一一
東京都新宿区矢来町七一
電話 編集部(〇三)三二六六―五四四〇
　　 読者係(〇三)三二六六―五一一一
http://www.shinchosha.co.jp

価格はカバーに表示してあります。

乱丁・落丁本は、ご面倒ですが小社読者係宛ご送付ください。送料小社負担にてお取替えいたします。

印刷・株式会社光邦　製本・株式会社植木製本所

ISBN4-10-216015-9 C0197